17~18세기 장동 김문(壯洞 金門)의 산수문학 연구

이 효 숙

"이 논문은 2023년도 건국대학교 저역서발간연구비 지원에 의한 결과임"

17~18세기 장동 김문(壯洞 金門)의 산수문학 연구

발 행 | 2024년 3월 18일
저 자 | 이 효 숙
펴낸이 | 한건희
펴낸곳 | 주식회사 부크크
출판사등록 | 2014.07.15.(제2014-16호)
주 소 | 서울특별시 금천구 가산디지털1로 119 SK트윈타워 A동 305호
전 화 | 1670-8316
이메일 | info@bookk.co.kr

ISBN | 979-11-410-7673-3

www.bookk.co.kr

17~18세기 장동 김문(壯洞 金門)의 산수문학 연구

이 효 숙

머리말

　조선 후기 사상계 속에서 17세기는 매우 특별한 위치를 점하고 있다. 임진왜란과 병자호란 이후 전후 극복 과정에서 당파들은 각기 다른 사상적 대안을 모색하고자 했고, 이 과정에서 불가피한 충돌이 발생하였다. 이러한 사상적 대립은 인조반정 이후 정권을 담당하던 서인 당파 안에서도 존재하였다. 서인은 한당과 산당으로, 노론과 소론으로 분열·대립하는 양상을 보였다.

　노론은 17·18세기에 조선의 정국을 주도하였다. 막강한 정치력의 저변에는 예론(禮論)과 의리론(義理論)이라는 사상적 토대가 마련되어 있었다. 학문적인 영향력을 바탕으로 하여 노론계 문인들은 문화 전반을 주도하였다. 장동 김문은 노론 낙론계의 핵심 가문으로 정치적인 영향력을 발휘하였다. 청나라를 인식하는 데에 있어서 17세기 초반에는 반청의식이 팽배하였으나, 점차 청과의 교류가 잦아지고 경화사족으로 군림하면서 자연스럽게 청의 문물을 접할 기회가 늘었다. 이를 계기로 하여 노론 낙론 계열은 도통 의식을 강조하던 호론 계열보다 사상적인 유연성을 보이기 시작하였다.

그들의 사상적·학문적 변화의 핵심에 있는 가문이 이른바 '장동 김문'이다. 장동 김문은 17~18세기 치열하게 진행된 사화의 소용돌이 한 가운데에 있었으며, 그들이 형성한 정치적·학문적 영향력은 구한말까지 지속되었기 때문이다. 필자는 장동 김문이 그토록 오랜 시간 동안 중앙 정계에서 중요한 역할을 할 수 있었던 변곡점이 청음 김상헌과 그의 손자 '삼수육창(三壽六昌)'에서 비롯되었다고 파악하였다.

　　이 책은 17~18세기 장동 김문의 문인들의 산수관과 산수문학의 특성을 살피는 데에 목적을 두었다. 그들 중에서도 은일을 통해 산수 경물을 접할 기회가 많았던 인물을 연구 대상으로 설정하였다. 그동안 17·18세기 문학사 연구가 김창협·김창흡 형제에 집중되었던 것에 문제를 제기하고 이들과 영향 관계에 놓인 인물로 그들의 백부 김수증과 손자 김원행을 아울러 연구 대상으로 설정하였다.

　　김수증은 곡운구곡의 은거를 실행하며 산수를 보다 실천적으로 인식하려 하였다. 산수를 단순히 유람의 대상으로 여기지 않고 명명(命名)의 과정을 통해 인식의 틀로 가져오려고 하였다. 그는 작품을 통해 산촌에서의 소박한 삶을 여러 편의 장편 연작시로 형상화하였다. 또 주로 노년에 지은 작품들이 많으므로 삶에 대한 자탄을 노정하였는데, 이들 작품은 김상헌에 대한 회고와 자제들에게 권면하는 주제로 전환되었다. 또 산수를 통해 주자학적 이상향을 추구하려는 작품이 뚜렷한 한 경향으로 파악할 수 있다.

　　김창협은 산수에 대한 글을 여러 편 남겼다. 기문과 편지글에 산수를 성정 도야의 수단으로 인식했다. 따라서 명성에 현혹되어 산수의 겉모습만 감상하는 것이 아니라 그 속에 내재된 자연의 이치를 파악해야 한다고 하였다. 산수 문학은 주로 기사환국 이후 농암에 은거하면서 창작되었다. 자신의 은거를 지속하겠다는 의지를 은자의 삶에 대한 예찬으로 표현하였다. 또 산수 품평을 통해 산수의 우열을 가려 그 속에서 유학적인 가치를 찾고자 하였다. 이를 통해 산수 경물 속에서 천기를 발견하고자 하였다.

김창흡은 산수를 관물적 태도로 감상하려고 하였다. 특히 김창흡은 철원 삼부연이나 설악산 등지에서 은거를 실행하였다. 문학 작품에서는 이와 같이 궁벽한 곳으로 은거지를 옮겨가며 은일을 지속하고자 했던 의지가 표출되었다. 한편 백부인 김수증, 김시습 등의 인물을 은자의 전형으로 설정하여 이들의 행적을 따르고자 하였다. 한편, 은거의 일상에서 부딪치는 소재들을 시에 적극적으로 개입시키고 사물에 대한 관조를 통해 깨달음을 얻고자 하였다.

김원행은 김창협, 김창흡 형제에서 이재(李縡)로 이어지는 노론 낙론계를 대표하는 학자이다. 그는 1702년(숙종 28) 김창집의 손자로 태어났으나 신임환국을 겪으면서 과거를 포기하고 고향에서 학문에 집중하였다. 김원행은 비록 유학자이지만, 산수 사이를 출입하면서 그곳에서 생기는 흥취를 표현하는 일을 긍정하고 있다. 또 시에서 음률보다는 기격의 분출을 중시하였다. 그리고 김원행은 시 속에서 산림으로서의 삶 지향, 선현에 대한 흠모, 도학적 주제를 전달하는 등의 주제로 정리하였다. 산수와 경물을 읊고 있으나 경물 자체를 읊기보다는 그 속에 숨어 있는 의미를 찾아 이야기하고 있다.

이 책은 박사학위 논문을 보완한 것이다. 학위논문을 준비하면서 개인적인 한계를 수시로 느꼈기 때문에 졸업 이후 학위논문을 책으로 엮는 것에 큰 부담을 가졌다. 많은 시간이 흘렀음에도 학문적 역량이 크게 신장되지 못했을 뿐만 아니라 오히려 예리한 접근은 더 어려워졌을 뿐이다. 그저 그간의 작업을 정리하는 데 의미를 두며 출간을 결정하였다. 다만 그 사이 고전번역서들이 출간되어 번역에 미진함에 도움을 받아 부족함을 메울 수 있었다. 동학의 질정을 기다릴 뿐이다.

2024년 봄
충주 서실에서

차례

Ⅰ. 들어가며

1. 연구 목적

　17세기는 사회 전반에서 변화를 모색하던 시기였다. 안으로는 임진왜란·병자호란 두 차례의 전란을, 밖으로는 명·청의 교체기를 겪으며 조선은 정치·사상·경제 등에서 대안을 찾고자 하였다. 그 과정에서 발생한 두 차례의 예송 논쟁은 당파 간의 사상적 대립을 심화시켰다. 사상적 대립이 정치적 쟁점으로 드러날 때마다 그 결과에 따라 극심한 당화(黨禍)를 겪었다. 이러한 까닭으로 황극탕평론(皇極蕩平論)이 대두되기도 하였으나 실효를 거두지는 못하였다.

　문학계도 예외가 아니었다. 16세기에 당시풍(唐詩風)이 시단을 풍미하였던 것에 대한 비판으로 17세기 초에는 명대(明代)의 진한고문풍(秦漢古文風)이 대두되었다. 그러나 이 풍조 역시 당송고문론(唐宋古文論)이 제기되면서 비판을 받게 되었다. 주로 노론계(老論系) 문인들에 의해 당시(唐詩)는 물론 송시(宋詩)도 재평가되기에 이르렀다. 김창협(金昌協, 1651년~1708년)과 김창흡(金昌翕, 1653년~1722년)은 이러한 문단의 흐름을 주도하였다.[1]

인조반정 이후 서인(西人)은 정권을 담당하게 되었다. 특히 효종 때 송시열(宋時烈, 1607년~1689년)은 중앙 정계에 진출하면서 정치적인 기반을 굳힐 수 있었다. 서인은 경신환국(庚申換局, 1680년)을 기점으로 송시열을 중심으로 한 노론(老論)과 윤증을 중심으로 한 소론(少論)으로 분열되었다. 이후에 주로 노론이 정치적 영향력을 크게 행사하며 문단을 주도하였다. 노론은 자신들이 이이(李珥, 1536년~1584년)로부터 비롯된 서인의 정통 학맥을 고수하고 있다고 자부하였다. 한편 성리학을 이해하는 데에 있어 주자 중심주의를 표방하였다. 소론 계열 일부 학자들의 양명학(陽明學)에 대한 관심은 노론의 비판 대상이 되기도 하였다. 이러한 학풍의 영향으로, 자신들이 득세하였을 때는 중앙 정계를 장악하였으나 실세하였을 때는 사사(賜死)되는 극심한 부침(浮沈)을 겪게 되었다.[2]

이 책은 위와 같은 정치적 변혁기에 정계와 문단을 주도했던 장동

---

1) 이 당시 문풍에 대한 연구는 다음에서 공통적으로 논의되는 바다.
   강명관, "16세기 말 17세기 초 의고문파의 수용과 진한고문파의 성립,"『한국한문학연구』18, 1995. ; 강혜선, "김창협 고문 연구," 서울대학교 석사학위논문, 1990. ; 송혁기, "김창협 문학비평의 당대적 위상,"『고전문학연구』18, 2000. ; 안대회, 『18세기 한국한시사 연구』, 소명출판사, 1999. ; 우웅순, "17세기 고문론의 배경과 역사적 성격,"『어문논집』30, 1991. ; 장원철, "조선후기 문학사상의 전개와 천기론," 한국정신문화연구원 석사학위논문, 1982.
   2) 조성산, "조선후기 낙론계 학풍의 형성과 경세론 연구," 고려대 박사학위논문, 2003. 참조.

김문(壯洞 金門)의 산수관을 살피는 데에 첫 번째 목적이 있다. 장동 김문은 안동 김씨 유파 중 서울의 장의동에 세거하였던 김상헌·김상용 일가를 지칭하는 용어로, 학계에서 널리 사용되고 있다.3)

산수관은 산수를 주된 제재로 사용했던 문인들에게 있어서 무엇보다도 중요하다. 특히 조선 후기 문학에서, '천기(天機)'를 핵심어로 파악하는 데에는 이견이 없다. 그러나 '천기'에 대한 이해는 학자마다 조금씩 의견을 달리하고 있는 것도 사실이다. 따라서 천기의 정확한 문학론적인 의미를 확정하기 위해서는 천기의 고양을 주장했던 당시 문인들이 산수를 어떻게 파악하고 있느냐를 살펴야 할 것이다.

이 책의 두 번째 목적은 이들의 문학 작품 중 산수문학4)이 지니는 특징적인 면모를 밝히는 데에 있다. 우리 문학사에서 산수를 소재로 사용한 작품은 무수히 많다. 그 중에서도 산수·자연을 주된 제재로 사용한 작품군으로는 '강호가도'(江湖歌道) 문학을 대표적인 예로 들 수 있다. 장동 김문의 문인들도 출처(出處)를 반복 혹은 선택하면서 자연 경물을 제재로 한 작품을 시나 기문(記文)의 형식으로 다수 남겼다. 이들 장동 김문 문인들이 자연을 어떻게 표현하고 인식하였는지를 밝히는 것은 그들의 처세, 나아가 세계관을 파악하는 데에 있어 중요한 작업이 될 것이다. 강호가도 문학으로 대표되는 전대(前代)의 작품군과

---

3) 장동 김문의 내력과 형성 과정에 대해서는 이경구, "17~18세기 장동 김문 연구," 서울대학교 박사학위논문, 2003. : 김학수, 『끝내 세상에 고개를 숙이지 않는다』, 삼우반, 2005.에 자세하다.

4) 문학에서 자연을 지칭하는 용어로, '강호', '산림', '강해' 등이 두루 통용되나 이 책에서는 이를 아우르는 개념으로 '산수문학'이라는 명칭을 사용하고자 한다. 이에 대한 자세한 논의는 3절. "연구방법 및 자료"에서 다루고자 한다.

이들이 남긴 산수문학을 비교함으로써 산수·자연을 제재로 한 문학적 전통이 어떻게 변용되었는지를 밝힐 수 있을 것이다. 이것은 우리 문학에서 산수문학의 사적인 흐름을 밝히는 데에 있어서도 의의를 찾을 수 있을 것이다.

세 번째로, 장동 김문의 문인들이 산수문학을 통해 구현하고자 했던 문학 정신이 후대 문학사에 미친 영향을 밝히고자 한다. 대체로 조선 후기 문화사에 뚜렷한 하나의 특징으로 '진경문화'를 꼽는다. 학계에서는 '진경(眞景)'을 시 또는 그림에 구현하고자 했던 정신을 발흥시킨 인물로 김창협·김창흡 형제를 꼽고 있다. 이 책에서는 범위를 넓혀 이들을 포함한 장동 김문 문인들의 문학을 살펴 그 연원을 밝히고자 한다.

2. 연구사

조선 후기 노론계 문인에 대한 관심은 사상·문화 등 다양한 분야에서 표출되어 왔다. 특히 노론계 문인들의 학풍 형성 과정과 호락논쟁(湖洛論爭)에 대한 연구는 역사학계와 사상계에서 꾸준히 지속되었다. 그 중에서도 이경구5)와 조성산6)은 김창협과 김창흡 형제로 대표되는 장

---

5) 이경구, 앞의 논문.
6) 조성산, 앞의 논문.

동(壯洞) 김문(金門)을 중심으로 하여 17세기 말부터 18세기에 걸친 시기의 낙론계(洛論系) 학풍 형성 과정과 그 특징을 밝힌 바 있다.

17세기 말부터 18세기로 넘어오는 시기에 활동했던 노론계 문인 중에서도 가장 활발하게 연구된 인물은 김창협과 김창흡 형제라 하겠다. 현대에 들어서도 문학뿐만 아니라 사상·문화·역사 분야에서 이들에 대한 연구가 지속적으로 진행된 것 또한 18세기 문학사에서 이들 형제의 위상이 컸음을 증명한다. 이들 형제에 대한 연구가 집중되었던 이유는 이들의 관심과 열정이 어느 한 분야에 한정되지 않기 때문일 것이다. 인물성동이논쟁(人物性同異論爭)에서 동론(同論)의 입장을 확고하게 주장하여 사상계에 입지를 굳혔을 뿐만 아니라 문학에서도 자신들의 문학에 관한 생각을 편지나 서(序)·발(跋)을 통해 피력하며 그것을 시사(詩社) 활동을 통해 적극적으로 실천하였다. 이 두 사람을 정점으로 하여 여러 문인과 제자들이 모여들어 18세기 문화를 주도했다는 점도 이들에 관한 연구를 심화시켰다.

문학 분야에서 김창협과 김창흡에 관한 연구는 작가론, 작품론, 문학론에 걸쳐 다양하게 진행되었다. 이 두 인물에 관해 연구한 논문 중 박사학위논문 편수만 해도 김창협이 11편, 김창흡이 10편이 있어 연구의 토대가 충분히 마련되었다고 보아야 할 것이다.

김창협에 관한 본격적인 연구는 1970년대에 조종업에 의해 이루어졌다.7) 그는 『농암집(農巖集)』 권 34에 실린 「雜識」를 중심으로 김창협의 시론(詩論)이 성정론(性情論)을 바탕으로 하고 있음을 밝혔다.

---

7) 조종업, "농암 시론 연구," 동교민태식박사고희기념유학논총, 1971. ; 『한국시화연구』(태학사, 1991)에 재수록.

조종업의 연구 이후에 1980년대 후반부터 문학론에 대한 논의는 고문론8)과 시론9)으로 나뉘어 전개되었다. 특히 시론에서는 '천기론'(天機論)을 중심으로 논의가 지속되었다.10) 작품론의 경우, 여러 형식의 산문에 관한 연구11)는 물론 한시를 주제적인 측면에서 접근한 연구가 있었다.12)

김창흡에 대한 연구도 1990년대 이후 활발하게 진행되었다. 문학론

---

8) 강혜선, "김창협 고문연구," 서울대학교 석사학위논문, 1990. ; 박영호, "농암 김창협의 고문연구,"『동방한문학』21, 동방한문학회, 1991. ; 박은정, "17~8세기 전기 농암계열 문장가들의 고문론 연구," 한양대 박사학위논문, 2005. ; 안영길, "농암 김창협의 문학론 연구,"『성신한문학』4집, 성신한문학회, 1993.

9) 박명희, "조선후기 시론 연구: 농암 김창협과 삼연 김창흡을 중심으로," 전남대 박사학위논문, 1998. ; 오용원, "김창협의 문예의식과 시론 연구,"『동악어문논집』42, 동악어문학회, 2004. ; 정시열, "농암 김창협 시론고,"『한국고전연구』7, 한국고전연구학회, 2001. ; 정우봉, "김창협 시론의 비평사적 의의,"『어문논집』31, 안암어문학회, 1992. ; 조종업, "농암시론연구,"『한국시화연구』, 태학사, 1991. ; 진영미, "농암 김창협 시론의 연구," 성균관대 박사학위논문, 1997. ; 최인황, "農巖 金昌協의 個性主義的 詩論 研究,"『崇實語文』15, 숭실어문학회, 1999. ; 최현태, "농암 김창협 시론 연구," 연세대 석사학위논문, 1995.

10) 김혜숙, "한국한시론에 있어서 천기에 대한 고찰(1),"『한국한시연구』2, 한국한시학회, 1994. ; 김혜숙, "한국한시론에 있어서 천기에 대한 고찰(2),"『한국한시연구』3, 한국한시학회, 1995. ; 민병수, "조선후기 시론연구 - 18세기를 중심으로,"『한국문화』11, 서울대 한국문화연구소, 1991. ; 임유경, "18세기 천기론의 특징,"『한국한문학연구』19, 한국한문학회, 1996. ; 장원철. "조선후기 문학사상의 전개와 천기론," 한국정신문화연구원 석사학위논문. 1982.

11) 안득용, "農淵 山水遊記 研究,"『東洋漢文學研究』22집, 동양한문학회, 2006. ; 안영길, "농암 김창협의 산문연구,"『한문학논집』14, 근역한문학회, 1996. ; 오석환, "농암 김창협의 비지류 산문문학 연구,"『한문학논집』18, 근역한문학회, 2000. ; 오석환, "농암 김창협의 증서류 산문문학 연구,"『한문학논집』19, 근역한문학회, 2001.

12) 강신중, "농암 김창협의 한시 연구," 영남대학교 석사학위논문, 1994. ; 안영길, "農岩 金昌協의 漢詩研究,"『誠信漢文學』3집, 성신한문학회, 1991. ; 오용원, "農巖의 出處觀과 詩的 表出樣相,"『南冥學研究』17집, 경상대 남명학연구소, 2004. ; 이동영, "농암 김창협의 시문학연구," 성신여대 석사학위논문, 1991.

의 경우, 주로 시론 연구가 집중적으로 이루어졌다. 그중에서 조성기 (趙聖期, 1638년~1689년)와 나눈 시경론(詩經論)이 주목을 받았다.[13] 김창흡의 시론에서도 '천기론'을 핵심어로 인식하여 18세기 문단에서 김창흡의 위상을 정립하기도 하였다.[14] 작품론의 경우는 한시 연구에 집중되었는데, 그 중에서도 「葛驛雜詠」에 대한 연구가 주목을 받았다.[15] 최근 들어 산수유기(山水遊記)에 관심이 집중되면서 이에 관한 연구도 활발해졌다.[16] 이승수는 작가론의 측면에서 김창흡의 생애와 그 시기의 문학 작품 및 교유관계를 밝혔다.[17]

이상의 연구를 통해 조선 후기 문단의 경향을 파악할 수 있었으며, 그 속에서 김창협 · 김창흡 형제의 위상을 확인해 볼 수 있었다. 그런데, 지금까지 연구사를 검토해본 결과 몇 가지 주목할 만한 특징을 찾아낼 수 있었다.

첫째, 장동 김문의 인물 중에서도 유독 김창협 · 김창흡 형제에 연구가 집중되었다는 점이다. 이 두 사람을 중심으로 비슷한 시기에 시사(詩

---

13) 이종호, "삼연 김창흡의 시론에 관한 연구," 성균관대 박사학위논문, 1992. ; 박명회, "삼연 김창흡의 시경론," 『한국언어문학』 제 47집, 한국언어문학회, 2001. ; 박명회, "조선후기 시론 연구: 농암 김창협과 삼연 김창흡을 중심으로," 전남대 박사학위논문, 1998.

14) 민병수, "조선후기 시론연구," 『한국문화』 11, 서울대 한국문화연구소, 1990. ; 안대회, 『18세기 한국한시사』, 소명출판사, 1999. ; 이종호, "삼연 김창흡의 시론과 그 비평사적 의의," 『동양한문학연구』 11집, 동양한문학회.

15) 안대회, "삼연 김창흡의 「갈역잡영」 연구," 『한국한시연구』 1, 한국한시학회, 1993. ; 김남기, "삼연 김창흡의 시문학연구," 서울대 박사학위논문, 2001. ; 채환종, "三淵 金昌翕의 社會詩 硏究," 『語文硏究』 27, 한국어문교육연구회, 1995.

16) 고연희, 조선후기 산수기행예술 연구, 일지사, 2001. ; 안득용, "農淵 山水遊記 硏究," 『東洋漢文學硏究』 22집, 동양한문학회, 2006.

17) 이승수, 삼연김창흡연구, 영가문화사, 1998. 이 책에서 김창흡의 생애와 교유관계뿐만 아니라 그 시기 창작된 작품을 파악하는 데에 이승수의 저서에 힘입은 바 크다.

社) 활동에 참여했던 주변 인물 연구는 많은 성과를 거두었다. 그러나 가학(家學)의 전통이 다른 문벌보다 깊이 전해져왔던 것을 감안해 볼 때 동일 문벌 내의 인물들과 관련한 연구는 상대적으로 소홀한 편이다. 이와 같은 현상은 문벌을 중심으로 학맥을 연구한 사학계와 대조를 이룬다.

둘째, 논자에 따라 '천기론'에 대한 해석에 조금씩 차이를 보인다는 점이다. 김창협·김창흡 형제의 시론에 관해 연구한 논문은 물론 조선후기 시론을 연구한 논저에서 '천기론'을 18세기 한시사의 중요한 핵심어로 파악하는 데에는 동의하고 있다. 그러나 천기론과 성정론의 관계에 있어서, 김혜숙과 오용원18)은 대립되지 않는 개념으로 이해하고 있으나, 대다수 논자는 둘을 대립된 개념으로 파악하고 있다. 즉, 천기론을 개성적인 문학론으로 파악하고 그 반대 개념으로 성정론(혹은 재도적인 문학론)을 설정하였다.

문제는 김창협·김창흡 형제가 천기론을 토대로 조선시를 진작시켜 18세기 문단을 주도하였고 후대 문학사에 큰 영향력을 미쳤다고 문학사적 의의를 부여하였다는 데에 있다. 즉, '천기론'을 어떤 의미로 규정하느냐에 따라 이들에게 부여된 문학사적 의의는 달라질 수 있다는 것이다. 여기에서 고연희가 그의 저서 서두에 제기한 질문은 그간의 연구결과의 전환점이 된다. 그는 그동안 학계에서 발전론적인 사관에 입각해 문학은 물론 예술에 있어서 내재적 근대성을 찾는 데에 집중한 것이

---

18) 김혜숙, "한국한시론에 있어서 천기에 대한 고찰(2)," 『한국한시연구』 3, 한국한시학회, 1995. ; 오용원, "김창협의 문예의식과 시론 연구," 『동악어문논집』 42, 동악어문학회, 2004.

아닌가 하는 의문을 제기한다.19) 즉, 그동안 '진경산수화' 또는 '진경시'에 대해 우리 국토에 대한 재발견이며, 개성론의 주장이며, 이는 곧 근대성의 발로라고 규정하였던 것은 현대 학자 스스로가 만든 가치라는 지적이다.

따라서 이들이 산수문학에 드러난 산수의 의미는 무엇이며, 산수에 대한 의미가 문학 작품을 통해 어떻게 발현되었는가는 산수문학에 대한 의미 뿐만 아니라 '천기'에 대한 해석에 있어서도 다른 접근방법으로 작용할 수 있을 것이다. 이 책은 이러한 의문점에서 출발하여 이들 노론계 문인의 문학적 특징은 무엇이며, 그 특징이 산수문학을 통해 어떻게 발현되었는가를 구체적인 예를 통해 파악하고자 한다.

3. 연구 대상 및 방법

17세기에는 잦은 환국(換局)으로 정국이 불안한 상태였고 그와 함께 사상계 내부에서도 동요가 일기 시작한다. 성리학 내에서는 주자학의 보다 정치한 이론의 정립과 학파의 형성에 주력한 이들과, 주자학의 새로운 해석을 시도하는 이들 그리고 주자학 밖으로 눈을 돌리려는 이들이 공존하게 되었다. 그러므로 이 시기는 18세기·19세기의 양명학

---

19) 고연희, 앞의 책, pp. 7-9.

과 북학(北學), 서학(西學) 등 다양한 사상 분파의 정초작업이 이루어지던 시기라는 의미를 가진다. 그럼에도 불구하고 이 시기의 연구는 주로 당쟁에 초점이 맞추어져 있으며, 사상사에서도 서인-남인 구조나 노론-소론이라는 당색을 위주로 나누어 연구함으로 인해 각 당색에 속한 개별 인물들의 다양성과 특수성을 드러내지 못했다는 비난을 면하기 어렵다.

이 책에서는 17~18세기 노론계 문인의 문학관과 산수문학의 특징을 살피기 위해 장동 김문에 집중하고자 한다. 주지하다시피, 노론은 17·18세기에 조선의 정국을 주도하며 분파를 거듭하였다.

장동 김문은 당대 노론의 핵심 문벌이었다. 김상용(金尙容, 1561년~1637년)과 김상헌(金尙憲, 1570년~1652년)을 시작으로, 김상헌의 손자인 김수증(金壽增, 1624년~1701년)·김수흥(金壽興, 1626년~1690년)·김수항(金壽恒, 1629년~1689년)은 '삼수(三壽)'로, 김수항의 여섯 아들인 김창집(金昌集, 1648년~1722년)·김창협·김창흡·김창업(金昌業, 1658년~1721년)·김창즙(金昌緝, 1662년~1713년)·김창립(金昌立, 1666년~1683년)은 '육창(六昌)'으로 불리며 당대부터 문명을 날렸다. 최근에도 17·18세기 문화사를 연구하거나 노론 혹은 낙론계 학풍을 연구하는 데에 이들 문벌의 인물이 주된 연구 대상이 되고 있다는 사실은 17·18세기 사에서 장동 김문의 위상이 컸음을 반증한다.

그런데 여기서 간과할 수 없는 점은 이들 장동 김문에는 가학의 전통이 깊이 전해왔다는 사실이다.[20] 이들 문벌 내에서 부자 또는 형제는 혈연적 관계뿐만 아니라 사승(師承)의 관계도 맺고 있다. 김창협의 경우, 송시열에게 나아가 배우기도 하지만 직접적인 사승관계까지는 맺지 않았다. 특히 김수증의 경우는 다른 문벌에서 스승을 구하지 않고 가학에 의존하였다. 이 때, 김상헌이 머물렀던 석실(石室), 김수증의 은거지였던 곡운구곡(谷雲九曲), 석실서원 근처의 미호(渼湖) 등지는 장동 김문과 그 주변인이 모여 학문을 토론하는 공간으로서 기능하였다. 이러한 가학의 전통은 오랜 기간 동안 지속되며 이들이 낙론계의 중심에 있게끔하는 혈연적·학문적 토대가 되었다.

따라서 17·18세기 노론계 문인의 문학의 흐름을 파악하기 위해서는 시사 활동을 중심으로 한 공시적인 연구뿐만 아니라 그 시기를 아우를 수 있는 통시적인 연구 또한 필요하다 하겠다. 17·18세기 노론계 문인의 문학을 통시적으로 연구하기 위해서는, 전술한 바와 같이 오랜 기간 동안 가학의 전통 아래 문단을 이끌어 온 장동 김문에 대한 연구에서 출발해야 할 것이다.

이 책에서는 김수증을 연구의 시작으로 삼고자 한다. 김수증은 김상헌의 세 명의 손자 중 맏이이며, 김창협·김창흡 형제에게는 백부가 된다. 기사환국(1689년)에 김수항이 사사된 이후 김창협·김창흡 형제는 백부인 김수증에게 정신적으로 많이 의지하며 종유(從遊)하였다. 이에 대한 근거는 이들 세 사람의 문집인 『곡운집(谷雲集)』, 『농암집』, 『삼연집(三淵集)』에서 고루 포착되는 바이다.

김수증은 다른 형제들에 비해 관직에 늦게 진출한 탓으로 주로 외직

---

20) 김학수, 앞의 책.

에 있을 때가 많았다. 그래서 환경적 요인으로 인해 산수를 접할 기회가 많기도 하였거니와, 성격 면에서도 산수에 머무르는 것을 좋아하였다고 한다. 이러한 탓으로 다른 형제들에 비해 정치적으로 현달하지는 못했지만 혹독한 정치적 시련을 겪지 않을 수 있었다. 이 때문에 구곡을 경영하며 가화(家禍)를 피할 수 있었다. 김창협 형제는 아버지인 김수항이 사사되기 이전에도 김수증이 은거하던 곳을 자주 찾는가 하면 곡운구곡 곳곳을 시로 읊기도 하고 기문을 짓기도 하였다. 그 정도는 김수항이 사사된 뒤에 더욱 심화되어 김창흡의 경우, 김수증의 은거를 좇아 곡운구곡에 머물기도 하였다. 따라서 김수증은 곡운구곡을 중심으로 하여 이들 형제와 문학적인 교류를 지속하였으므로 연구의 시작으로 삼았다.

그 다음으로 살펴볼 인물은 김창협과 김창흡이다. 이들은 장동 김문 중에서도 그동안 학계에서 특별히 주목을 받아 온 인물이다. 이들에 대한 관심은 문학 연구에서도 지속되었다. 그 이유는 이들이 정치 사상이나 도학에서 노론 낙론계의 수장이었을 뿐만 아니라, 문학에도 뛰어난 재능을 발휘했기 때문이다. 김창협이 『농암집』권 34 「외편(外篇)」에서 시론에 대한 생각을 개진했으며, 김창흡이 5000여 수의 시를 지었다는 사실은 이들의 문학에 대한 경도를 증명한다.

김창협과 김창흡을 병칭할 때 이들의 호〔농암(農巖), 삼연(三淵)〕를 따서 '농연(農淵)'이라 칭한다. 여기에서 기인하여 최근 학계에서는 이들 두 사람을 중심으로 모인 집단을 '농연 그룹' 혹은 '농암 계열'이라 지칭하기도 한다.21) 이 말은 이들 두 형제를 중심으로 하여 서울·경기

지역의 여러 문인·재사(才士)들이 모여 인맥을 형성하였음을 의미한다. 낙송루(洛誦樓) 시사와 백악사단(白岳詞壇)은 이들이 참여하여 주도한 대표적인 시사였다. 동호회 성격을 지닌 시사의 존재는 이들 사이에 비슷한 문예적 취향이 있었음을 의미하며 17세기 말 문단의 한 흐름으로 평가되기도 한다. 따라서 문단의 흐름을 주도했던 이 두 형제의 공통된 문학적 특성이 존재한다면 그 특성은 곧 이 시기 문학의 한 특성이라고 간주해도 될 것이다.

그 다음으로 주목할 인물은 김창협의 손자이자 김숭겸(金崇謙, 1682년~1700년)의 양자인 김원행(金元行, 1702년~1772년)이다. 김숭겸은 19세라는 어린 나이에 세상을 떠나 후사가 없었으므로 김창집의 셋째 아들로 태어난 김원행이 출계(出系)하여 김숭겸의 양자가 되었다.[22]

김원행은 태어나면서 바로 김숭겸의 후사가 되었는데 이 때문에 생조부인 김창집과 생부 김제겸이 신임사화(辛壬士禍, 1721년)[23]에 연루되어 사사되었을 때 화를 면할 수 있었다. 그는 평생 경기도의 미호와 석실서원에 머물며 강학에만 전념하였으며 출사는 하지 않았다. 김창협에서 이재(李縡, 1680년~1746년)로 내려오는 낙론계 학통을 이어받

---

21) 박은정, 앞의 논문. ; 고연희, 앞의 책.

22) 기록에 따르면 김숭겸도 따로 스승을 두지 않고 아버지인 김창협과 작은 아버지인 김창흡에게서 가학을 전수받았다고 한다. 『농암집』과 『관복암시고』에 두 사람이 동행하며 함께 지은 시문이 여러 편 실려 있는 것으로 보아 김창협은 아들 김숭겸의 문학적 재능을 각별히 여긴 것으로 보인다. 김숭겸의 때 이른 죽음에 따른 충격으로 김창협은 더 이상 시를 짓지 않았다. 김창흡과 김수증도 김숭겸이 문학적 재능에 비해 이른 죽음을 맞이한 것에 대한 글을 여러 편 남겼다.

23) 1721년~1722년 왕통문제와 관련하여 소론이 노론을 숙청한 사건.

은 김원행은 18세기 후반 노론계 대표적인 산림학자로 많은 학자를 양성하였다. 그의 문하에서 홍대용(洪大容, 1731년~1783년), 박제가(朴齊家, 1750년~1805년), 박지원(朴趾源, 1737년~1805년) 등의 실학자가 배출되었다는 사실은 김원행도 김창협·김창흡 못지 않은 영향력을 행사했던 것을 입증한다.24)

따라서 이 책에서는 노론계 문인 중에서도 가장 핵심적인 문벌이었던 장동 김문에 논의의 초점을 맞추고자 한다. 그 중에서도 출사보다는 산림에 묻혀있으며 영향력을 발휘한 김수증·김창협·김창흡·김원행을 연구 대상으로 삼고자 한다.

17세기의 한양은 수도라는 행정적 입지조건과 청으로부터 유입되는 다양한 서적, 문물이나 정보 습득이 신속하고 유리하다는 지역적 장점으로 인해 점차 도시적인 분위기를 띠며 이른바 '경화사족(京華士族)'이 생겨나기 시작하였다.25) 이들은 한양에 근접한 북한강 유역에 세거지를 두면서 한양과 북한강 유역을 중심으로 하는 학파를 형성하였다.26) 이러한 학파의 형성에는 17세기의 경제적 요인이 크게 작용하였다. 17세기 서울의 상권이 도성 밖까지 확장되면서 시전 중심의 유통 구조에 변화가 생겼다. 종루 시전을 중심으로 한 상권이 광주, 양주, 포천 등 서울 주변의 상업 중심지나 교통 요지로 확대되었다. 북한강 주변은

---

24) 이경구, "金元行의 實心 강조와 石室書院에서의 교육 활동," 『진단학보』 88, 진단학회, 1999, pp. 231-248.
25) 유봉학, 『조선 후기 학계와 지식인』, 신구문화사, 1999.
26) 이우성, "18세기 서울의 도시적 양상," 『향토서울』 17, 1963. ; 심경호, "조선후기 북한강 유역의 학맥과 분포," 『북한강 유역의 유학 사상』, 한림대학교 아시아문화연구소, 1998.

상업이 발달하게 되었고 경화사족들은 이러한 북한강 주변의 상업적 발전을 배경으로, 북한강 유역에 별서를 세워 왕래하거나 서원을 근거지로 학문적 교류를 가졌던 것이다.27)

문학 작품에서 지역은 '공간적 배경'의 의미를 넘어선다. 즉 작품이 창작되는 산실로서의 지역은 다분히 그 지역의 풍토와 함께 그 지역의 역사·문화적 의미까지를 담게 마련이다. 그렇기 때문에 지역 문학 연구에서는 지역 작가들을 각각 독립된 상태로 연구하는 것이 아니라, 지역 인물들과의 긴밀한 관련 속에서 연구해야 한다. 그런데 지역 단위의 문학 연구라는 관점에서 이들을 다시 연구하자면, 반드시 지역 관련성이 연구되어야 한다. 지역의 어떠한 배경을 바탕으로 작가가 탄생하였으며, 지역의 어떤 인물들과 관련 속에서 살아갔으며, 그 지역의 어떠한 인물들에 영향을 끼쳤는가 하는 점이 연구되어야 한다.

이런 의미에서 17~18세기 장동 김문에게 북한강 주변의 석실서원, 미호, 벽계 등지와 화천의 곡운구곡, 설악산 영시암 등은 단순한 공간적 배경을 넘어 선대의 유훈이 서려 있는 결속의 공간으로서의 의미를 갖게 되며, 이 속에 접한 자연 경물은 소재적인 측면을 넘어 선다.

동·서양을 막론하고 산수·자연은 문학에서 중요한 제재로 사용되고 있다. 특히 동양문학의 경우, 자연 경물이 문학 속에 등장하지 않는 작품은 찾아보기 힘들 정도로 산수·자연은 중요한 문학적 요소로 작용하고 있다.

'자연'이라는 용어는 인공의 반대말로, 세상에 스스로 존재하거나 저

---

27) 유호선, 17C 후반 ~ 18C 전반 경화사족의 불교수용과 그 시적 형상화, 고려대학교 박사학위논문, 2002. 12.

절로 이루어지는 모든 존재를 의미한다. 이 속에는 인간도 포함되기 때문에 산수 경물을 지칭하기 위해서는 보다 협의의 용어를 선택해야 할 것이다. 문학에서 산수 경물을 지칭하는 용어로, '강호(江湖)', '산림(山林)', '강해(江海)' 등이 두루 사용된다. 그 중 '강호(江湖)'는 조선 전기 시가에서 자주 보이는 강호가도 문학을 연상케 한다. 그런가 하면 '산림(山林)'은 벼슬에 나아가지 않고 산림에 묻혀 도학을 연구한 선비를 일컫는 말로 널리 쓰인다. 그래서 '산림'이라는 용어가 은거자나 은거지 혹은 은거 그 자체를 의미하는 것은 동양 문화권에서 보편화되어 있다. 그러므로 작자가 은거를 했는가 혹은 그 작품을 창작할 때 은거를 취하고 있었는가에 따라 '산림'이란 용어를 사용하는 것에 제약을 받을 수 있다.

'산수'라는 용어는 비단 산과 물을 지칭하는 것이 아니라 산과 물이 있는 풍경을 통칭한다.28) 산수를 문학적 용어로 사용한 예에는 '산수시'와 '산수유기', '산수기', '산수기행문학' 등이 있다. 산수시는 말 그대로 산수의 풍경을 묘사한 시가를 이른다.29) 그러나 범위가 시가에 한정되기 때문에 한계가 따른다. 한편, 산수 유람에 대한 기록 차원에서 '산수유기' 혹은 '산수기행문학'이라는 용어도 학계에서 통용되고 있다. 그러나 이 경우에는 기행이 전제되기 때문에 일상생활에서 창작된 문학을

---

28) 이에 대한 전고로『宋書』「謝靈運傳」을 들 수 있다. "出爲永嘉太守 郡有名山水 靈運 素所愛好 出守旣不得志 遂肆意游遨."

29)『한어대사전』에 따르면 "남조 송나라 때 사령운(謝靈運)이 개창하고 사조(謝朓)를 지나 발전하였다. 하손(何遜) 등의 사람이 창작을 실천하여 시가 사상 하나의 중요한 시파를 이루었다. 당대 왕유, 맹호연은 모두 산수시에 걸출한 작가이다."고 하였다.

포함시키는 데에는 제약이 따르기 마련이다. 산수기는 산수유기와는 달리 실제의 노정이 없는 상태에서 산수에 대한 객관적인 설명과 보고의 성격을 띠는 작품군을 가리킨다.30) 따라서 이 경우 기행의 결과물로서 창작된 작품을 포함하는 데에 제약이 따른다.

산수는 단순히 눈에 보이는 경물의 의미를 넘어 작가가 세계와 도체(道體)를 인식하게 하는 대상으로서 존재한다.31) 따라서 작가가 은거를 취하고 있느냐 혹은 산수기행을 하고 있는가 하는 작가의 상황·처지는 고려의 대상이 되지 않는다. 그것보다 중요한 것은, 작가가 어떠한 태도로 자연을 대하며 그것을 어떻게 형상화하려 했는가, 혹은 그 속에서 무엇을 찾고자 했는가를 파악하는 일일 것이다. 형식이 시인가 문인가에 따라 형상화 기법에 차이가 있을 수는 있으나 산수를 인식하는 틀 자체는 다름이 없으리라 본다. 이 책에서는 산수문학이라는 용어를 사용하고자 한다. 이 때 산수문학에서 산수란 자연 경물을 의미하며, 산수문학이란 주변 경물을 통해 아름다움을 느끼며 개인의 지향하는 바가 담긴 문학작품을 의미한다. 그 하위개념으로 산수시는 물론 산수

---

30) 산수기(山水記)는 해석에 따라 조금씩 편차가 있다. 즉 '아름다운 산천 경색을 묘사하였지만 결코 작가가 친히 여행하여 본 것이 아닌 경우'라는 견해(진필상·심경호 역, 『한문문체론』, 이회, 1995, p. 102.)와 '특정 지역 산수에 대한 객관 설명과 보고의 성격이 강한' 것(정민 편, 『한국역대산수유기취편』, 민창문화사, 1996, 서문.)이라는 견해가 엇갈리고 있다.

31) 손오규는 산수·자연을 문학에 중요한 기반으로 삼고 있는 문학작품 군을 '산수문학'이라고 명명한 바 있다. 손오규는 '산수'라는 용어에 대해 "단순히 자연이라는 대상을 의미하는 것이 아니라, …(중략)… 사회에 대한 상대적 개념으로서 자연현상과 삼라만상을 포함한 자연의 소산을 모두 포함하는 것인 동시에, 그 대상을 바라보며 감상하고 그 속에서 아름다움을 발견하고자 하는 사람들의 의식과 지향성이 함축되어 있는 문학적인 개념"이라 정의하였다. 손오규, 『산수미학탐구』, 제주대학교 출판부, 2006. pp. 17-8.

유기, 산수품평에 해당하는 문을 두루 포함한다.

　이 책에서는 이상의 연구를 수행하기 위해 민족문화추진회에서 발간한 『한국문집총간(韓國文集叢刊)』의 자료를 원전으로 삼았다.32) 김수증은 『한국문집총간』 125집에 실린 『곡운집(谷雲集)』을, 김창협은 『한국문집총간』 161·162집에 실린 『농암집』을33), 김창흡은, 『한국문집총간』 165·166·167집에 실린 『삼연집』을34), 김원행은 『미호집(渼湖集)』35)을 대상으로 했다.

　한국문집총간본에 있는 김수증의 시는 총 540여 편이다. 이 중 한 편을 제외하고는 모두 곡운에 머물며 당시의 생활을 노래한 것이기 때문에 시 전편이 산수문학에 해당한다고 볼 수 있다. 또 19편의 산수 유람의 과정과 감흥을 적은 기문도 산수문학의 범주에 넣을 수 있다.

　김창협의 경우, 시는 총 890여 수 있다. 김창협은 기사환국 이후에 환로에 나아가지 않고 주로 농암 주변에서 머물거나 산수 기행을 하였

---

32) 현재 민족문화추진회에서 간행한 문집이 현재 학계에서 가장 선본으로 인정되고 있기 때문에 이것을 텍스트로 삼았다.
33) 김창협의 『농암집』은 민족문화추진회에서 국역본이 출간되어 연구에 많은 도움이 되었다. ; 김창협, 송기채 역, 『국역 농암집』 1, 민족문화추진회, 2002.(권1~권6) ; 김창협, 송기채 역, 『국역 농암집』 2, 민족문화추진회, 2001.(권7~권13) ; 김창협, 송기채 역, 『국역 농암집』 3, 민족문화추진회, 2002.(권14~권20) ; 김창협, 송기채 역, 『국역 농암집』 4, 민족문화추진회, 2004.(권21~권28) ; 김창협, 강민정 역, 『국역 농암집』 5, 민족문화추진회, 2005.(권29~권36).
34) 김창흡의 경우 이승수의 저서(『삼연 김창흡 연구』, 영가문화사, 1998)와 김남기의 학위논문("삼연 김창흡의 한시 연구," 서울대학교 박사학위논문, 2001)에 실린 번역의 도움을 많이 받았으며 부분에 따라 필자가 보완하였음을 밝힌다. 연구에 도움을 준 선학들에게 이 지면을 빌어 감사를 표한다.
35) 김원행의 『미호집』은 최근 민족문화추진회에서 국역본이 출간되어 연구에 많은 도움이 되었다.

으로 시 작품도 기사환국 이후의 작품을 산수 문학으로 설정할 수 있을 것이다. 그렇게 했을 때 권 4·5·6이 여기에 해당하며 약 400여 수가 된다. 기문은 총 22편이 있는데 그 대부분이 산수 경물에 또는 산수 유람에 대한 것이므로 또한 산수문학으로 볼 수 있다.

김창흡은 총 5000 여 편의 시를 남겼다. 이 대부분이 산수 간에 머물며 쓴 시에 해당하나 구체적으로 산수문학으로 볼 수 있는 것은 철원의 삼부연, 양평의 벽계, 인제의 설악산 영시암, 화천의 화음동 등에 머물며 쓴 시를 대상으로 삼았으며, 그 수는 약 400여 수에 달한다. 기문은 자신이 우거한 석천(石泉), 곡운의 무명와(無名窩), 부지암(不知菴) 등의 기문과 평강(平康), 오대산(五臺山) 울진(蔚珍) 등을 유람한 기록 등이 있다.

김원행은 총 200여 수의 시를 남겼는데 대부분이 산수 유람의 순간에 지어진 것이므로 이 모두를 산수문학으로 넣을 수 있을 것이다. 기문은 1편 있는데, 처사 최흥림(崔興霖)의 계당(溪堂)에 지어준 기문뿐이다. 김원행은 산림 학자였으므로 문학 작품은 많이 남기지 않아 소략한 편이다.

II. 장동 김문(壯洞 金門)의 학맥 형성 과정과 학문적 경향

1. 노론계 문인의 학맥 형성 과정

1) 17~18세기의 시대적 의미

17세기 조선 사회에 변화를 몰고 온 주된 사건은 인조반정(1623년)과 병자호란(1636년)이다. 임진왜란으로 인한 참혹한 전쟁의 상처가 아물기도 전에 인조와 서인들은 주자학적 명분론과 의리론을 내세우며 광해군과 대북정권을 몰아내고 인조반정을 일으켰다.36) 이들은 대북

---

36) 인조 대의 정국 동향에 대해서는 우인수, "조선 인조대 정국의 동향과 산림의 역할", 『대구사학』 41, 1991. ; 오수창, "붕당정치의 성립", 『한국사』 30, 국사편찬위원회, 1998. ; 김갑천, "인조조의 정치적 '적실' 지향성에 관한 연구", 서울대 박사논문, 1998. 참조.

정권의 대외정책을 버리고 대명의리론을 내세웠다. 이때 대외적으로 중국에서는 후금의 세력이 강성해지면서 명나라를 압박하는 명(明)과 청(淸)이 교체되는 큰 변화가 발생하였다. 인조반정에 위협을 느낀 청의 침입으로 1627년 정묘호란과 1636년 병자호란이 일어나 강화도가 함락되고 인조는 남한산성에서 굴욕적인 항복을 하게 되었다.

왜란과 호란으로 인해 조선 사회는 물질적으로 정신적으로 상당한 피해를 입었다. 즉 경제적으로는 인구의 급격한 감소와 농경지의 황폐화, 그리고 엄청난 물적 피해를 감당해야만 했다. 또 병자호란의 패전으로 인하여 해마다 막대한 양의 세폐(歲幣)를 청나라에 바쳐야 했다. 나아가 청나라가 장차 정명전(征明戰)을 치르는 데 동참하여 필요한 병력과 군량, 함선 등을 원조해야 했다.37)

양란으로 인한 피해는 경제나 정치면에 국한되지 않았다. 그 동안 조선이 오랑캐라고 여겼던 청에게 굴복함으로써 지식인들은 민족적 자존심을 파괴당하여 굴욕감을 느끼게 되었다.

이러한 대내외적인 상황 변화 속에서 조선 사회는 다양한 개선책을 강구하였다. 즉 경제적 피해는 대동법의 확대 실시, 화폐의 발행 등을 통해 경제적 위기를 타개하고자 하였다. 또 조선이 만주족에게 당한 굴욕을 갚고자 북벌론(北伐論)이 제기되었다.

이러한 상황 속에서 다양한 학문들이 나타났다. 윤리강상의 위기와 성리학의 실천이라는 시대적 요구에서 예학이 대두되었고, 국력의 약화와 민생의 위기를 타개하기 위해 실학이 나타났다. 또한 임진왜란을

---

37) 『인조실록』 권34, 인조 15년 1월 戊辰.

전후로 도입된 양명학이 성리학에 대한 하나의 대안으로 지식인들의 관심을 받았고, 현실적인 북학론에 맞서 대청의리, 북벌의리를 주장하는 학풍이 나타났다. 이러한 다양한 학풍의 대두는 17세기의 자연스런 사상적 모색이었다.[38]

병자호란 이후 조선에서는 현실적으로는 청의 '의제적 지배'를 수용하면서도 관념 속에서는 이미 망해버린 명을 섬기는 양면적인 입장이 나타나고 있었다. 효종 대(1650년~1659년)의 북벌론은 그 같은 고민 속에서 불거져 나왔다. 조선 지배층의 입장에서 체제를 유지하려면 '내수외양(內修外攘)'을 위한 새로운 돌파구가 필요했고, 북벌 기도는 바로 그것의 구체적인 산물이었다. 이어 망해버린 명에 대한 '의리'를 고수할 것을 강조했던 '대명의리론', '문화국가' 등 명이 망한 이래 유일하게 조선만이 명의 '적통'을 이었다고 자부하는 '조선중화주의' 역시 '야만국' 청에 대한 신복을 현실적으로 수용하면서도 이념적으로 초월하고자 했던 노력의 소산이었다.[39]

이러한 때에 가장 큰 역할을 담당한 계층이 송시열과 같은 사림이었다. 주자주의적 의리지학을 중시한 사림은 반청적 북벌대의론과 대명의리론을 견지하고, 조선이 곧 중화라는 문화자존의식을 백성들에게 보여 주었다.

이 시기 사상계의 변화를 살필 수 있는 주요한 사건으로 1700년을 전후해서 활발해지기 시작한 대보단(大報壇) 설치 움직임과 김시습(金

---

38) 황의동, "우암의 성리학과 학문적 위상," 『한국사상과 문화』 42집, 한국사상문화학회, 2008.
39) 유봉학, 『연암 일파 북학사상 연구』, 일지사, 1995.

時習, 1435년~1493년) 포양사업이다. 대보단은 임진왜란 때 조선에 원군을 보내준 명나라 황제 신종(神宗)을 모신 제단으로 서인들이 1704년 수차 숙종에게 올린 주청과 논의를 거쳐 명나라 두 황제를 위한 대보단을 설치하기에 이른다.[40] 그리고 단종의 복권과 함께 김시습에 대한 재평가가 시작되었다. 따라서 이 시기에 정치적으로 중요한 위치를 점했던 서인들은 그들의 개인적인 문집에 김시습에 대한 글을 남기는 한편, 김시습과 관련한 사당을 짓는 데에서 열과 성을 다하였다.[41]

이 일의 추진을 통해 노론 세력은 반대세력을 견제하고 자신들의 입지를 공고히 하였다. 또 다른 사상이나 학풍을 이단으로 규정하고 정계에서 몰아내었다. 이 두 가지 행위는 명분을 내세운 왕실과 서인 정권이 호란의 패배를 극복하는 방법으로 모색되었던 것이다. 서원과 사우, 가묘의 설치와 제향이 바로 자기 모색의 현실화된 양상이며 이러한 대명의리를 표방하는 대보단을 설치하게 되며 김시습 역시 제향의 대상이 되었다.

또한 17세기에는 성리학계 내부에서 성리학의 한계를 극복하려는 움직임이 제기되었는데, 윤휴(尹鑴, 1617년~1680년), 박세당(朴世堂, 1629년~1703년), 이익(李瀷, 1629년~1690년) 등에 의한 탈

---

40) 정옥자, "대보단 창설에 관한 연구", 『변태섭화갑기념논총』, 삼영사, 1989.

41) 선행 논문으로 이승수, "17세기 후반 사대부의 김시습 수용 양상과 그 의미," 『한국한문학연구』 28집, 2001.가 있다. 이승수는 그의 논문에서 17세기 문인들이 다시 김시습을 주목하고 있음을 밝힌 바 있다. 이 논문에서는 홍산(부여), 수락산, 곡운구곡에서 김시습을 추숭하는 과정을 문헌을 통해 고증하였다. 그러나 김시습에 대한 이미지가 어떻게 형성되었는가, 그 시기적인 변모 양상이 존재하는가에 대한 논의는 부족하였다. 그에 대한 후속 연구로, 졸고, "16·17세기 서인에 있어서의 「김시습」 인식," 『조선학보』 제206집, 2008.에서 김시습이 유가의 인물로 이첩되어 온 과정과 이미지 변화를 밝힌 바 있다.

주자학적 경학의 연구가 그것이었다. 보다 적극적인 움직임은 양명학의 연구로 나타났다. 이미 16세기 말『傳習錄』이 수입되면서, 일부 학자들은 양명학에 심취하게 되었다. 즉 이수광(李睟光, 1563년~1628년), 허균(許筠, 1569년~1618년)에서 비롯된 양명학은 17세기 초 장유(張維, 1587년~1638년), 신흠(申欽, 1566년~1628년), 최명길(崔鳴吉, 1586년~1647년)에게서 확인되었고, 18세기 초 정제두(鄭齊斗, 1649년~1736년)에 이르러 하나의 체계를 이룬 단계로 발전하였다.

한편, 사림 간의 당쟁 격화는 소수의 경화사족과 벌열에 의한 권력의 독점현상을 발생시키고 자연스럽게 대다수 사대부집단을 정치적·경제적으로 몰락하게 만들었다. 더구나 당쟁의 격화는 사대부 사회로 하여금 더욱 폐쇄적 교유관계를 형성하게 했다. 반면 동질집단 내에서는 강한 유대감을 형성시킴으로써 동질적 당파, 유사한 경제사회적 처지의 사대부들 사이에서 문화적 교류는 더욱 촉진되었다.

즉 숙종 대(1674년~1720년) 후반부터 영조 대(1724년~1776년) 초까지의 30여 년에 걸쳐 반복한 노·소론 간의 대립에서는 남인이라는 대항 세력이 없어진 상태에서 서인끼리 벌인 대결이기 때문에 쟁론이 더욱 치밀해지고 보복과 박해도 그 만큼 가혹해져 온갖 정치적 조작과 음모, 모반이 반복되었던 것이다. 결국 노론에 의해 박세당의『思辨錄』과 최석정(崔錫鼎, 1646년~1715년)의『禮記類篇』이 주자(朱子, 1130년~1200년)의 교설에 저촉된다는 이유로 각각 소각 처분되는가 하면, 이미 죽은 윤선거(尹宣擧, 1610년~1669년)의 문집을 훼판하고 그들 부자의 관작을 빼앗는 병신처분(1716년)이 내려지면서 노론은 숙종 말 정국의 주도권을 잡게 되었다.

이러한 변화를 해석하고 대처하기 위해 학파에 따라 다양한 현실관과 경세 대책을 내놓았다. 그 와중에 두 차례의 예송이 일어났고, 예송의 여파로 경신(1680년), 을사(1689년), 갑술(1694년)의 환국은 남인과 서인의 일진일퇴를 야기했고, 수많은 선비들이 희생되기에 이르렀다. 환국이 거듭될수록 숙청과 보복이 가혹해짐으로써 정쟁의 승패는 단순한 정권의 교체가 아니라 생사의 분기점이 되기에 이르렀다.

양란이라는 국가적 위기에 직면해 소강상태에 있던 당쟁은 숙종이 즉위하면서 다시금 예송논쟁을 거듭하면서 격렬해졌다. 예송문제는 숙종 즉위년(1674년) 효종비 인선왕후의 장례로 다시 노출되었고, 이후 숙종 재위 47년간은 남인과 서인의 피비린내 나는 정치 공방을 거치게 되었고 네 차례 환국의 결과 남인은 몰락하고 뒤이은 서인 내부의 노·소 분열이라는, 일련의 강도 높은 진통을 겪는 정치적 혼란상태를 초래하였다.[42]

게다가 노·소분열은, 한 세기 동안 성혼(成渾, 1535~1598)과 이이라는 두 스승을 오가며 배우고 혈연과 학연으로 얽혀 있던 서인 집단 내부의 분열이라는 점에서 보다 큰 파장과 후유증을 가져왔다. 성혼과 이이는 도학에 있어서 교유관계를 맺고 평생 학문적 동지로써 배움을 주고 받았다. 특히 1572년 두 사람은 사단칠정, 인심도심, 이기 문제를 중심으로 성리논쟁을 벌려 두 사람의 학문 발전에 크게 도움이 되었을

---

42) 유호선, 17C 후반~18C 전반 경화사족의 불교 수용과 그 시적 형상화, 고려대학교 박사학위논문, 2002. 12. 참조.

정도로 가까운 사이였기 때문이다.

이렇게 어지러운 정치의 다른 쪽에서는 사회와 경제, 산업 등 각 분야에 잠재되어 있던 물 밑의 변화 조짐들이 점차 수면 위로 떠오르고 있었고 18세기를 지나면서 지속적으로 표출되었다. 예컨대 경제적으로는 대청무역의 활성화와 청·일간 중계 무역이라는 역관 무역이 활기를 띠면서 역관을 중심으로 한 중인층이 성장하였고 대동법과 화폐유통을 시발로 수공업과 상업이 성장하면서 한양과 경강 주변 및 교통의 요충지는 점차 도시적 양상을 보이게 되었다.

국가재조(國家再造)를 위한 국민적 노력의 결과 숙종 말엽에 들어서는 사회적 안정과 경제적 회복의 측면에서 일정한 효과를 보게 되었다. 민심도 상당한 정도로 안정을 되찾았다. 정치상으로는 사림이 중앙정치무대로 진출하여 권력을 장악하게 되었다. 이로 인해 발생한 중요한 현상은 서울이 정치적 중심이자 유통경제와 국제무역의 중심지로 발달한 사실이다. 서울이 대도회로 발달하고 서울과 지방사회 간의 격차가 벌어지면서 경향(京鄕)의 사회적 분기(分岐)와 경화사족층의 대두 양상이 나타났다.

노론은 다시 호론(湖論)과 낙론(洛論)으로 분화하였다. 이러한 서인의 분화과정에는 정치적인 요소들이 크게 작용하고 있었지만, 사실 그 배후에는 지역적인 학풍의 차이가 매우 중요한 요소로서 작용하고 있었다.

지역적 학풍의 차이는 서인들이 주로 거주했던 서울·경기지역과 호서지역의 사상적 차이로 설명할 수 있다. 서울·경기 지역은 지역적 특성상 이이의 학풍에 개성과 김포지역을 중심으로 형성된 화담학파와 임진왜란 과정에서 명나라 장수들에 의해 전래된 양명학에 적지 않은 영향을 받고 있었다. 그럼으로써 다양한 사상의 양태들이 나타날 수 있었다. 반면에 호서지역은 김장생(金長生, 1548~1631)에 의해 계승된 이이의 유풍을 비교적 온전히 전수하고 있었다.

이러한 지역적 학풍의 차이는 결국 17세기 중·후반 산당과 한당으로, 노론과 소론으로, 18세기 전반 호론과 낙론으로 나타났던 것으로 보인다. 이처럼 서울·경기지역과 호서지역의 서인들은 17세기부터 이미 학문적 전통에서 차이를 가지고 있었다.

17세기 이후 사대부들의 기행문학과 실경화의 창작이 빈번했으며 이와 상승작용을 일으킨 산수유람의 유행으로 금강산, 설악산, 오대산 등 관동의 산이나 관서, 영·호남의 명산절승을 유람하는 사대부들이 많아졌다. 그리고 잦은 환국으로 사대부들의 유배와 은거가 이어졌고, 그들의 은거지 주변 명승으로의 유람이나, 은거지를 방문한 방문객의 유람 역시 관례화되었다. 예를 들어 김창흡의 숙부 김수증은 곡운에 은거하였고, 조부인 김상헌이나 부친 김수항도 관료생활을 하면서 북한 강 일대에서의 은거를 빈번히 언급하고 있다.

이러한 사실로 미루어 볼 때 사대부들이 산수유람을 위한 숙소나 모임의 장소로 은거지를 활용하기도 하였다. 정국의 혼란으로 사대부들의 문학 작품에는 귀거래를 노래하는 경향이 두드러지게 나타나고, 실제로 환로에서 물러나거나 관직 생활을 거부한 이들은 개인의 기질과 여건에 따라 성리학에의 경도나 박학에의 탐닉 등 학문을 추구하는 양상을 띠게 되었다. 이 중 박학을 지향하는 이들은 기본적으로 다양한 학설에 대한 관심을 가졌다.

경화사족들은 청으로부터 들어온 다양한 문물과 서적을 접하기에 경제, 지역적으로 유리한 조건이었다. 경화사족들은 향촌의 사류에 비해 비교적 서적과 정보 습득에 개방되어 있었고, 이들 가운데 타 학문에 대하여 개방적인 인식을 가진 인사들이 있었다.

2) 노론계 문인과 김시습(金時習) 포양(襃揚) 사업

17세기 북벌론을 주장했던 효종의 죽음과 명나라의 멸망으로 북벌을 통한 사회 통합은 힘들어지게 되었다. 대신 춘추의리에 입각하여 의리를 천명하고 명나라에 대한 의리를 지켜나가는 것이 중요한 문제로 부상하였다. 그리하여 북벌론에서 대명의리론을 내용으로 한 존주론이 제기되었다. 이러한 역사적 배경 속에서 노론 학자들에 의해서 정몽주나 김시습 등 역대 유현에 대한 역사적 재평가 작업이 이루어졌다. 노론계 문인들의 김시습에 대한 인식 및 포양사업을 살펴보도록 하자.

김시습에 대한 공식적인 평가는 단종과 사육신에 대한 복권 작업이 진행되는 것과 그 궤를 같이 하였다. 즉 1698년(숙종 24) 11월에 단종의 시호를 추상하고[43] 단종에 대한 복권작업이 숙종대에 본격적으로 이루어지는 것과 함께 김시습에 대한 재평가도 이루어졌다.

이듬해 1699년(숙종 25)에 판중추부사 최석정에 의해 김시습에게 벼슬을 내리고 제사를 지내도록 허락을 받았다. 그리고 1703년(숙종 29) 2월에 유생들은 사육신과 생육신을 모신 사우에 편액을 내려주기를 청하였다. 이 해 10월 5일에 유생들이 올렸던 소청에 따라 이이, 김장생, 김집(金集, 1574~1656)의 신주를 모신 봉산서원에 '문정(文井)'이라는 편액을, 성삼문 등 사육신의 신주를 모신 영월의 사우에 '창절(彰節)'이라는 편액을 내렸으며, '처사 김시습(處士 金時習)'의 신주를 모신 홍산(지금의 부여)의 사우(祠宇)에도 '청일(淸逸)'이라는 편액을 내렸다.44) 이어 13일에도 경상도 유생 곽억령(郭億齡) 등이 상소를 올려 함안에 조여의 사당을 짓고, 별도로 생육신의 사당을 건립할 것을 청하였는데 숙종이 윤허하였다.45)

1736년(영조 12) 6월에는 영월의 유생 박현제(朴賢齊) 등이 김시습, 남효온(南孝溫) 등 8인의 사우에 편액을 내려주기를 청하였다.46) 그후 1759년(영조 35)에 박주승 등이 金時習의 시호를 내려주길 청하였으나 불허하였다.

정조는 1782(정조 6년) 4월에 김시습, 원호(元昊), 남효온, 성담수(成聃壽, ?~1456)에게 이조판서를 특별히 추증하였다. 그리고 경연

---

43) 『肅宗實錄』 권 32, 1698년(숙종 24) 11월 6일 / 노산군의 시호를 추상하다.
44) 『肅宗實錄』 권 38, 1703년(숙종 29) 10월 5일 / 유생들의 청에 따라 봉산 서원·영월 사우·홍산 사우·평택 사우 등에 사액을 하다.
45) 『肅宗實錄』 권 38, 1703년(숙종 29) 10월 13일(을유) / 경상도 유학 곽억령이 함안에 조여의 사당을 짓도록 요청하는 상소.
46) 『英祖實錄』 권 41, 1736년(영조 12) 6월 1일(갑자) / 영월의 유학 박현제가 김시습·남효온 등 8인의 사우에 편액을 내려주기를 청하다.

(經筵)의 신하들에게 하교하여, 김시습·남효온·성담수 세 사람은 자손이 없으므로 그들의 문집에 기재된 내용에 의거해서 예문관의 대제학과 제학이 시장(諡狀)을 짓도록 命하였다.47) 마침내 정조는 1784년(정조 8) 3월 11일에 김시습에게 '청간(淸簡)'이라는 시호를 내렸다. 몸가짐이 맑았음을 기리는 뜻에서였다. 정조는 1791년(정조 15)에, 사육신 사건 이후 단종의 복위를 위해 모의를 했다는 죄로 죽임을 당했던 금성대군(錦城大君) 이유(李瑜, 1426~1457)와 화의군(和義君) 이영(李瓔, 1425~?)은 물론 사육신의 절의에 버금가는 사람들을 내각과 홍문관에서 조사하도록 하여, 장릉의 정단(正壇)에 32인을 배식하게 하고 별단(別壇)에 198인을 추가로 제향하여 배식하게 하였다. 김시습 등 생육신의 신주는 별단에 모셔졌다.48) 이 해 4월에는 사육신의 위패를 모신 영월 창절사(彰節祠)에 추가로 배향되어 있던 생육신 위패 가운데 김시습과 남효온의 신위를 다른 분들과 나란히 늘어 놓도록 명하였다.49) 이전까지는 김시습과 남효온이 과거에 오르지 못했다는 이유로 신주의 위차가 다른 이들보다 낮았다. 이렇게 하여 김시습을 추증하고 제사지내는 모든 예식이 정조 때 매듭지어졌다.

이와 같은 노론 학자들의 김시습 재평가의 기준이 된 글이 바로 이이가 선조의 왕명을 받아 지은 「金時習傳」50)이다. 이이의 글 이후 송시열

---

47) 『正祖實錄』권 13, 1782년(정조 6년) 4월 19일(을유) / 김시습·남효온 등에게 이조 판서를 추증하다.
48) 『正祖實錄』권 32, 1791년(정조 15년) 2월 21일(병인) / 장릉에 배식단을 세우고 추향할 사람을 정하다.
49) 『正祖實錄』권 32, 1791년(정조 15년) 4월 19일(계해) / 장령 정경조가 『莊陵誌』 개찬과 창절사의 배식 위차의 일로 상소하였다.
50) 金時習, 『梅月堂集』傳. 「金時習傳」〔李珥〕.

의 「鴻山縣東峯祠記」[51], 윤증(尹拯, 1629~1714)의 「淸風閣記」[52]·「東峯祠梅月堂奉安位版祭文」[53] 등이 지어졌다.

박세당(朴世堂, 1629~1703)은 1668년(현종 9), 그의 나이 40세 때 수락산에 들어와 은거했다. 그는 1680년(숙종 6)에 영당을 짓고 홍산 무량사에 있던 김시습의 영정을 모사해 와서 봉안할 정도로 김시습을 추숭하였다. 특히 「梅月堂影堂勸緣文」[54]에서는 김시습에 대한 그의 생각을 읽을 수 있다.

또 장동 김문의 김수증, 김창협도 김시습의 행적을 추숭되었다. 김상헌의 손자인 김수증은 김시습이 한 때 은둔했다고 전하는 춘천의 곡운구곡에 정사를 만들고 제갈무후와 김시습의 진상을 모신 유지당을 지었다. 김수증이 김시습을 숭앙했던 행적은 자신이 쓴 「有知堂記」·「無名窩記事」[55] 등의 기문뿐만 아니라, 송시열·김창협·김창흡 등의 문집에서도 확인된다. 그 대표적인 예가 송시열의 「谷雲精舍記」[56], 김창협의 「有知堂記」[57]이다.

김시습에 대해 '심유적불(心儒迹佛)'이라 평한 이이의 견해는 후대 기호학파 서인들이 김시습을 평가하는 데에 기준이 되었다. 그리하여 그를 높은 절의를 지닌 유학자로 부각시키게 되었다. 이이는 젊었을

---

51) 宋時烈, 『宋子大全』 卷 140. 記. 「鴻山縣東峯祠記」.
52) 尹 拯, 『明齋先生遺稿』 卷 26. 書. 「代庶尹叔父. 請撰淸風閣記別紙」(略 「淸風閣記」).
53) 尹 拯, 『明齋先生遺稿』 卷 33. 祭文. 「東峯祠梅月堂奉安位版祭文」.
54) 朴世堂, 『西溪先生集』 卷 8. 雜著. 「梅月堂影堂勸緣文」.
55) 金壽增, 『谷雲集』 卷 4. 記. 「有知堂記」·卷 3. 記 「無名窩記事」.
56) 宋時烈, 『宋子大全』 卷 142. 記. 「谷雲精舍記」.
57) 金昌協, 『農巖集』 卷 24. 記 「有知堂記」.

때 계모에게 시달림을 당해 이를 피하기 위해 불문에 의탁한 적이 있다. 이 때문에 政敵으로부터 '闢異端'의 논리로 공격을 받기도 하였다.[58] 따라서 「金時習傳」에 보이는 '심유적불'은 김시습에 대한 평가인 동시에 자신의 행적에 대한 답변이라고 볼 수 있다. 이이는 또, "기이한 행동을 하였던 인물이었지만, 누구도 당시의 잘못을 문제 삼지 않았으며, 그것은 모두 선왕의 덕과, 보필자들의 도량 때문"이라고 덕을 돌린다. 이러한 형태는 겸양의 전형적인 예인 동시에, '闢異端'의 시비를 끌어들이는 정적을 염두에 둔 표현이라고 하겠다. 이를 통해 볼 때, 선조는 당시 기호학파의 수장이었던 이이가 '闢異端'의 시비에서 벗어날 수 있게 하기 위하여 그 계기를 마련하였을 것으로 추정할 수 있다.

이를 기점으로, '생이지지'의 천재성을 가진 점과 남들이 이해할 수 없는 기이한 행동을 하는 김시습의 모습은 유학자적인 면모로 변화하게 되었다. 이 논리를 더욱 뒷받침하기 위하여, 동생에게 왕위를 물려주고 다른 나라로 떠난 '泰伯과 仲雍'의 고사를 인용하며 보다 적극적으로 김시습의 절의를 강조한다.

그런데 처음에 이이가 「金時習傳」을 쓴 시기인 1582년과 후대인들이 김시습에 대한 글을 쓴 시기는 약 80년의 간극이 있다. 이 시기에는 조선 중·후기의 커다란 사건이 있었는데 그것은 바로 임·병 양란과 인조반정이다.

임·병 양란으로 조선은 정치·사회·문화 전반에 걸쳐 많은 혼란과 폐해를 겪었다. 한편, 1623년에 일어난 인조반정으로 인해 조선은 국

---

58) 이 경위는 沈慶昊, 『金時習評傳』(돌베개, 2004), pp. 53-4.에 자세히 소개되어 있다.

가의 기강을 다시 정립해야 하는 필요성을 느끼게 된다. 다시 헤이해진 강상을 바로 잡고, 모범이 될 만한 인물을 찾아내서 유교적인 기틀을 확립해야만 했다. 김시습은 이미 1582년에 선조의 뜻을 받든 이이에 의해 유학자적 인물로 입전한 바 있었다. 따라서 서인들은 서인의 시조 격인 이이가 입전한 김시습을 끌어와 절의의 기상을 지닌 선비로 다시금 자리매김 하게 된 것이다. 그리하여 1660년 이후 김시습을 기리려는 움직임이 기호학파 서인, 그 중에서도 송시렬과 윤증을 중심으로 일어난다. 김수증의 가문인 장동 김문 역시 서인의 중심 가문 중의 하나였기 때문에 김시습에 대하여서는 송시렬이나 윤증과 같은 입장을 지녔다.

3) 김상헌(金尙憲)의 위상과 장동 김문의 형성

현종 연간에 서인의 중심 가문으로 정국을 주도하는 위치에 서 있었던 가문은 송준길(宋浚吉, 1606~1672)・송시열 등 은진 송문(恩津宋門), 김만기(金萬基, 1633~1687)・김만중(金萬重, 1637~1692) 형제로 대표되는 광산 김문(光山 金門), 민정중(閔鼎重, 1628~1692)・민유중(閔維重, 1630~1687) 형제의 여흥 민문(閔門), 김수흥(金壽興)・김수항(金壽恒) 형제의 장동 김문 등이다.

이처럼 노론계 학맥에서 가장 중요한 집안 중 하나가 바로 장동 김문이다. 장동 김문은 안동 김문의 한 지파로써 16세기 이후 서울에 세거한 안동 김문을 일컫는다. 이 가문은 조선 전기에는 미미하다가 후기에 부상하여 19세기 초반 최대의 세도가문이 되었다. 병자호란 시기 김상용이 순절하고 김상헌이 척화론을 주도하였으며, 환국기에 김수항, 김창집 부자가 사사되는 과정을 거치면서 장동 김문은 서인-노론계열에서 척화(斥和)와 충량(忠良)을 대표하는 가문이 되었다. 정계에서 물러났을 때는 은사와 학자가 등장하여 학풍과 문예를 이끌었다.59)

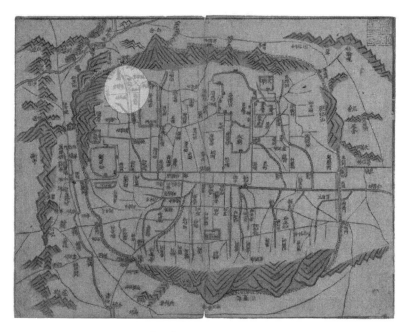

그림 1 『대동여지도』「도성도」

---

59) 이경구, "장동 김문의 문물수용론과 문예활동", 『한국학보』 29, 일지사, 2003.

장동 김문은 16세기 이후 서울에 세거하면서 사림의 명가로 성장하였다. 장동 김문이 사림의 명가로 성장하는 데 가장 결정적인 인물은 김영(金瑛, 1475~1528)과 김번(金璠, 1479-1544)이다. 이들은 서울에 세거지를 마련하였고, 가학으로서의 은거의 전통을 마련하였다.

김영은 중종 초반에 활발한 언론 활동을 벌였고, 관직에서 물러나서는 청풍계에 모정을 짓고 은거하였다. 또 김번은 경기도사·평양서윤 등 주로 외직을 역임하고 만년에 장의동에 거주하였다. 이후 청풍계에서 장의동에 이르는 지역이 장동 김문의 확실한 세거지가 되었다. 또 죽은 후 김영은 경기도 파주의 교하에, 김번은 경기도 양주의 석실에 묻혀 이후 은거지를 경기지방으로 확산시켰다.

김영은 조광조(趙光祖, 1482~1519)·이언적(李彦迪, 1491~1553)·권벌(權橃, 1478~1548)·이현보(李賢輔, 1467~1555)·김안국(金安國, 1478~1543)·박상(朴祥, 1474~1530)·권민수(權敏手, 1466~1517)·소세양(蘇世讓, 1486~1562)·김양진(金楊震, 1467~1535) 등으로 당대 사림의 지도자들과 두루 친하였고, 특히 권벌·소세양과 절친하였다. 권벌은 자신의 조부 권곤(權琨, 1427~1502)의 묘갈명을 김영에게 부탁하였고, 소세양은 김영의 묘갈명을 지어주기도 하였다. 김영은 중종대 초반에는 언관으로서 김종직(金宗直, 1431~1492)의 신원을 청하고 무오사화의 장본인으로 지목되었던 이극돈을 탄핵하는 등 사림들의 권위 회복을 앞장서 주장하여 사림들에게 좋은 인식을 남겼다.

장동 김문은 김상용과 김상헌 형제가 각각 문과에 급제하고 서인의 중진으로 명성을 날리면서 중앙 정계에 두각을 나타내었다. 김상헌은 송시열, 윤문거(尹文擧, 1606~1672)·윤선거(尹宣擧, 1610~1669) 형제, 조석윤(趙錫胤, 1605~1654), 유개 등 주로 김집의 문인으로 당시 산당으로 중앙 정계에서 활동하던 인물과 교유하였다. 이들의 배청 성향은 자연히 김상헌과 잦은 교류를 가능하게 하였으며, 산당계의 등용에 우호적이었던 이경여(李敬輿, 1585~1657), 이경석(李景奭, 1595~1671) 등과도 교유하였다. 그리고 산당계와는 그 경향이 달랐던 김육(金堉, 1580~1658)이나 주화파인 최명길과도 교유하여 교유의 폭이 넓었다.60) 윤근수의 문인인 김상헌은 김육, 장유와 동문이었다.

농암 김창협은 어려서는 외조인 나성두(羅星斗, 1614~1663)에게 글을 배웠다. 10대에는 이정구(李廷龜, 1564~1635)의 손자이자 그의 장인이었던 이단상(李端相, 1628~1669)61)의 문하에서 수학하였고, 24세에는 송시열의 문하에서 학문하였다.

삼연 김창흡은 그가 학문을 배움에 있어서도 사승관계를 통해 스승으로부터 전수 받는 것이 아니라 여러 사람들을 사표로 삼아 사색을 통한 자득의 학문을 추구했다. 삼연은 13세 때 김시량, 14세 때 이단상을 스승으로 삼아 수학한 경우를 제외하고는 본격적 사승 관계를 맺고 배

---

60) 조준호, "조선후기 석실서원의 위상과 학풍,"『朝鮮時代史學報』11집, 1999.
61) 이단상은 노론 학계에서 학통의 일각을 이루었던 학자였다. 그는 현종 이후 양주 동강의 영지동에 은거하면서 후생을 지도하였다. 그의 문하에서 김창협, 김창흡, 임영 등 유수한 학자들이 배출되었으며, 또한 제자인 김창협을 사위로 맞이함으로서 안동 김씨 문벌과 혼인 관계를 맺고 있었다.

운 적이 없다. 송시열을 사표로 삼아 그의 의리론을 수용하여 이이, 김장생, 송시열로 이어지는 서인 기호畿湖학풍을 이어갔으며, 소옹(邵雍, 1011~1077)과 서경덕(徐敬德, 1489~1546), 조성기의 학문 방법을 존숭하여 그들에게서 관물, 사색, 경제의 사상 등을 받아들였다.62) 요컨대, 김창협의 사상 형성에는 송시열을 중심으로 이어지던 서인 학풍 이외에도 서경덕 → 신흠·이정구 → 신익성(申翊聖, 1588~1644)·김육·최명길 → 이단상·조성기로 이어지는 서울 경기 지역 학풍의 영향이 공존하고 있다.63)

소옹과 서경덕, 조성기의 학문은 모두 관물이라는 하나의 코드로 그 연관성을 맺고 있다. 김창흡은 60세를 전후하여 상수학에 깊은 관심을 갖게 되며, 67세 이후에 기록한 일기류의 글에는 상수에 대한 기록이 많이 보인다. 김창협, 김창흡의 학문에 영향을 주었던 이단상이나 조성기는 바로 양주나 서울에서 활동하였던 학자였으며 그들의 학문적 성향은 조성기에서 나타나듯 경제지학의 강조로 당시 서울을 중심으로 변화하는 사회경제적 현실에 대한 구급의 방책을 제시하는 내용을 담고 있었다. 김창협, 김창흡이 송시열로 표방되는 노론의 정치명분과 의리론을 받아들이면서도 현실 문제 해결의 방책으로는 서울 지역의 사회변화를 직시하는 이들 성시산림(城市山林)의 경세론을 채용하였고 이는 그들의 사상이 포용성을 지닐 수 있었던 이유였다.

석실서원은 김창협, 김창흡의 학풍이 서울 학계로 확산되는데 중심적인 역할을 하였다. 또한 서원의 학풍은 서울, 경기지역의 문풍 및 미

---

62) 이승수, 앞의 책.
63) 조성산, 앞의 박사학위논문.

그림 2 『광여도』 중 「양주목」 지도

술계에도 파급되어 김창흡의 문하에서 진경시의 대가인 이병연(李秉淵, 1671~1751), 진경산수화로 유명한 정선(鄭敾, 1676~1759)이 배출되어 조선의 고유색을 지닌 진경문화를 이루는 기틀로 작용하였다.

청음 김상헌을 현조로 하는 장동 김문의 특기할 만한 사실은 경기도의 여러 곳에서 별서를 경영한 사실이다. 이들은 김번 이래로 대대로 문벌의 묘산으로 관리하였던 양주와 함께 경기도 각처에 근거지를 마련하였다.[64]

이들 별서의 형성 유래를 살피면 다음과 같다. 양주는 안동 김씨의 주요한 묘산이자 청음 김상헌의 은거지였던 연유로 그 후손들의 우거나 왕래가 잦았다. 양주에 주로 우거한 지역은 미호의 금촌, 상수역촌의 퇴곡, 목창동, 성릉촌 등으로 대부분의 인물이 경저를 떠나 우거하였다. 시기적으로 숙종대의 환국이란 급박한 정치 정세하에 문벌의 주요한 퇴거처로 활용하였다.

과천과 영평의 별업은 김수항의 우거에서부터 그 유래를 찾을 수 있다. 과천의 반계촌은 1664년(현종 5) 김수항이 이조판서 재임 시 전주 문제로 파직되어 이곳으로 이주한 이래, 그의 아들인 창읍이 을사환국으로 사사된 부친의 관작이 1694년(숙종 20)에 회복되자 과천으로 솔가하여 생활하였다. 영평의 백운산[65] 아래 송노암은 1679년(숙종

---

64) 장동 김문의 후손들이 경기도 지역에 은거의 계기를 마련해 주었던 이들의 별서 경영은 조준호의 논문에 자세하다. 조준호, 앞의 학위논문, p. 51.

65) 지금의 가평이다. 『동국여지승람』에 의하면, 백운산은 영평현 동쪽 60리 지점에 있다고 하였다. 정약용은 「산수심원기」에서 저오수의 유래를 설명하면서 백운산에 대하여 이야기하고 있다. "저오수는 일명 사탄천(史呑川)이라 하는데, 그 근원은

5) 남인집권기 김수항이 철원으로 유배 시 지은 곳이다. 같은 시기 그의 아들 김창협은 영평 응암에 10여년 간 거주하며 농암서실을 지어 독서하였으며 그의 동생인 창흡 역시 영평 명학재에 머물렀다. 이와 같은 행적은 선조 대(1567~1608)의 명신이었던 박순(朴淳, 1523~1589)을 제향하는 영평의 옥병서원에 숙종 24년 김수항이 제향되는 배경으로 작용하였다.

춘천은 김수증의 복거지였다. 그는 안동 김씨가의 종손으로 김상헌이 석실에 은거할 때 옆에서 모셨던 인물이다. 김상헌이 1632년(인조 10)에 세운 사당과 2칸의 초옥 등 생전에 남긴 자취를 가꾸어 김상헌이 죽은 후 초옥을 개수하여 송백당(松柏堂)이란 현판을 걸었으며, 또한 김상헌의 무덤 옆에 묘사를 지어 도산정사(陶山精舍)라 명명하였다. 석실에 대한 정리가 끝난 후 그는 1670년(현종 11) 47세 때 춘천에 농수정사를 지어 복거하였다. 숙종 초년 어수선한 정국 하에서 그의 춘천 별서 개척은 더욱 확대되어 곡운정사, 화음동 등에 자신의 거처를 마련하였다.

양근과 철원은 김창흡의 서실이 있는 곳이었다. 그는 부친 김수항이

영평현(永平縣) 백운산(白雲山)의 실운동(實雲洞)에서 나온다. 동쪽으로 흘러 곡운구곡(谷雲九曲)이 되었으니, 첩석대(疊石臺)·융의연(隆義淵)·명월계(明月溪)·와룡담(臥龍潭)·명옥뢰(鳴玉瀨)·백운담(白雲潭)·신 녀회(神女匯)·청옥담(靑玉潭)·방화계(傍花溪)가 구곡의 명칭이다. 물은 산령(蒜嶺) 남쪽과 화우령(畫牛嶺) 북쪽을 지나고 사외창(史外倉) 좌측을 경유하여 남쪽으로 흘러 저오수(䴇䴇水)가 되어 산수로 들어간다. 산수(汕水)는 또 마령(馬嶺) 남쪽을 지나 모진(茅津)이 되고, 인남역(仁嵐驛) 문암서원(文巖書院)을 지나 소아탄(小兒灘)이 되고, 춘천부(春川附) 서쪽 10리에 이르러 백로주(白鷺洲)가 된다."고 하였다. 백운산에서 동쪽을 길을 잡아 가면 김수증의 곡운구곡에 이를 수 있다는 점에서 백운산은 장동 김문의 은거지에 있어서 지리적으로 중요한 곳에 위치한다고 볼 수 있다.

예송에 연루되어 유배되는 것을 본 후 관직을 단념하고 숙종 5년 철원의 삼부연에 복거하여 삼연이라 자호하였다. 1693년(숙종 19) 양근의 벽계로 이거하여 2년여를 거주하였다.

이외에 김창즙이 51세 되던 해인 1712년(숙종 38)에 잠시 머문 광주 압록정촌 및 김창집이 경종 2년 임인옥사로 사사된 후 파주에 임시로 장사지냈다가 영조 즉위 후 그에 대한 신원이 이루어지는 와중에 그 묘소를 여주 등신면으로 이장한 사례가 확인된다.

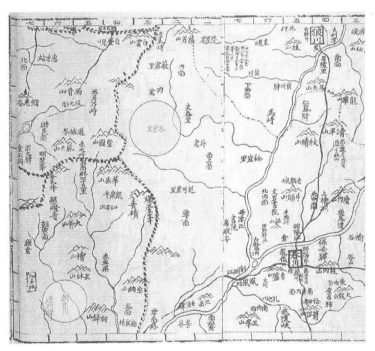

그림 3 『청구도』 곡운구곡 부분

이처럼 대표적인 벌열로 활동하였던 장동 김문의 경우에서 살필 수 있듯이 그들은 경기도 지역에 광범위한 거점을 점유하고 있었다. 특정한 지역에 집거하기보다는 가세의 번창에 따라 활동의 지역적 외연도 확산하였음을 알 수 있다. 별서 경영은 장동 김문이 정치적 화를 입었던 시기에 집중적으로 나타나지만, 당시에 개척된 별서들은 이후 후손들의 이주가 이루어져 집거하게 되는 계기로 작용하였다.66)

김수항은 자신 집안의 별서 경영을 다음과 같이 이야기한 바 있다.

"큰 형님은 수춘[지금의 춘천]의 곡운에 숨어 계시고, 둘째 형님[김수흥]은 가릉강 위에 은거하고 계시며 나의 집은 백운산 아래 골짝에 있으며, 흡아[김창흡]는 동주[지금의 철원]의 태화산에 작은 집을 얽었다. 태화산으로부터 백운까지는 30리요, 백운으로부터 곡운까지는 40여리, 곡운으로부터 가릉까지는 백리가 채 못 된다. 네 곳의 거리가 비록 원근의 차이가 있고 그 사이는 각각 일대의 산으로 나뉘어졌지만 산은 본디 한 줄기요 두 구역이 아니다. 일가가 귀의한 바가 모두 밀접하기가 이와 같으니 다행이라 할 만하다. 이로써 율시 한 수를 지어 기록하여 큰 형님과 작은 형님에게 보여 드리고 또 아이들에게도 보여준다."67)

---

66) 조준호, 앞의 학위논문 참조.
67) 김수항, 『문곡집』 권 5, p.103. 「伯氏旣棲遯壽春之谷雲 而仲氏方營菟裘於嘉陵江上 余之小築在洞陰白雲山下 翕兒又結廬東州之太華山 自太華至白雲三十里 自白雲至谷雲四十餘里 自谷雲至嘉陵亦不滿百里 四處相去雖遠近差殊 其間各限以一帶山 山本一脈 非異區也 一家所依歸 皆密邇如此 可謂幸矣 聊賦一律以識之 仍呈伯氏仲氏且示兒輩」"誰遣山靈用意勤 / 安排福地待平分 / 嘉陵北峽通靑玉 / 太華南峯接白雲 / 不羨仙侯携斧子 / 都輸句曲屬茅君 / 全家道氣眞堪詫 / 十乘朱輪未足群"

이 글은 1678년(숙종 4)에 철원으로 이배된 이후 지은 시의 제목이다. 이 시의 제목에서 보이는 바와 같이 이들은 동일한 정치적 시련을 극복해 나아가는 데에 있어서 혈연을 매개로 한 동류의식을 중요시하였다.

장릉 김씨 문벌의 경우, 김상헌이 반청의식을 내세우며 의리를 지키고자 했던 측면은 노론계 문인의 명분이 될 뿐 아니라 가문에 대한 자부심으로 이어졌다.

한편 노론계 문인·학자들에게 김상헌은 명분과 절의를 지킨 선비라는 의미를 지닌다. 김상헌은 예조판서로 있던 1636년 병자호란이 일어나자 남한산성으로 인조를 호종하여 청나라와 싸울 것을 강력히 주장하였다. 대세가 기울어 항복하는 쪽으로 굳어지자 최명길이 작성한 항복문서를 찢고 통곡하였다. 항복 이후 식음을 전폐하고 자결을 기도하다가 실패한 뒤 안동의 학가산에 들어가, 와신상담해서 치욕을 씻고 명나라와의 의리를 유지해야 한다는 내용의 상소를 올린 뒤 두문불출하였다. 이후에 청나라로부터 위험인물로 지목되어 1641년 심양(瀋陽)에 끌려가 이후 4년여 동안을 청에 묶여 있었다. 당시에도 강직한 성격과 기개로써 청인들의 굴복 요구에 불복하여 끝까지 저항하였다. 이러한 사적 때문에 후대 서인들에게 의로운 선비의 상으로 각인된다.

이것은 장동 김문뿐만 아니라 노론계 문인의 글에서 자연스럽게 드러난다.

부끄러움을 참고 견딘 지 60년
분분한 수레로 먼 연경으로 들어가네.

천년의 뜻 있는 선비의 끝없는 한

비분강개하며「설교」편을 길이 읊조리네.

忍恥包羞六十年　　　紛紛冠盖入遼燕

千秋志士無窮恨　　　慷慨長吟雪窖編

(김수증, 『곡운집』, 권1, 「送李甥仲庚(世白)赴燕」)

김수증의 생질인 이세백68)은 1695년에 11월에 동지정사(冬至正
使)로 연경에 간다. 이 시는 그 때 지어진 시이다.

1구에서 '부끄러움을 참고 견딤(忍恥包羞)' 기간이라는 것은 1636년
의 병자호란 이후의 시간을 가리킨다. 김수증은 자신이 존경하고 있는
할아버지가 청에 끌려가야 했던 수모를 떠올리고는 청나라에게 항복해
야 했던 사실을 부끄럽게 여긴 것이다. 2구에서 그러한 부끄러운 한은
오랜 시간이 흘러도 끝이 없을 것이라 하였다. '설교(雪窖)'는 원래 '눈
움막'이라는 뜻이다. 「설교편(雪窖編)」은 김상헌이 병자호란 후 청나라
심양에 구금되었을 때, 함께 구금되었던 조한영(曹漢英, 1608~
1670)과 수창한 시편을 모아 엮은 것으로, 한나라 소무(蘇武)의69)

---

68) 이세백(李世白, 1635~1703). 조선 후기의 문신. 본관은 용인(龍仁). 중경(仲庚)
　　은 자이고, 호는 우사(雩沙) 또는 북계(北溪). 김상헌의 외증손이다. 1657년 진사
　　시에 합격하여 성균관에 들어갔으며, 그곳에서 송준길의 가르침을 받았다. 아들 의
　　현과 연달아 정승이 된 것으로 유명하였다. 예학(禮學)에 밝아 국가의 중요 예론에
　　깊이 참여하였으며, 특히 노론의 중심인물로서 소론·남인과의 정치적 대립에 중요
　　한 몫을 하였다고 한다. 시호는 충정(忠正)이고, 문집으로『우사집(雩沙集)』이 전
　　한다.

69) 소무(BC 140~BC 80)는 전한 시대의 명신으로 제7대 황제인 무제(武帝)의 명을
　　받고 흉노의 지역에 사신으로 갔을 때, 선우(單于)에게 붙잡혀 복속(服屬)할 것을

고사를 본떠 '설교'라 이름한 것이다.

3구와 4구에서는 김상헌의 절의(節義) 있는 행동을 기리며, 그의 절의가 끝내 받아들여지지 못한 현실에 대해 비분강개하고 있다.[70] 그의 생질인 이세백이 연경에 가는 것을 전송하여, 병자호란 이후의 역사적 굴욕감을 상기시켰다. 명나라가 망하고 청나라가 들어선 지 오랜 시간이 지났음에도 명을 사대하고 청을 인정하지 않았던 것은 그도 역시 의리를 중요하게 여긴 것으로 보인다.[71]

이재[72]도 춘천의 소양정에 올라 김상헌의 자취를 회상하는 시를 짓는다. "정월, 소양정에 올라서 / 석옹의 뒤를 이어 적어본다(正月昭陽亭

강요당하였으나 이에 굴하지 않아 북해(北海: 바이칼호) 부근에 19년간 유폐되었다. 흉노에게 항복한 지난날의 동료 이릉(李陵)이 설득하였으나 굴복하지 않고 절개를 지켜 귀국했다고 한다.

70) 김수증은 그의 할아버지에 대해 회고하는 시와 행적에 대한 글을 여러 편 남겼는데, 이 글들은 모두 할아버지가 예의와 명분에 밝았음을 찬양하는 글이 대부분이다. 권 1, 「敬次王考石室守歲韻 贈文谷(戊辰)」, 권 1, 「臘月初七日還華陰 口占七絶 寫境書懷」其96, 권 2, 「十月望日 又移栗北」其19, 권 2, 「華陰索居 書懷示兒輩」其3 · 8 · 9 · 17.

71) 강명관, 조선시대 문학 예술의 생성 공간, 소명출판, 1999, pp. 293-5. 이 시의 두 번째 수에서는 제갈무후의 진상을 사 올 것을 부탁하고 있다. 실제로 이 당시 안동 김씨 문벌은 여러 서화 등을 수집하는 데에 열의를 보였다. 이는 청나라의 정당성을 받아들여 사대한 것이 아니다. 청나라를 단지 중국 정통의 유물 등을 보유하고 있는 곳으로 파악한 것이다. 이는 그의 자손 대에 이르러 청나라의 문물을 받아들이는 태도와 차이를 보인다.

72) 이재(李縡, 1680~1746)는 18세기 학문 · 사상 논쟁인 호락논쟁(湖洛論爭)에서 인물성동론(人物性同論)을 주장한 낙론(洛論) 계열의 대표적 인물이다. 1727년 정미환국(丁未換局)으로 소론 중심의 정국이 형성되면서 문외출송(門外黜送) 되었다. 이후 용인의 한천에 살면서 오원(吳瑗) · 임성주(任聖周) · 김원행(金元行) · 송명흠(宋明欽) 등 많은 학자를 길러내어 훗날 북학(北學) 사상 형성의 토대가 되었다. 노론 가운데 준론(峻論)의 대표적 인물로서 대명의리론과 신임의리론을 내세우면서 중앙정계와 학계를 배후에서 움직였다.

上行 / 石翁之後敢容評)"라는 시 구절이다. 여기서 '石翁'은 석실산인 (石室山人) 즉, 김상헌을 지칭한다.

어떤 공간에 특정한 기억이 덧보태어 지면서 기억을 공유하는 집단이 생기게 마련이다. 그들은 동일 인물을 그리며 그들에게서 지향해야 할 유자의 모습을 찾는다. 또한 공유된 기억은 그들 사이의 내적 결속력을 다지는 기능을 함과 동시에 사상적 구심점이 되기도 한다.

이 현상은 곡운구곡에서도 살펴 볼 수 있다. 김수증은 곡운구곡에 여러 정자나 당을 짓고 그곳에 뜻을 담아 이름을 붙인다. 그의 이러한 행적은 그의 아들 조카에게 일정한 영향을 끼치게 된다. 또 그는 「谷雲九曲圖」를 그리게 하고 각 곡마다 아들, 조카들의 시를 한 곡조씩 붙이게 한다. 이것은 그를 그리는 족손들에게 특별한 경험으로 각인된다. 그의 조카 중 김창흡의 경우는, 백부의 은거를 기리며 실제로 곡운에 와서 얼마간 살기도 하였다. 다시 이는 연쇄 반응을 일으켜 김창흡을 추종하는 서인 낙론계의 학자들이나 백악시단의 시인들은 앞다투어 곡운에 대한 시를 남기고 있다.

4) 기사환국과 그 트라우마

17세기 중반 이후, 예송논쟁을 거치며 첨예하게 대립했던 남인과 서인은 1689년에 정치적 견해를 놓고 격렬히 충돌했다. 숙종은 남인의 편을 들어 소의 장씨를 희빈(禧嬪)으로 승격하고 인현왕후를 폐비시켰다. 인현왕후를 지지하던 서인 정권은 모두 정계에서 축출되었다.

경신대출척(1680년)에서 기사환국(1689년), 갑술옥사(1694년)로 이어지는 숙종 대의 정국의 변화는 당대는 물론 현재까지도 문학작품의 소재로 자주 등장했다. 그만큼 정치적 상황 전개가 극적이었기 때문이다. 경신대출척 이후 정권을 장악했던 서인 세력은 기사환국을 계기로 일시에 권력을 잃었다. 김수항과 송시열을 비롯한 노론계의 거두들은 이 일로 죽음을 맞이하였다. 이후 숙종이 희빈 장씨를 내쫓고 다시 인현왕후를 복귀시킨 갑술옥사까지, 서인은 정치적 시련을 극복하려고 노력하였다.

서인 내부에도 기사환국 전후로 학문적·정치적 대립이 있었다. 특히 노론의 거두인 송시열이 자신의 제자였던 윤증(尹拯)과 벌어지게 되면서 분열이 가속화되었다. 그러던 중 기사환국에서 노론의 핵심인물인 송시열·김수항·김수홍이 사사되면서 노론 세력은 급격히 약화되었다.

기사환국에 화를 당한 인물은 100여 명에 달한다. 그 중에서 대표적인 인물은 송시열, 김만중, 김수항·김수홍 형제이다. 김수항은 1689년 4월에 유배지인 진도에서 사사되고, 송시열은 그 해 6월에 국문을 받으러 제주도에서 서울로 올라오던 중 정읍에서 사약을 받았다. 김수홍은 장기(長鬐)로 유배되었다가 이듬해인 1690년에 병사하였다. 김만중도 1689년에 남해로 유배되었다가 1692년에 유배지에서 병사하였다.

우선 기사환국은 김만중의 광산 김문에도 영향을 끼쳤다. 주지하다시피 김만중의 광산 김문은 예학의 대가인 김장생(1548~1631)의 가문이다.

　김진귀의 아버지 김만기(1633~1687)는 송시열의 문하였고, 김창협 형제의 아버지인 김수항의 천거로 대제학을 지냈다. 김만기의 장녀는 숙종의 정부인 인경왕후(1661~1680)로, 그는 이로 인해 광성부원군으로 봉해진다. 김만기의 둘째 아들 김진규와 그 손자 김양택 모두 문형을 맡아 3대가 대제학을 지낸 바 있다. 김만기의 동생이 바로 서포 김만중(1637~1692)이다.

　광산 김문은 1680년 정권을 잡으면서 남인을 핍박한 바 있어, 기사환국 시기 직접적인 피해를 입었다. 김만중뿐만 아니라 김만기의 아들인 김진귀는 제주도로, 김진귀의 동생 김진규는 거제도로, 김진서는 진도로 유배를 간다. 그리고 후에 김진귀의 아들인 김춘택 역시 제주도로, 사위인 임장하 역시 제주도로 유배를 갔다.[73] 그러나 이들은 갑술옥사 이후 유배에서 풀려나 관직에 복귀함으로써 기사환국으로 인한 트라우마를 어느 정도 극복했던 것으로 보인다.

　기사환국은 송시열의 가문에도 적지 않은 영향을 끼쳤다. 송시열은 후사가 없어 작은 아버지인 송방조(宋邦祚)의 손자 基泰를 양자로 삼았다. 송기태의 둘째 아들인 송주석(宋疇錫, 1650~1692)은 어려서부터 할아버지인 송시열에게 글을 배웠고, 유배지이거나 강학처이거나 송시열을 시종했다. 송시열이 정읍에서 사사될 당시 송주석은 송시열로부터 효종과 명성왕후의 手札과 遺疏를 받았다. 송주석은 송시열의 적

---

73) 김새미오, 「만구와 김진귀의 제주유배문학 소고」, 『한문논집』, 근역한문학회, 2016, 233~4쪽.

통제자인 권상하와 함께 송시열의 유고를 정리하였는데 얼마 되지 않아 1692년에 비교적 젊은 나이에 세상을 등졌다.74) 결국 송주석은 송시열의 유고를 정리하는 도중에 일찍 생을 마감한 까닭에 할아버지를 여읜 슬픔과 그 극복 양상은 그의 문집에서 찾기 힘들다.

1689년 2월, 송시열이 제주로 원찬되자 그의 적통제자인 권상하는 스승을 모시고 유배지로 향했다. 그후 율곡과 사계의 유고를 전수받고, 「程書分類」, 「朱子大全箚疑」 등을 부탁받았다. 송시열은 사사되기 앞서 영결의 편지를 보내 만동묘 건립과 「주자대전차의」 완성을 유언으로 남겼다. 권상하는 정읍에서 사사된 스승의 치상을 주관하였다. 그러나 권상하의 경우, 다른 글에 비해 시를 많이 남기지 않은 편이며, 스승의 죽음에 대한 격동적인 감정 표현은 찾기 어려웠다.

송시열 사후인 1697년에 김수증은 권상하에게 시를 한 수 보냈다. 「七月晦日 還華陰」의 두 번째 수이다. 이 시에서 김수증은 기사환국 이후의 삶을

> 태산 무너진 아픔이 십년 세월 남아 있고
> 천 리 멀리 한수재를 잊지 못해 그린다네.

十年遺慟泰山頹　　千里相思寒水齋
(김수증, 『곡운집』 권 2, 「七月晦日 還華陰」 其 2.)

라 표현했다. 이에 대해 권상하는 다음의 시로 차운하였다.

---

74) 송주석 연보 참조.

세도를 자세히 보니 해가 서산에 지는 듯

오늘날 누가 다시 우재 선생 사모하리

춘추의 한 경전을 읽은 사람 없으니

이제부터 예의 동방 오랑캐로 변하리

世道看看西日頹　　今時誰復慕尤齋

春秋一部無人讀　　從此東方髻盡鬐

(권상하, 『寒水齋集』 권1, 「次谷雲金公寄贈韻」)

　김수증의 시에 비해 권상하의 시는 감정적으로 절제되어 있으며 사도에 대한 걱정이 시에 남아있을 뿐이다.[75]

　기사환국으로 인한 영향이 비교적 잘 드러나는 가문은 장동 김문이다. 김수항의 아들들(昌集, 昌協, 昌翕, 昌業, 昌緝, 昌立)은 당시 '六昌'으로 불릴 만큼 문학적 재능을 인정받은 수재였으며, 기사환국 당시 40대 안팎의 나이로 한창 왕성하게 활동하던 시기였기 때문이다.

　1689년 2월 기사환국으로 남인이 재집권하자 김수항은 진도로, 김수흥은 장기로 유배되었다. 이들의 형인 김수증은 벼슬을 버리고 강원도 화천의 곡운구곡으로 들어가 은거를 택했고, 김수항의 다섯 아들

---

75) 송시열 사후에 권상하는 화양동을 방문하여 감회가 일자 송시열의 시에 차운하여 두 편의 시를 남겼다.(「華陽感懷 敬次先生海中寄示韻」, 「又用前韻」) 이 시에서 스승의 부재에 대해 "존주의 큰 의리는 일성처럼 빛나는데 / 사도는 오늘날에 험난하고 외로워라. / 오늘 나 홀로 와서 옛집을 찾아보니 / 산새 너는 내 마음을 아는지 모르는지(尊周大義日星如 / 斯道于今阨且孤 / 此日獨來尋舊宅 / 山禽能識我心無)"라 표현하여 다소나마 감정적인 표현을 찾아볼 수 있을 뿐이다.

역시 현직에서 물러나 부친의 유배지인 진도로 내려갔다. 4월 김수항이 사사되자 이들은 김수항을 양주 율북리에 장사 지내고 영평(永平)의 백운산(白雲山) 아래에 모여 거상 기간을 갖는다.76) 아버지의 죽음에 이어 스승으로 여기던 송시열 역시 사사되고, 이 해 12월에는 졸수재 조성기도 세상을 떴다. 이듬해 1690년 10월에 작은아버지인 김수홍도 유배지에서 병으로 세상을 떴다. 1691년 6월에 服을 마쳤다.

기사환국 이후 이들은 일정 기간 동안 시를 짓지 않았다. 가장 큰 까닭은 거상 기간이었기 때문이다. 그러다가 1692년 妹壻인 이섭의 때 이른 죽음을 마주하자 이들 형제들은 연작시 형태의 만시를 쏟아내기 시작했다.

정치적 시련으로 가족과 스승을 잃고 '살아남은 자'들의 삶은 어떠했을까? 그들은 어떠한 방식으로든 먼저 떠난 이들을 애도하는 시간을 보냈어야 했고, 일종의 심리적 외상, 트라우마를 극복해야 했다.

트라우마란, '외부에서 일어난 충격적인 사건으로 인해 발생한 심리적 외상'을 의미한다. 극단적인 스트레스를 일으키는 사건을 경험한 후 위험한 세계에서 무기력하고 안전감이 훼손되어 스스로를 취약하다고 느끼는 상태를 말한다. 이 상황에서 개인은 박탈감, 혼란, 세상과의 단절감을 경험한다.77)

기사환국은 왕명에 의해 가족들과 스승 및 친구들의 예상치 못한 죽

---

76) 金昌集, 金昌協, 金昌翕, 金昌業, 金昌緝의 연보 참조
77) 최남희·유정, 「트라우마 내러티브 재구성과 회복 효과」, 『피해자학연구』18(1), 2010, 287쪽.

음을 가져왔고, '살아남은 자'들에게 심리적으로 큰 충격을 안겼다. 살아남은 노론계 문인들에게 기사환국은 트라우마로 작용하여, 세상을 떠난 자들의 부재를 시시때때로 절감하며 세상으로부터 일정한 거리를 만들었다.

심리적 외상을 겪은 직후 자신의 감정과 사상을 정제된 언어로 표현하는 것은 쉽지 않은 일이다. 가족의 죽음을 직면한 상황에서 시문을 짓는 일은 문학이 본업인 문인들에게도 흔하지 않은 경우이다. 그러나 극도의 슬픔과 일정한 거리가 생기면 오히려 충격적인 사건을 객관화하여 글로 남길 수 있게 된다. 이 과정에서 인간은 자신의 슬픔을 내면화하고 트라우마를 정리할 수 있게 된다.

문학이 치유적 기능을 지니고 있음을 증명하는 시도는 여러 학자들에 의해 계속되고 있다. 일정한 병증이 있는 환자나 특정한 집단을 대상으로 치유의 부수적인 요소로 문학을 활용한 사례는 이미 학계에 많이 보고되고 있다. 문학치료 연구자들은, 개인이 처한 스트레스나 트라우마를 언어화하고 이해하여 그 감정 상태를 완결된 상태로 정리하는 데에 문학은 다른 예술보다 유용한 매개체라고 설명한다. 인간이 앞서 이야기한 이 두 가지 기본적인 욕구를 충족시키지 못하고 스트레스나 심리적 외상(트라우마)을 정리하거나 처리하지 않은 채 억압하여 저장해 두었을 경우, 정서적·성격적 결함은 물론 육체적 질병에 걸릴 수 있음은 많은 선행 연구에서 증명된 바 있다.78)

연구자에 따라 글쓰기 치료 방법은 다양하게 활용할 수 있다. 이들

---

78) 페니베이커, 김종한·박광배 역, 『털어놓기와 건강』, 학지사, 1999, 129-149쪽.

중 가장 일반적인 방법은 '피드백', '세어링'의 방법이다.79) 그런데, 이러한 치료가 일어나기 위해서는 참여자들이 적극적으로 자신의 감정을 드러내야 한다는 점, 그리고 자신의 감정을 지지해 줄 참여집단이 있어야 한다는 점이 전제되어야 한다.

장동 김문의 경우는 이 전제조건을 충족시킬 수 있었다. 그들 스스로가 전통적인 의미의 문학을 본령으로 하는 문인이었으며, 혈연을 매개로 형성된 강력한 지지기반이 있었기 때문이다. 그들은 매서인 이섭의 요절을 계기로 가족을 잃은 슬픔을 토로하기 시작하였다. 이후 동일한 주제로 함께 차운시를 지으며, 서로의 감정에 보다 적극적인 형태로 공감하였다.

작품만 현전하는 경우, 글쓰기가 글쓴이의 트라우마를 극복하는 데에 어느 정도 효과가 있었는가를 계량화하여 증명하기는 어렵다. 글쓴이가 생존해 있을 경우, 병원에 내방한 횟수나 건강 관련 수치, 자기 효능감 등을 양적 수치로 제시할 수 있다. 그런 의미에서 양적 연구에는 한계가 있을 수밖에 없다.

그러나 생존 여부와 상관없이, 당시의 기록이 남아 있는 한 개인의 트라우마는 그의 글 속에 투영될 수밖에 없다. 더욱이 강력한 지지를

---

79) 변학수, 『문학치료』, 학지사, 2007, 97쪽.
- 피드백(정서 되돌려주기) : 글을 읽을 때 다른 참여자들이 "나는 당신이 ~한 것처럼 느껴져요." 또는 "나는 네가 ~한 것처럼 느껴져."라는 긍정적인 정서를 되돌려준다. 그러면 참여자는 자신의 텍스트(즉, 내면)에 대해 어떤 느낌을 갖는다.
- 세어링(공감하기) : 이 단계는 좀 더 적극적이다. "00씨가 쓴 시를 읽으니까 나의 ~생각이 나네요." 또는 "네가 쓴 시를 들으니까 나의 ~생각이 난다."라는 말을 한다. 이 공감하기 과정을 통해 참여자는 내적 반향을 듣게 된다. 그리고 자신(이 순간 작가가 됨)의 소리가 상대방에게 어떤 영향을 미쳤는지를 듣게 된다.

보내는 '가문'이라는 집단이 함께 했기 때문에 자신들에게 닥친 불운을 '털어놓으며 공감하기'는 자연스러운 문학 치유의 방편으로 활용되었을 것은 자명하다.

장동 김문 일가는 기사년(1689년) 김수항의 죽음 이후 거상 기간 동안 시를 짓지 않았다. 이들은 영평의 백운산(현재의 포천 부근) 주변에서 머물면서 애도의 시간을 보냈다. 이 기간 동안 일가 주변의 인물들이 연이어 세상을 뜨는 비운을 맞이한다. 특히 김창협은 이 해에 아들 清祥마저 잃는다. 신미년(1691년) 6월에 김수항의 상을 마쳤으나 이들의 울분은 쉽게 정리되지 않은 것으로 보인다. 이 해에도 시 짓기에 본격적으로 임하지는 않았다.

이들이 시를 짓기 시작한 것은 이듬해인 1692년부터다. 거상기간이 지난 이 해에 이들의 매부인 이섭이 유명을 달리했다. 김수항의 딸은 이산휘(李山輝)의 아들인 이섭(李涉)과 혼인하였는데 혼인 이후에 김수항을 따라 철원 유배지에서 생활하였는데, 1680년 16세의 나이에 딸을 낳다가 세상을 떴다. 그로부터 12년 뒤에 이섭마저 29세의 젊은 나이로 세상을 뜬 것이다. 妹壻 이섭의 죽음을 두고 이들 형제는 10수의 연작시 형태의 만시를 짓는다. 이들 형제는 이 시에서 이섭의 때이른 죽음에 대한 안타까움과 함께 이들 가문에 닥친 불운에 대한 감정을 토로하였다.

다음은 이섭의 죽음을 애도한 김창협의 시다.

〔一〕무심하다 하늘땅 살의가 등등하여

기린 죽고 용도 죽고 봉황 놀라 날아간 뒤
한여름에 눈서리라 매서운 기운 남아
난초 줄기 또 꺾이니 눈물 절로 흐르누나

漠漠乾坤共殺機　　　　　麟亡龍死鳳驚飛
炎天霜雪仍餘烈　　　　　更爲蘭摧淚濕衣

〔二〕인간 속 상전벽해 눈앞에서 벌어지니
　　　과거사 회상할 제 그 모두 허무하다
　　　북관정 정자 아래 그대 맞이하던 날
　　　십오 년 지난 오늘 영결하게 될 줄이야

人代桑滄只眼前　　　　　回頭往事盡茫然
北寬亭下迎君日　　　　　不信于今十五年

〔九〕재앙 끝에 남은 인생 사슴 돼지 한 무리로
　　　외진 산골 구름 속에 네 해를 울먹였네
　　　마른 눈 눈물 줄기 천 줄 아직 남았으나
　　　남 따라 그대 위해 감히 못 흘린다오

灰劫餘生鹿豕羣　　　　　四年窮谷泣荒雲
眼枯尙有千行淚　　　　　未敢隨人把似君

(김창협, 국역 『농암집』 권3, 「哭妹壻李汝楫」, 334-338쪽.)

김창협이 쓴 이 시는 젊은 나이에 안타깝게 세상을 등진 이섭의 죽음에 대한 애도가 주제이다. 죽음에 대한 의례적인 애도보다는 자신과의 추억을 회상하며 슬픔의 정서를 분출하고 있다. 여기에 이전에 겪은 아버지의 죽음, 누이동생이 중첩되면서 슬픔과 인생에 대한 허무가 시 전반에 짙게 깔려 있다.

첫 번째 수에서 가문의 불행이 겹쳐 일어나니, 하늘과 땅에 살의가 등등하다고 여기는 것은 어찌 보면 당연하다. '기린도 죽고, 용도 죽고, 봉황도 날아갔다'고 표현한 것은 누이동생, 막내아우 김창립, 아버지의 잇단 죽음을 가리킨 것이다. 이들 가문에 닥친 불행을 '한여름 눈서리'에 비유하였다. 매서 이섭의 죽음을 난초 줄기가 꺾였다 표현하였는데, 매서의 죽음 또한 한여름 눈서리의 매서운 기운과 연결되어 있다 여긴 것이다.

예상치 못한 죽음을 마주하고 보니, 인간사 모든 일이 허망하다 여긴 것이다. 두 번째 수에서 보이는 북관정은 철원도호부(鐵原都護府) 북쪽에 있던 정자를 지칭한다. 1678년 가을에 부친이 전라도 영암(靈巖) 유배지에서 철원으로 양이(量移)되었을 때 누이동생은 그곳에서 부모를 모시고 철원에 함께 있다 혼례를 치렀다. 김창협은 15년 전에 철원의 북관정에서 이들이 혼례하던 때를 회상한 것이다.

아홉 번째 수에서는 가족의 잇단 불행 앞에 선 자신과 남은 가족을 "재앙 끝에 남은 인생, 사슴 돼지 한 무리"로 표현하였다. 기사환국 이후 지난 4년 동안 자신들은 "외진 산골 구름 속"에 울먹이며 살고 있다고 하였다. 눈은 이미 말라 더 이상 눈물이 나오지 않을 법도 한데, 아직도

천 줄기 눈물이 남아있다고 표현하여 극에 달한 슬픔을 표현하였다.

　김창흡 역시 이 시기 가문에 불어 닥친 불운으로 인한 울분을 적극적으로 토로했다. 이 시기 동생 昌緝에게 보낸 편지(「答敬明」)에 그 감정이 드러나 있다.80)

　　(가) 일찍이 한밤중에 잠들지 못하고 벽에 기대어 가슴을 두드리며 슬퍼하여 오장육부가 찢어지는 듯 하면 문득 율곡이 망령됨을 가지고 슬픔을 막았다는 이야기를 지니고 세 번 눈물을 흘렸다네.

　　(나) 내가 구차하게 7년을 사는 동안(1689년~1695) 온 세상은 모두 즐거워했지만 나는 홀로 피눈물을 흘렸으며, 온갖 생각이 재처럼 식었지만 부끄러움과 원한을 풀어내지는 못하였다. …… 늘 위태위태하여 간장은 하루에도 아홉 번 뒤틀어지고 백가지 슬픔이 심중을 공격하였으니, 계해년(창립이 죽은)에 막힌 심사도 여기에 반쯤은 차지하고 있었다."81)

　그는 기사환국을 "오장육부가 찢어지는" 아픔으로 표현했다. 거상기간이 끝날 즈음부터 김창흡은 양구, 설악산, 철원 등지를 몇 차례 오고 간 것으로 파악된다. 특히 한계산에는 5월과 10월 두 차례에 걸쳐 방문하였는데, 이것을 선행 연구에서는 은거지를 물색하기 위한 것으로 해석하였다. 한편으로는 내적인 방황을 해소하기 위한 방편으로 이해할

---

80) 기사환국과 갑술옥사 기간에 김창흡의 심리적 갈등에 대해서는 이승수의 연구 결과를 따른다.(이승수, 『삼연김창흡연구』, 안동김씨삼연공파종중, 1998.)

81) 이승수, 위의 책, 157쪽.에서 재인용.

수 있다.

위의 편지에 드러난 바와 같이, 김창흡에게 기사환국은 다른 형제들보다 더 큰 트라우마로 작용한 것으로 보인다. 그 원인은 김수항과 김창흡의 관계에서 답을 찾을 수 있다. 김창흡은 다른 형제들과 마찬가지로 진도의 유배지로 내려가 아버지 김수항을 뵙고 온다. 진도 유배 기간 동안 김수항은 조정의 정치적 국면이 급변하는 상황에서 자신의 죽음을 어느 정도 예견한 것으로 보인다. 사사되기 며칠 전에 맏형 김수증에게 보낸 편지에서 김수항은 정치적 국면이 심각해지는 데에 따라 처분이 달라질 것을 이미 알고 있으며, 죽음이 닥치더라도 한스러워할 것이 아님을 토로하고 있다.82) 이 시기에 김창흡은 여러 편의 시를 지었는데, 김수항은 김창흡의 시에 차운하여 16편의 시를 남겼다.83) 이러한 사실로 미루어 볼 때, 김수항은 아들의 재능을 높이 인정하여 김창흡을 詩友로 대했음을 알 수 있으며, 김창흡 역시 정치적 국면 변화로 인해 발생한 아버지의 죽음에 큰 충격을 받은 것으로 추정할 수 있다.

---

82) 김수항, 『문곡집』 권28권, 「백씨께 올림(上伯氏)」, "(전략) 창업이와 창협이가 왔을 때 17일, 19일에 보내신 두 편지도 받아 보았는데, 그지없이 위로됩니다. 저는 일단 목숨을 보전하고 있지만, 죄를 가중하라는 논의가 나온 지 이미 열흘이 지났는데 처분이 어떻게 되었는지 아직 듣지 못하여 특히 답답함을 느낍니다. 스스로 생각건대, 인사(人事)가 이미 극에 달했고 시세가 여기에 이르렀으니 한번 죽는 것은 본디 조만간의 일이므로 진실로 한스러워할 것도 없습니다. 오직 성대한 관직에 올라도 그칠 줄을 몰랐고 물러나길 구하다 이루지 못하다가 끝내 이런 화란의 함정을 밟기에 이르렀으므로 위로 선조의 가르침을 더럽히고 아래로 평소의 뜻을 저버렸으니, 부끄럽고 비통하기 막급하니 무슨 말을 하겠습니까. (후략)"

83) 김수항, 『문곡집』 권6, 「次翁兒渡碧波韻」, 「次翁兒北雁韻」, 「次翁兒强寬韻」, 「次翁兒踏青日韻」, 「次翁兒春夜韻 記夢」, 「次翁兒春懷韻」, 「次翁兒雨後韻」, 「次翁兒歸僧韻」, 「次翁兒淸明韻」, 「次翁兒寒食韻」, 「次翁兒夜坐韻」, 「次翁兒曉吟韻」, 「次翁兒雨中韻」, 「次翁兒霽後韻」, 「次翁兒北懷四首韻」, 「次翁兒晚望韻」

장동 김문의 일가들은 혈연에 의한 지지기반이 형성되어 있었다. 이들은 각자의 별업에서 거주를 하였지만, 특정 시기에는 함께 만나 회포를 풀고 시를 지었다. 공통의 트라우마를 겪고 있으며, 혈연으로 강력하게 결속된 이들 장동 김문 일가는 공동의 시작(詩作) 활동을 통해 심리적 외상을 공유하며 치유의 힘을 키웠다.

심리적으로나 육체적으로 극심한 스트레스에 놓인 이들 형제에게 시 짓기를 권유한 인물은 백부인 김수증이다. 이 당시, 김수증은 김수항, 김수홍 두 아우를 잃고, 또 친분이 있던 송시열을 잃고 강원도 화천의 곡운구곡에 들어가 침잠하였다. 그러면서도 실의에 빠져 있을 수만은 없었다. 그에게는 가문과 남은 조카들을 거느려야 하는 책임이 남아 있었기 때문이다.[84] 김수증은 '억지로' 곡운구곡의 여러 풍광을 읊은 시를 짓도록 강권하였다. 김창흡의 「부지암」 시서에는 이 당시의 정황이 여실히 드러나 있다.

백부께서 부지암에 쓸쓸하게 계시다가 열달 만에 골짝을 나오셔서는 소자에게 농수정 액상의 운을 일일이 화답하라고 명하셨다. 소자는 아버지께서 돌아가신 이래 성병을 그만두고 폐하였는데, 이제 명을 받아 억지로 부응하매 신이 나지는 않는다. 하지만 이러한 일은 돌아가신 중부와 아버지께서도 일찍이 면치 못했던 것이다. …… 이에 적막함을 깨

---

84) 김수항은 후명을 받고 난 후, 가족들에게 각각 유언을 담은 편지를 보낸 바 있다. 맏형인 김수증에게도 편지를 남겼는데, 병약한 아이들을 지휘하고 가르쳐 줄 것을 당부하고 있다. 김수항, 『문곡집』 권 28, 「上伯氏告訣」

고 하교하신 운에 응하니, 비록 '농수'의 뜻에 근본을 두었지만 실은 '부
지'로 귀착시킨 것이다.[85]

　　김수증은 김창흡에게 자신의 곡운 은거지에 있는 정자를 소재로 시를
쓰게 시킨다. 김창흡은 큰아버지인 김수증의 청을 거절하지 못하고 '억
지로' 시작에 임하여 부지암을 필두로 한 14편의 谷雲雜詠을 지었다.
이 시기는 1692년으로, 김창흡이 설악산과 철원 등지를 다니며 은거지
를 물색하며 헤매던 시기이다. 김창흡이 설악산과 철원을 오가며 곡운
구곡에 들러 시를 지은 것으로 파악된다.
　　김수증이 이들에게 곡운구곡시를 분운하여 짓게 하고『곡운구곡도첩
』을 완성한 시기도 이 시기이다. 일찍이 김수증은 1682년에 화가 조세
걸로 하여금「곡운구곡도」를 그리게 하여 주변의 지인에게 글을 받은
바 있다. 이 화첩은 籠水亭을 포함하여 谷雲九曲의 실경을 각각 한 폭
씩 열 폭에 나누어 粧帖한 것이다. 그림이 완성된 뒤 11년이 흐른 1693
년에 자신과 두 아들, 다섯 조카, 그리고 외손인 홍유인까지 합하여 아
홉 사람이 나이순에 따라「武夷櫂歌」에 차운하여 곡운구곡의 각각의
곡을 묘사하는 칠언절구의 시「谷雲九曲 次晦翁武夷櫂歌韻」를 지어『
곡운구곡도첩』을 만들었다.[86] 조세걸의 그림에 장동 김문 일가 사람들
의 시가 더해져『곡운구곡도첩』이 완성된 시기는 1693년으로 추정된

---

85) 伯父寒棲不知菴 浹月乃出峽 輒命小子以攀和籠水亭額上韻 余小子蔘莪以來 謝廢聲病
　　今於命下 强欲應副 而神不偕來矣 然念是役也 先仲父與先君曾所不免 (중략) 聊以應
　　敎 韻雖本諸籠水 意實歸宿乎不知云爾. 김창흡,『삼연집』권4「부지암」序
86) 이효숙,「조선후기 서인 노론계 문인들의 구곡시와 장소성」,『국제어문』59집,
　　126-7쪽.

다.[87]

1693년은 김수증이 70세가 되던 해로, 장동 김문 일가는 김수증의 장수를 축하하는 모임을 가졌던 것으로 보인다. 김창협이 백부의 70세 장수를 축하한 서(「伯父谷雲先生七十歲壽序」)를 통해 확인할 수 있다. 金昌集, 金昌協, 金昌緝이 이 해에 곡운제영 시를 여러 편 남긴 것도 이와 무관하지 않다. 이러한 정황을 놓고 보았을 때, 『곡운구곡도첩』이 谷雲九曲圖가 완성된 지 십여년이 흐른 뒤에 차운시까지 갖추어 완성된 것에는 김수증의 70세 수연이 영향을 미친 것으로 추정할 수 있다.

이들 가문에게 친숙한 장소인 곡운구곡을 주제로 10수의 연작시인 구곡시를 나누어 짓는 행위는 그 자체로 이들 스스로가 혈연으로 이어진 강력한 지지기반을 구축하고 있음을 의미한다. 이들은 '次韻'이라는 한시 특유의 글쓰기 방식을 활용하여 동일한 주제의 시작에 참여하였다. 공통의 시작에 참여함으로써 감정과 기억을 공유하는 한편, 자신의 소리(시)가 상대방에게 어떤 영향을 미쳤는지를 반향으로 들을 수 있었다. 이 과정을 통해 자신의 트라우마를 객관화하여 이해하는 통로를 열어놓을 수 있었다.

결국 그들은 시 쓰기라는 방법을 통해 내면의 이야기를 토로하며 트라우마를 극복할 수 있었다. 여기에는 혈연을 기반으로 한 강력한 지지 기반이 큰 역할을 수행했으며, 그 중심에는 김수증이 자리하고 있었다.

---

87) 조규희, 「『곡운구곡도첩』의 다층적 의미」, 242-4쪽. 이 논문에서는 시가 마련된 것이 1692년이라 밝혔다. 그러나 김창협의 『농암집』에 따르면 4곡 백운담 시가 1693년 작으로 기록되어 있기 때문에 1693년에 그림에 시가 더해져 도첩이 완성된 것으로 보는 것이 타당할 것으로 본다.

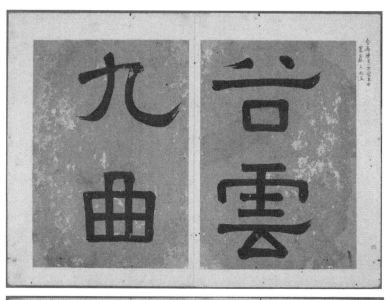

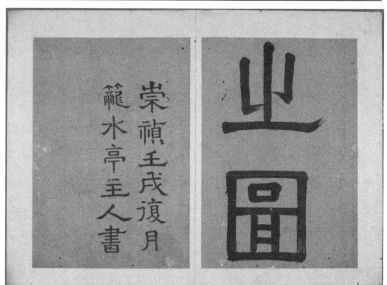

그림 5 조세걸 필 『곡운구곡도첩』

17~18세기 장동 김문의 산수문학 연구

곡운구곡시 이외에도 이들 시 제목에 "應伯父命"이라는 표현이 다수 보이는 점 또한 이를 뒷받침한다. 김수증의 청으로 시문을 지은 대표적인 조카는 주로 김창협, 김창흡, 金昌緝이었다. 이들은 앞서 소개한 곡운제영뿐만 아니라 다양한 소재의 시에 공통의 관심을 보여 이 기간 동안 집중적으로 시를 지었다.

소재별 시 목록은 아래와 같다.

소재	작가	권차	제목
벽파정	金壽恒	文谷集卷之六	渡碧波津 次陽明韻漫吟
	金壽增	谷雲集卷之一	次文谷碧波亭用陽明韻
	金昌協	農巖集卷之三	敬次家君碧波亭次陽明韻 己巳
	金昌翕	三淵集卷之四	碧波亭
	金昌翕	三淵集卷之四	次碧波亭題詠韻
	金昌緝	圃陰集卷之一	次叔氏渡碧波亭韻
관운산	金壽增	谷雲集 卷之一	管雲山
	金昌協	農巖集卷之三	管雲山
	金昌翕	三淵集卷之四	管雲山
	金昌翕	三淵集拾遺卷之四	管雲山 之三
	金昌緝	圃陰集卷之一	偶得管雲山六章 伏呈于伯父 盖戲體 取資一時莞爾 非曰可以編入山志也
	金昌緝	圃陰集卷之一	前以管雲山六章 納于伯父 覽之曰 爾詩多則多矣 然皆以山之管雲爲言 則非余取名之本指也 謹更爲六章以正之爾
이섭의 죽음	金昌協	農巖集卷之三	哭妹壻李汝楫 涉〇壬申
	金昌翕	三淵集卷之四	哭妹婿李汝楫 涉
	金昌翕	三淵集拾遺卷之四	李汝楫挽 壬申

	金昌業	老稼齋集卷之一	挽汝楫 妹婿李涉
	金昌緝	圃陰集卷之一	妹壻李汝楫 涉 挽
곡운 구곡 도첩	金壽增	谷雲集 附錄	谷雲九曲歌 序詩
	金壽增	谷雲集 附錄	谷雲九曲歌 1曲 傍花溪
	金昌國	谷雲集 附錄	谷雲九曲歌 2曲 靑玉峽
	金昌集	谷雲集 附錄	谷雲九曲歌 3曲 神女峽
	金昌協	谷雲集 附錄	谷雲九曲歌 4曲 白雲潭
	金昌翕	谷雲集 附錄	谷雲九曲歌 5曲 鳴玉瀨
	金昌直	谷雲集 附錄	谷雲九曲歌 6曲 臥龍潭
	金昌業	谷雲集 附錄	谷雲九曲歌 7曲 明月溪
	金昌緝	谷雲集 附錄	谷雲九曲歌 8曲 隆義淵
	洪有人	谷雲集 附錄	谷雲九曲歌 9曲 疊石臺
매화 연작시	金壽增	谷雲集卷之一	聞蓬山尤翁 宋公時烈 謫所舊寓 今無人居 梅花一株盛開 吟成一絶 用文谷碧波詩韻 寄退憂
	金壽增	谷雲集卷之一	石室盆梅 蓓蕾正妍 病臥曉起 偶記退溪梅花問答詩 遂效其體戲賦
	金壽恒	文谷集卷之二	詠盆梅
	金壽恒	文谷集卷之五	梅磵翁 李公翊相 冠季子 邀諸友作會 酒後有詩 是歲卽翁周甲也 輒步其韻以識盛事 兼申賀意
	金壽恒	文谷集卷之六	九十八首　玉洞弊居 新構淸暉閣 粗有水石之勝 而不敢爲求詩侈大計 乃蒙壺谷詞伯先以一律寄題 梅磵台兄又屬而和之 便覺山門自此生顏色矣 玆步其韻 以申謝意 兼奉梅翁求教
	金壽恒	文谷集卷之六	敬次伯氏憶陶山盆梅疊稀字韻詠懷之作

金壽恒	文谷集卷之六	追次業兒盆梅韻 昌業曾詠盆梅 請次韻 至是口占
金昌緝	圃陰集卷之一	季氏有盆梅 障以靑紗素萼 隱映可愛 遂步其韻 己巳
金昌協	農巖集卷之四	子益在石室 賦盆梅十數篇 次第見示 就次其一二
金昌協	農巖集卷之五	黃遠伯 釪 江榭 見盆梅有感
金昌協	農巖集卷之五	士敬贈盆梅有詩 次韻以報
金昌協	農巖集卷之五	賦梅 用疎影橫斜水淸淺爲韻
金昌協	農巖集卷之五	梅花就謝而月始向明 感而有作
金昌協	農巖集卷之六	往江都 過宿浩然 族弟盛大 家 枕畔置盆梅數萼炯然　指閤上韻覓題 途中賦寄
金昌翕	三淵集卷之一	折梅曲
金昌翕	三淵集卷之四	梅
金昌翕	三淵集卷之五	伏次伯父梅花問答詩韻
金昌翕	三淵集卷之五	明村見楮島舊梅有感
金昌翕	三淵集卷之五	楓溪詠梅
金昌翕	三淵集卷之六	松栢堂詠梅
金昌翕	三淵集卷之六	仲氏自漢湖索覽梅詩 步次兩律以寄惠 輒又次呈
金昌翕	三淵集卷之六	詠梅續題
金昌翕	三淵集卷之六	與仲氏同賞梅 愛其一花孤明 丁丑
金昌翕	三淵集卷之六	次主人梅花詩韻
金昌翕	三淵集卷之六	苦蘗堂詠梅上伯父
金昌翕	三淵集卷之六	仲氏念玆寂寞　投示以梅詩十餘篇 其中有以疎影橫斜水淸淺分韻 爲五言古詩 尤堪諷誦 余愁中讀之 爲之破顏 不待索和而欣然於效顰 蓋不惟繼志 亦以對屬 不可不完爾

金昌翕	三淵集卷之七	愁坐無聊中　四友詩伯頻來慰寂寞 時聆金玉 半是詠梅新作　諷之　尤令 愁眉揚淸　雖欲不詩得乎　玆承授簡 欣然一染而投之
金昌翕	三淵集卷之七	趙定而　正萬　家詠梅
金昌翕	三淵集卷之十一	楊溝縣齋　與茅洲賦梅
金昌翕	三淵集卷之十一	將返雪嶽　又與茅洲賦梅
金昌翕	三淵集拾遺卷之一	去夜隨月敲朴處士門　舊有梅五六在 庭　或千成或單成　俱作花月乘之　覺 鮮潔可愛　風來又馥馥香也　於是遂 引主人繞樹而步　自念維月維梅　余 卽並而覽焉　又何樂也　然而二者俱 易缺落　亦安得常有乎　矧風雨間之 乎　矧余遐征　無日乎是　焉得無感 歸則張燭賦詩　旣明天果大雨　恐不 獲再往　遂投寄
金昌翕	三淵集拾遺卷之二	贈楚梅上人
金昌翕	三淵集拾遺卷之二	梅
金昌翕	三淵集拾遺卷之四	李梅磵　翊相　挽　代伯父作
金昌翕	三淵集拾遺卷之五	明村見楮島舊梅有感
金昌翕	三淵集拾遺卷之五	詠室梅　之二
金昌翕	三淵集拾遺卷之五	松栢堂詠梅　之二
金昌翕	三淵集拾遺卷之五	仲氏自溴湖索覽梅詩　步次兩律以寄 惠　輒又次呈　又呈二絶　之二
金昌翕	三淵集拾遺卷之五	詠梅續題
金昌翕	三淵集拾遺卷之六	別梅贈主人　丁丑
金昌翕	三淵集拾遺卷之六	定而家詠梅
金昌翕	三淵集拾遺卷之六	楓溪訪梅贈士敬　壬午
金昌翕	三淵集拾遺卷之六	四友堂次主人梅花詩韻
金昌翕	三淵集拾遺卷之七	終南詠梅　贈主人季祥要和
金昌翕	三淵集拾遺卷之九	楊溝縣齋　與茅洲翁賦梅

| 金昌翕 | 三淵集拾遺卷之十 | 心臺會話 士敬以梅字出韻 牽率和 之 三章各有屬 第三定而 |
| 金昌翕 | 三淵集拾遺卷之十 一 | 盆梅 |

앞에서 살핀 시들은 『곡운구곡도첩』에 실린 시를 제외하고 모두 장동 김문들만이 공유하는 일종의 맥락이 있다. 이 맥락은 일종의 典故가 되어 여타 시들과 긴밀하게 연결되었다. 주로 기사환국 당시 김수항이 지은 시 또는 당시 김창흡이 지은 시가 그 시작이 되어 자제들에게 유전 되었다.

그 예가 벽파정 시다. 벽파정 시의 경우는 김수항이 진도로 유배 갔을 당시에 지은 시(「渡碧波津次陽明韻漫吟」)를 시작으로 이들 가문에서 두루 차운되었다. 벽파정은 진도 동쪽 나루에 있던 정자로, 김수항은 1689년 2월 말 유배지 진도에 도착한 뒤 감회를 시로 남겼다. 이 시에 서 김수항은 시비득실과 부귀빈천의 덧없음을 토로하였다.[88]

매화시의 경우는 김창업의 시가 먼저 지어졌다. 그는 기사환국이 닥 치기 이전에 「臘月十六夜 盆梅一朵先開 喜賦一律」이라는 시를 지었다.

밤 고요한데 매화꽃 피어나
깊은 밤에 홀로 문을 닫네.
이끼 긴 등걸 본래 예전과 같고

---

88) 김수항, 『文谷集』 卷6 「渡碧波津次陽明韻漫吟」 "덧없는 세상살이 육순을 회고하니, 시비득실 부귀빈천 그 모두 허무하다. 어허 어찌 벽파정 저 아래 돛배 타고, 바람 속에 너른 바다 달려봄만 같으랴(回頭浮世六旬中 / 得喪榮枯摠是空 / 爭似一帆今日 快 / 碧波亭下駕長風)"

언 꽃술은 무성하지 않구나

은은한 향 화롯불에 기운을 더하고

성근 가지로 달이 화분에 가깝네.

맑은 감상 함께할 사람 없으니

외로운 학 뜰 가운데에서 울어대네.

夜靜梅花發	參橫獨掩門
苔査元自古	冰蘗不須繁
暗馥爐添氣	踈枝月近盆
無人共淸賞	孤鶴唳中園

(김창업, 『老稼齋集』卷之一, 「臘月十六夜 盆梅一朵先開 喜賦一律」)

김창업은 이 시에서 한겨울 밤에 분매에서 매화 한 가지가 먼저 핀 것을 보고 매화의 고아하고 청아한 풍취를 읊었다. 이 시를 짓고 생부인 김수항에게 차운시를 부탁하였으나 김수항은 공무 중에 있어 미처 이 시에 차운시를 짓지 못하였다가 기사년에 사사의 명을 받은 이후 그간 미뤄두었던 시를 지었다.[89]

이끼 쌓이고 뿌리는 흙에 서렸는데

비단 창 밝아서 그림자가 문에 비치네.

---

89) 사사 직전에 지은 시는 모두 5편으로, 명을 들은 직후의 감회를 적은 「聞後命」, 손자들에게 경계의 의미로 이름자를 내준 「定諸孫名 書示兒輩」, 호곡의 시를 차운해 팔괘정에 대한 시 「次壺谷韻 寄題八卦亭」, 송시열이 부탁했던 고산구곡 1곡 시 「高山一曲 次朱子武夷一曲韻」, 창업이 분매를 읊고 지은 시에 차운한 시 「追次業兒盆梅韻」이 그것이다.

그윽한 향은 고요하여 사랑할 만하고

하얀 꽃 가득 피어도 싫지 않구나.

북풍에 온갖 꽃 시들었는데

봄빛이 한 화분에 깃들었네.

오히려 두세 그루 가련하도다.

옥류동 정원이 황폐해 졌으니

苔積根蟠土	紗明影透門
幽香偏愛靜	素萼不嫌繁
朔氣凋千卉	春光寄一盆
還憐二三樹	蕪沒玉流園

(김수항, 『문곡집』 6권, 「追次業兒盆梅韻」)

1689년 죽음에 임박하여 김수항이 쓴 이 시는 김창업의 원시와는 다른 또 다른 상징을 내포하고 있다. 김창업의 시에서는 겨울 추위를 이기고 반갑게 먼저 핀 매화를 반갑게 맞이하며, 함께 감상할 이가 없음을 안타깝게 여기고 있다. 그러나 이 시에서는 기사환국을 맞아 정치적 시련을 겪고 있는 상황을 한 겨울 '북풍'에 빗대어 표현하였다. 모든 꽃을 시들게 할 만큼 매서운 추위에도 이끼 긴 오래된 줄기에서 맑은 꽃을 피워낸 '매화'는 훌륭한 자질을 타도 난 자신들의 가문을 비유적으로 나타낸 것이다. 미련에 있는 옥류동은 장동 김문의 세거지의 지명을 지칭하기 때문이다. 결국 타고난 자질을 가지고 있으나 자신들의 가문이 때 아닌 화를 당하게 되면서 그 처지가 황폐해졌음을 비유적으로 표현하였다.

이 시는 다시 1693년에 김수증과 김창흡의 매화문답시로 다시 변화하였다. '石室梅'와 '華陰梅'의 문답을 통해 무엇이 참된 은거인가에 대한 근원적인 성찰로 확대되어 재생산되기도 하였다.90)

기사환국의 트라우마는 1694년 갑술옥사 이후부터 서서히 내면화되고 서서히 치유의 국면으로 접어들었다. 다음의 시는 김수증의 작품이다.

소년 때는 바람이 많아 괴로웠고
늙어서는 하나도 가능한 것이 없다네.
연하고질의 흥은 이미 막혔고
저술의 공 또한 무너졌네.
모든 인연을 끊은 것만 같지 못하니,
정신을 모으고 고요히 앉네.

少年苦多願　　老來無一可
烟霞興已闌　　簡策功亦墮
不如謝諸緣　　凝神且靜坐
(김수증, 『곡운집』 권 1, 「靜坐」.)

위의 시에서는 노년에 이른 작자의 삶에 대한 관조가 드러나 있다.

---

90) 여희정, "김창흡 매화시의 특징", 『한국한문학연구』 48집, 2011. : 김세호, "17-18세기 안동김문이 향유한 매화의 문화사", 『한국한문학연구』 63집, 2016.

1, 2구에서는 소년 시절과 노년이 된 지금을 대조시켜 나타냈다. 이어진 3, 4구에서는 산림에 파묻혀 은거하며 저술활동을 하고자 했던 뜻도 이루지 못했음을 스스로 고백하였다. 그러나 정작 작자는 '하나도 가능한 것이 없는' 상태에 있어도 자탄에 빠지거나 슬퍼하기보다는 정신을 모아 고요히 명상하는 편을 택했다. 자신의 삶을 반추하며 매우 절제된 모습으로 마무리하고 있는 것을 통해, 삶의 굴곡에서 생긴 트라우마가 어느 정도 정리 국면에 접어들었음을 파악할 수 있다.

김창흡의 시도 갑술옥사 이후 비슷한 양상을 보인다.

> 세로는 넓어 아득한데
> 아! 나의 신세는 궁벽하도다.
> 푸른 물결 밟아보지 못한 채
> 몸은 바위 굴에 부쳤네.
> 산이 깊어도 봄이 또 왔는데
> 울긋불긋하게 온 골짜기가 물들였네.
> 달리듯 빠르니 너에게 속았구나!
> 홀로 있으니 누구를 향해 기뻐하리오.
> 가을이 오면 한가지로 어울림을 좋아하여
> 여러 방초가 눈서리에 숨으리.
> 영화가 어찌 꿈이 아니리오.
> 반짝임도 고요히 사라지리라.
> 푸른 소나무는 홀로 높이 있어
> 밤 바람에 오히려 처절하구나.

悠悠世路廣	嗟我勢窮絶
滄波未能蹈	寄顔在巖穴
山深春亦至	紅綠萬堅緻
駸駸見爾欺	踽踽向誰悅
秋來喜調同	衆芳隱霜雪
榮華豈非夢	瀾漫會寂滅
蒼松獨偃蹇	夜風尙凄切

(김창흡, 『삼연집』 권 5, 「山居感懷」)

　김창흡은 1693년 가을에 양근(楊根, 지금의 경기도 양평군)의 벽계(蘗溪, 지금의 경기도 양평군 서종면 노문리. '檗溪'로 표기하기도 함)로 이사하였다. 벽계는 경관이 아름다운데다 수시로 경기도 송추에 계신 모친을 찾아볼 수 있는 적당한 거리였으며, 선영인 석실과도 40여 리 지척이었기 때문이다. 위 시는 1694년에 지은 시이다.

　이 시에는 궁벽한 곳에서 지내는 자신의 처지에 대한 회한과 함께 시절 따라 변하는 인생사에 대한 관조가 드러나 있다. 자연의 흐름에 따라 어디나 봄은 오고, 시간이 되면 가을이 오고 또 서리가 내리는 것처럼, 인생사의 모든 일에 영원불멸하지 않는 것은 없음을 이야기한다. 그러니 '영화'나 '반짝임'도 모두 일시적인 왔다가 사라지는 '꿈'같은 것이라 말한다. 계절의 변화에도 변함없는 '소나무'를 등장시켜 궁벽한 곳에서 묵묵히 세월을 견디는 자신의 모습을 투영하였다.

2. 노론계 문인의 학문적 경향

1) 주자(朱子)의 무이구곡 수용

주자는 무이산(武夷山)의 주변 지역인 숭안, 건양, 건안 등에서 주로 거주하였으며, 54세 되던 해(1183년)에는 무이구곡의 5곡에 무이정사를 짓고 한거하면서 강학과 저술에 몰두하였다.

16세기에 접어들어 간행된 각종 주자서의 전래는 조선조 지식인들에게 주자와 성리학에 대한 이해의 폭을 넓히는 계기가 되었다. 이에 따라 주자서에 대한 연구가 깊이를 더해 가자, 성리학자들에게 있어서 주자는 존경과 흠모의 대상이 되었고, 주자에 대한 흠모의 정서는 '무이도가'와 '무이구곡도'가 수용되고 널리 유행할 수 있었던 토대가 되었다.91)

「武夷櫂歌」는 송대 성리학자 주희(朱熹, 1130~1200)가 만년에 무이구곡을 읊은 연작시를 가리킨다. 주희는 福建省 武夷山에 武夷精舍를 건립하고 九曲을 경영하며 강학에 몰두하였다. 무이정사 건립이 완성된 1183년에는 序와 함께 「무이정사잡영」 12수를, 이듬해인1184년에는 「무이도가」 10수를 지었다.

---

91) 윤진영, "朝鮮時代 九曲圖 研究," 韓國精神文化研究院 韓國學大學院 석사학위논문, 1997, p. 72.

무이구곡에서의 생활을 읊은 이 시들은 조선의 성리학 풍토에 큰 영향을 미쳤다. 무이구곡에 대한 언급한 가장 선대의 자료는 고려 때 승려 굉연(宏演)의 「分題得九曲溪送友」로[92], 무이구곡을 읊은 시들 역시 고려 후기에 주자의 사상 및 무이구곡 경영의 행적과 더불어 자연스럽게 유입되었을 것으로 추정할 수 있다.

조선 중기에 주자학이 난숙기에 접어들면서 주자와 무이구곡 경영에 대한 정보가 보편화되면서 주자와 무이구곡에 관한 논의는 깊이 있게 발전하였다. 그 동력으로 작용했던 것이 무이구곡과 「무이도가」에 대한 주해서들의 유통이다. 『武夷志』[93), 『櫂歌註解』(또는 『무이도가주해』) 등이 그 예다. 이 책들은 주자가 무이구곡에 머물며 지었던 해당 시문은 물론 무이구곡의 지형지물에 대한 설명과 그림, 해당 장소와 관련있는 역대 시인들의 시문을 모아놓은 서적이다. 일종의 인문지리지의 역할과 시집의 역할을 겸하고 있다.

중국에서 유입된 무이도가 해설로는 가. 蔡模(宋)가 부친 蔡沈에게 배워 남긴 해설(1237년), 나. 懼齋 陳普(元)가 붙이고 劉槼(元)가 간행한 해설(1304년), 다. 劉夔가 찬한 것을 명대에 楊恒叔과 그 동생 乾叔이 다시 수찬한 해설이 있는 것으로 파악된다. 이들은 다시 조선의 문인들에 의해 내용의 보완을 거쳐 현재까지 전하고 있다. 현재 퇴계의

---

92) 민족문화추진회 역, 『국역 동문선 1』, 제5권, 釋 宏演, 「分題得九曲溪送友」, 1998, p.174.
93) 중국에서 편찬한 『무이지』는 총 19종이라고 한다. 또 이 중 중국에는 9종이 전하는데 그 중 양항숙의 편찬서는 전하지 않는다(전병철, 「『청량지』를 통해 본 퇴계 이황과 청량산」, 『남명학연구』 26권, 경상대학교 경남문화연구원, 2008, 301-330쪽. 에서 재인용).

문인 李楨이 간행한『문공주선생감흥시』, 鄭逑가 증보한『무이지』,『연주시격』,『염락풍아』에 「무이도가」에 대한 해설이 실려 있다.[94]

현재 우리나라에는 鄭逑가 1609년에 간행한『무이지』가 고려대학교 도서관에 유일본으로 전한다. 이 책은 楊亘(恒叔)이 편찬하고 楊易(乾叔)이 校訂한 '武夷新志'를 저본으로 간행하였다. 맨 앞에 費宏이 1520년에 쓴 「武夷新志序」가 있다. 鄭逑의 발문인 「무이지발」은 이 고서에서 확인할 수 없었고, 퇴계의 발문 뒤에 부친 「書武夷志附退溪李先生跋李仲久家藏武夷九曲圖後」는 권1 앞에 실려 있다.『한강집』의 「무이지발」과 「書武夷志附……」를 참고해 볼 때, 1604년에 간행이 어느 정도 준비가 되었고 1609년 봄에 완성되었음을 알 수 있다. 鄭逑는 필사본『무이지』에서 오탈자를 수정하고, 누락된 그림을 보충하는 한편, 퇴계의 시를 실어『무이지』를 다시 간행하였다.

이후 「무이도가」에 대한 해석은 '입도차제'를 노래한 시인가, 호연지기를 담은 시인가에 대한 논쟁으로 확대 재생산되었다. 대개 기호학파 문인학자들은『무이지』에 실린 유개와 진보의 해석, 김인후와 조익의 주장을 지지하며 「무이도가」를 입도차제라 이해하여야 한다고 주장하였다. 그런가 하면 영남 남인 문인학자들은 퇴계와 고봉의 의견을 지지하며 「무이도가」를 자연을 마주하여 느끼는 흥의 발현이자, 성정 도야의 내용을 담고 있는 시로 이해할 것을 주장하였다.

「무이도가」에 대한 해석이 상반되었던 원인은 여러 가지에서 찾을 수 있을 것이다. 기호학파와 영남학파의 성리학적인 견해의 차이[95]는

---

94) 沈慶昊(1994), 「朱子『齋居感興詩』와『武夷櫂歌』의 조선판본」,『서지학보』14, 한국서지학회, pp. 25-33.

물론, 정치적 맥락에서도 원인을 찾을 수 있다. 자신들의 학파/학맥의 정통성을 확보하고, 집단화하는 차원에서도 상반된 해석을 유지해 나갔다. 「무이도가」에 대한 이해에서 비롯된 차이는 구곡 경영과 구곡시의 향유에 있어서도 일정한 영향을 미쳤다. 그리하여 퇴계의 도산십이곡을 중심으로 한 영남학파 계열과 율곡의 고산구곡을 중심으로 한 기호학파 계열로 양분되어 계승되었다.

구곡 문화가 널리 확산되는 데 결정적인 영향을 미친 이는 바로 퇴계와 율곡, 두 성리학자다. 학파의 중요 인물이 설정한 구곡들을 연결하여 구곡의 계보를 형성하기도 하였다. 영남학파 문인학자는 퇴계의 도산구곡[96]을, 기호학파 문인학자는 율곡의 고산구곡을 각각 주자의 무이구곡과 그 정신을 계승하는 도학의 연원이라 인식하였다. 도맥을 확립하고자 했던 노력은 기호학파의 서인 노론 계열에서 먼저 시작되었다. 송시열은 〈고산구곡도첩〉을 제작하고, 「무이도가」의 운을 나누어 「고산구곡가」를 한역하는 일을 도모함으로써 고산구곡의 위상을 정립하고자 하였다.[97]

영남학파의 경우, 퇴계의 학문적 권위를 인정하며 존숭하는 전통은 일찍이 있었으나, 그의 구곡을 통해 도학의 연원으로 삼으려고 했던 시도는 19세기 초가 되어서야 확인할 수 있었다. 그나마도 퇴계의 도산

---

95) 김문기, 앞의 논문, p.82.
96) 퇴계 당대에는 직접적으로 구곡을 설정하지 않았고 후대 퇴계의 제자와 문중에서 구곡을 설정한 것으로 보인다. 임노직, 「'도산구곡' 시의 양상과 그 역사적 의의」, 영남대 박사학위논문, 2019.
97) 이상원, 「조선후기 〈고산구곡가〉의 수용양상과 그 의미」, 『고전문학연구』 24, 고전문학연구회, 2003, pp.31-57 ; 이효숙(2013a), 앞의 책, pp.109 - 134.

구곡은 인정하면서도 도산구곡의 지위를 잇는 구곡은 발견할 수 없었다. 즉, 퇴계학파 인물이 설정한 구곡을 선후의 연장선에 놓고 도맥의 흐름을 명시적으로 드러낸 것은 찾기 어렵다.

반면 노론계 인사들의 경우는 구곡의 연원이 주자의 무이구곡에 있고, 무이구곡에서 고산구곡 → 곡운구곡 → 화양구곡 → 옥계구곡으로 전해지고 있음을 인정하며 거점이 되는 구곡을 중심으로 주자의 도맥이 흐르고 있음을 증명하고자 하였다. 記文을 통해 구곡의 계보를 명시하고 있을 뿐 아니라, 차운 형식의 詩作으로 도통 의식을 천명하였다.[98]

조선 중기 퇴계와 율곡의 구곡 경영과 「무이도가」가 대한 애호로 당시 문인 학자들의 구곡에 대한 관심이 높아졌다. 그러던 것이 병자호란과 명청 교체기를 지나오면서 대명의리론을 견지한 서인 노론 계열의 문인 학자들을 중심으로 다시금 주자학의 도맥 계승이라는 명제가 부각되기 시작하였다. 「무이도가」에 대한 해석을 두고 논쟁이 치열하였던 시기가 바로 이 시기에 해당한다.

특히 노론 계열 문사들에게서 무이구곡과 「무이도가」에 대한 해석에 열의를 보였던 이유는 주자의 도맥을 계승하여 학문적 정통성을 확보하는 것을 상징적으로 보여줄 수 있는 것이 '구곡의 재현'이라고 판단하였기 때문이다. 이들은 고산구곡에 막강한 권위를 부여하는 것에서 시작하여 자신들의 구곡을 직접 경영하고 그곳을 통해 도학의 연원을 이어나가고자 했다. 고산구곡의 권위는 김수증의 곡운구곡과 송시열의 화양구곡으로 이어졌다. 그 중에서도 곡운구곡이 가문을 중심으로 한 혈연

---

98) 이효숙, 「朝鮮 後期 西人 老論系 文人들의 九曲詩와 場所性」, 『국제어문』 59집, 국제어문학회, 2013.

적 질서를 중시했다면, 화양구곡은 송시열의 제자 권상하의 노력으로 정치적, 이념적 장소로서의 구심점이 되었다.[99]

2) 소옹(邵雍)의 상수학풍 수용

소옹은 자가 요부(堯夫)이고, 선조는 원래 하북 범양(河北 范陽, 지금의 하북 정차의 남쪽)인이었는데, 어려서 부친 소고(邵古)를 따라 형(衡)으로 집을 옮겼고, 다시 공성(共城, 지금의 河南 輝縣)으로 옮겼다. 그는 젊어서 오(吳), 초(楚), 제(齊), 노(魯), 양(梁), 진(晋) 등지를 돌아다닌 후 30세에 하남 낙양으로 돌아와 거처를 정하였다. 인종 가우년간(嘉祐年間, 1049~1053)에 황제가 조서를 내려 숨은 선비를 찾자 낙양 유수 왕공진(王拱辰)에 의해 조정에 천거되었다. 이에 황제가 그를 감주부(監主簿)로 삼는 조서를 내렸고, 다시 일사(逸士)로 천거되었다. 또 영주(潁州) 단속추관(團續推官)에 임명되었지만 모두 고사하였다. 그 후로도 벼슬을 받았으나 병을 핑계로 취임하지 않고 집에서 강학을 준비하였다.

또 그는 낙양에서 직접 농사를 짓고, 자신의 거처를 안락와(安樂窩)라 이름 짓고 아울러 '안락선생'이라고 자호하였다. 아침에 일어나 향을 피우고 좌선하고 황혼에는 술 서너 사발을 마시되 취하지 않을 정도였고, 흥이 나면 시를 읊조리며 즐기는 은사생활을 하였다.

---

99) 이효숙, 「화양구곡 시문에 나타난 구곡의 장소성 고찰」, 『동아시아고대학』 32집, 동아시아고대학회, 2013.

소옹은 도사 진단(陳搏)이 전수한 "선천도(先天圖)"의 기초 위에 "선천상수학(先天象數學)" 이론을 세웠다. 태극이 양의를 낳고 양의가 사상을 낳고 사상이 팔괘를 낳고 이에 따라 유추하여 우주만물이 탄생하였으므로 일체 사물의 운명이 선천적으로 미리 결정된다는 주장이다. 『皇極經世書』에서 '진(辰) → 일(日) → 월(月) → 년(年) → 세(世) → 운(運) → 회(會) → 원(元)'의 과정을 거치는 것을 '경세(經世)'라 하였다. 즉, 12신이 모이면 1일이 되고, 30일이 모이면 1월, 12월이 모이면 1년, 30년이 모이면 1세, 12세가 모이면 1운, 30운이 모이면 1회, 12회가 모이면 비로소 1원이 되는 것이다. 이를 환산하면 1원은 129,600년이 된다. 그래서 황극 곧 천지 만물은 수리(數理)의 운행을 원리로 순환한다고 본 것이다.[100]

소옹은 『皇極經世書』라는 철학서를 통해 자신의 상수학적인 사유를 표출하는 한편, 『擊壤集』이라는 시집을 통해 이학가로서의 독특한 시론과 시풍을 형성하여 동시대 및 후대의 이학가의 시에 깊은 영향을 끼쳤다는 평가를 받고 있다.[101]

소옹은 「論詩吟」에서 "무엇 때문에 그것을 시라고 하는가? 시가 뜻을 말하는 것이어서라네."라고 하여 시를 시인의 뜻(志)을 표현하는 것임

---

100) 이 부분은 김시습, 『梅月堂文集』 卷20, 「邵雍傳」 ; 송용준, "소옹의 시론과 시," 중국문학 32집(한국중국어문학회, 1999). ; 미우라 쿠니오, "隱과 詩와 樂 - 邵康節이라는 삶(生)," 한국의 은사문화와 곡운구곡 국제학술대회 논문집, pp. 107-115.를 참고.

101) 남송의 엄우의 『滄浪詩話』는 그 「詩體」 장에서 송대 7파의 하나로 '소강절체'를 들고 있다. 근체시 중 7언시의 경우, 네 번째와 세 번째 글자 사이에 쉼표가 들어가는 것이 대부분이지만 소옹의 7언시에서는 앞에 세 글자와 뒤에 네 글자로 끊어 읽어야 하는 경우를 말한다.

을 강조하였다. 또 소옹은 정(情)에 빠지는 것을 반대하고 본성을 시에 담을 것을 주장하였다. 소옹은 정에 빠지지 않으려면 감정을 잘 제어해야 하겠지만 감정을 완벽하게 제어하는 것이 불가능하므로, 감정을 제거하여 "도로 도를 살피고, 성으로 성을 살피고, 마음으로 마음을 살피고, 몸으로 몸을 살피고, 사물로 사물을 살필" 것을 주장하였다. 한편 「序」를 통해 작시의 목적이 "스스로의 즐거움과 때와 만물의 자득을 즐거워하기 위한 것"에 있음을 밝히고 있다. 실제 시를 짓는 데에 있어 보편적인 平仄法을 일부러 어기기도 하며, 일상생활의 다양한 국면을 시의 제재로 선택하며, 연작시를 주로 창작한 점이 소옹 시의 특징으로 평가받고 있다.

소옹의 저작은 일찍이 세종 원년 12월, 북경으로 파견했던 사신들에 의해 전래되었다. 명나라 황제가 이들에게 『御製序新修性理大全』을 주었는데 이 책 가운데, 소옹의 『皇極經世書』가 수록되어 있었다. 소옹의 저작이 수입된 이후 소옹에 대한 관심은 시대를 막론하고 계속되어 왔다. 그러나 조선 전기의 경우 소옹과 관련된 시를 짓거나 삶 또는 상수학을 추승하는 행위는 시대적인 조류를 이루거나 하나의 학맥을 이루기보다는 개인적인 취향에서 머무르는 정도였다. 그러다 17~18세기에 접어들면서 다시 소옹에 대한 관심을 보인 문인들이 급증하였다. 대체로 노론계 문인들이 주를 이루었다.

이처럼 조선후기에 소옹의 상수학풍이 널리 유통된 데에는 이황과 이이를 거치면서 성리학에 대한 이해의 정도가 깊어진 것, 동시에 예송

논쟁이 첨예하게 대립되었던 당시의 상황을 원인으로 꼽을 수 있다. 정치적 불안과 그에 따른 정서적 불안감은 순환적 질서를 추구한 소옹의 상수학과, 은거하면서 궁경했던 소옹의 삶, 그러면서 주변의 여러 경물을 시화(詩化)했던 소옹의 학문적 경향을 자연스럽게 받아들이는 배경으로 작용하였다.

이 시기에 서울·경기지역은 지역적 특성 상 이이의 학풍 이외에도 화담학파와 양명학에 두루 영향을 받으며 다양한 사상의 양태가 드러나기 시작했다. 반면에 호서지역은 김장생에 의해 계승된 이이의 학풍을 비교적 온전히 전수하고 있었다. 따라서 18세기 이전에 이미 호론과 낙론의 기질적 특성이 각각 생겨나게 된 것이다. 같은 시기에 소옹에 대하여 주목하였다는 점에서는 공통적이지만 소옹을 수용하는 양상에 있어서 두 계열은 차이를 드러내었다. 호론 계열은 송시열이 인식한 틀 안에서 소옹을 인식하였고, 낙론 계열은 김수증의 방식을 따랐다.

다음에 인용한 시는 김창흡의 「百淵雜詠. 和東郊諸絶」 중 12번째 시다.

삼연이 시를 매우 좋아하는 것은 아니지만
굴 같은 집 창가에서 시로써 즐기네.
曹植·劉楨과 李白·杜甫는 모두 『시경』을 산삭한 뒤인데
늘그막에 이르러 생각이 『擊壤集』의 기이함을 추구하네.

不是三淵苦愛詩　　丸窩甕牖以詩嬉
曹劉李杜皆刪後　　到老思追擊壤奇

(김창흡, 『三淵集』, 卷10, 「百淵雜詠. 和東郊諸絶」 其十二.)

이 시의 起句는 소옹의 「수미음」의 첫 구 '堯夫非是愛吟詩'를 연상케 한다. 轉句에서 말한 曹植, 劉楨, 이백, 두보가 모두 『시경』을 산삭한 뒤에 태어난 인물이라는 말은 이들의 시가 『시경』에서 제시한 시의 모범적인 틀을 잘 지키고 있다는 것을 의미한다. 그런데 結句에서 '늘그막에 이르러 『격양집』의 기이함'을 더 추구하게 된다고 하였다. 그 이유는 다음에 인용하는 시에서 단초를 얻을 수 있다.

> 시학을 연구한 지 사십 년
> '바람, 꽃, 눈, 달'에 끝내 망연해졌네.
> 남아의 사업이 이 같은 곳에 머무르니
> 禮樂兵刑의 온갖 이치가 온전해지네.

> 詩學硏窮四十年　風花雪月竟茫然
> 男兒事業如斯止　禮樂兵刑萬理全
> (김창흡, 『三淵集』, 卷14, 「葛驛雜詠」 其三十六.)

시학을 연구한 지 40년이 지난 어느 날, 소옹의 '풍화설월을 읊겠다'는 구절을 읽고 나서 그동안의 자신의 詩作과 시학 연구에 반성과 허무를 느낀 나머지 망연해졌다고 하였다. 전술한 바와 같이 '風花雪月'이란 단순히 자연 경물에 그치는 것이 아니다. 자연 경물을 통해 자연의 이치를 파악하게 하는 하나의 매개체를 의미한다. 따라서 '풍화설월'과 같이

자연계에 존재하는 물상을 읊어야 禮樂과 兵刑 등에 내재된 의미를 파악할 수 있다고 보았다.102)

소옹의 『격양집』을 통해 풍화설월을 읊은 시를 지었기 때문에 김창흡은 점점 나이가 들수록 소옹의 시와 그 속에 담긴 사상에 깊이 감화한 것이다. 그래서 김수증이 만년에 소옹의 자취를 좇아 곡운구곡에서 은거하며 시를 지었던 것과 같이 김수증의 자취를 닮고자 했던 김창흡 역시 소옹의 은거생활을 몸소 좇았던 것이다.

김창흡은 시작 활동에 있어서는 구체적으로 소옹의 시체를 모방하기보다는 다수의 연작시를 주로 짓고 주변 경물과 자연현상으로 소재를 다양화시키는 등의 방식을 사용하여 간접적으로 소옹의 시 정신을 따랐다고 평가받고 있다.103)

3) 의리지향적 출처관

전술한 바와 같이 17·18세기는 노론에게 있어서 정치적으로 부침이 잦았던 시기였다. 노론계 문인들은 철저하게 유학자적인 처세를 유지하였다. 우선 노론계 문인이 도통의 시작으로 파악했던 이이의 출처

---

102) 邵雍, 『伊川擊壤集』, 「首尾吟」, 其一 "皇王帝伯經褒貶 / 雪月風花未品題 / 豈謂古人無闕典 / 堯夫非是愛吟詩"
103) 김남기, 앞의 논문, 76-84면.

관을 통해 노론계 문인들의 출처관에 대하여 살펴보도록 하자.

이이가 해주에 머물렀던 시기는 분명히 정치에서 물러난 은둔의 시기에 해당할 것임에도 불구하고 그는 현실 정치에 대하여 지속적인 관심을 표출하고 있으며, 그것이 선비로서 마땅히 지녀야 할 도리라고 생각한다. 그의 이러한 생각은 그의 행상(行狀)이나 송익필(宋翼弼, 1534~1599)과 나눈 편지 등에서도 쉽게 발견된다.

다음은 이정구(李廷龜)가 지은 시장(諡狀)에 있는 내용이다.

> 갑술년(선조 7, 1574)에 …… 선생은 스스로, 여러 차례 엄한 견책(譴責)을 받은 것으로써 조정에 있는 것을 불안하게 여겼다. 이어서 입시하여 다병(多病)한 것을 극력 진달하고 물러나기를 청했더니, 주상은, "병이 그러하다면 어찌할 수 없다. 은거하는 것이 가장 좋다. 옛시에, '귀를 씻고 인간 일을 듣지 않으니(洗耳人間事不聞) / 푸른 소나무, 사슴떼와 벗이 된다(靑松爲友鹿爲羣)' 하였으니, 어찌 즐겁지 않겠는가." 하므로, 선생은 대답하기를, "신은 그러하지 못한 바가 있습니다. 옛날의 은사는 군주와 군신의 의리가 없었으므로 서로 잊어버리고 아름다운 산수에서 스스로 즐길 수 있었거니와, 지금 신은 주상의 은혜를 매우 많이 받았으므로 비록 몸은 초야에 있다 하더라도 마음은 조정에 가 있으니, 물러가 산들 무슨 즐거움이 있겠습니까. 다만 하는 일이 없이 녹만 받아 먹기가 어렵기 때문에 물러가지 않을 수 없을 뿐입니다." 하고, 마침내 병으로 사절하여 면직되었다.104)

---

104) "甲戌 …… 先生自以累承嚴譴, 不安在朝. 仍入侍, 力陳多病乞退, 上曰, 病若如此, 無可奈何. 隱居最好. 古詩曰, 洗耳人間事不聞, 靑松爲友鹿爲羣, 豈不樂乎! 對曰, 臣則有不然者. 古之隱士, 與人主無君臣之契, 故可以相忘而自適於佳山好水. 今臣受

이이가 석담(石潭)으로 들어오기 전 선조와 나눈 위의 대화는 실록, 행장, 연보에 두루 실려 있을 만큼 유명한 일화이다. 일찍이 송익필과 나눈 대화에서도 자신에게 굴원(屈原)과 같은 병이 있음을 이야기한 바 있다.105) 특히 다음은 이이가 김효원(金孝元, 1542~1590)과 심의겸(沈義謙, 1535~1587)에 대한 소를 올린 것에 대해 송익필이 그르다고 하자 그에 대한 답으로 보낸 편지이다.

선비의 도리는 군신의 의리〔君臣之義〕를 떠나서 천지 사이에 독립하는 게 아닙니다. 타고난 성품에 근원하여 버리려야 버릴 수 없으니, 비록 시대와 나라를 잊고자 해도 도리 상 될 수가 없는 것입니다. 만약 형의 말과 같다면 관용방(關龍逢)이나 비간(比干)이 다 선비가 아닐 것입니다. …(중략)… 세상의 어질다는 이들이 의리를 살피지 않고 대강 사적만을 보고는 분분한 의론을 만들어 그 중도를 얻지 못하여 앉아서 나라 일을 그르치니 한 시대의 잘못 됨은 비단 소인들의 농간일 뿐만 아니라, 혹은 어질면서도 지혜가 밝지 못한 자가 소인의 형세를 도와주기 때문이기도 한 것입니다.106)

恩深重, 雖在畎畝, 心懸冕旒, 退居何樂焉. 只是難於尸素, 故不得不退耳. 遂謝病免."(이이, 『율곡전서』 권36 附錄 李廷龜, 「諡狀」)

105) "…… 나는 나라의 두터운 은혜를 받아 항상 보답하려는 생각이 간절하므로, 때로는 경솔히 발언하는 것을 면치 못하니, 참으로 굴원(屈原)과 같은 병입니다. 때로는 스스로도 비웃음을 면치 못하는데 더구나 옆에서 보는 지식 있는 자들이야 어찌 비웃음을 자아내지 않을 수 있겠습니까.(珥受國厚恩, 常切仰報之念, 有時不免輕發, 眞是屈原之病也. 有時不覺自笑, 況旁觀識者, 豈不發笑乎?) ……"(이이, 『율곡전서』 권11 書 「答宋雲長」)

106) "儒者之道, 非離了君臣之義, 而獨立於天地之間也. 根於秉彝, 消釋不得, 雖欲忘時

선비의 도리는 군신의 의리 없이 그저 천지 사이에 홀로 존재할 수 없는 것이며 비록 시대와 나라를 잊고자 해도 도리 상 그렇게 될 수 없다고 하였다. 관용방(關龍逢)은 하(夏)나라의 충신으로 걸(桀)을 간(諫)하다가 죽었고, 비간(比干)은 은(殷)나라 충신으로 주(紂)를 간하다가 죽은 인물이다. 시대와 나라를 위해 간쟁하는 것은 임금에 대한 선비의 마땅한 도리였으므로 관용방과 비간은 충신으로서 이름이 난 것이다. 지금에 와서 김효원과 심의겸의 인품에 대하여 시비를 가리는 것은 선비로서 마땅히 해야 할 도리이기 때문에 상소를 올린 것이다. 오히려 어질면서도 지혜가 밝지 못하여 간할 수 없는 자는 소인의 형세를 돕는 꼴이 되므로 적극적으로 현실에서 의론을 제시해야 한다고 보았다.

은거해 있으면서도 현실에 적극적으로 참여하여 의론을 제시하거나, 시대와 나라를 걱정하는 행위는 유학자로서의 은사의 모습이라고 하겠다. 이는 곧 맹자가 말한 '궁하면 홀로 몸소 선을 행하며, 달하면 겸하여 천하를 제도한다'[107]로 요약될 수 있다.

출처에 대한 이이의 생각은 송시열, 김수증, 권상하 등의 서인 노론계 문인들에게 그대로 수용된다. 그들 또한 철저한 유학자적인 사고방식을 토대로 하여 정치적 상황에 따라 출처를 반복하였다. 이는 보편적인 개념으로서의 '은일(隱逸)'과는 다른 면모를 보인다. 정치적 상황에 따

忘國, 理有所不能 也. 若如兄言, 則龍逢·比干, 皆非儒者也. …… 世之賢者, 不察義理, 粗見事迹, 議論紛紜, 未得其中, 坐誤國事. 時事之誤, 非但小人作弄, 或賢而智不明者, 助小人之勢." (이이, 『율곡전서』 권11, 書 「答宋雲長」)
107) 『孟子』, 「盡心 上」 "窮則獨善其身, 達則兼濟天下"

라 '처(處)'에 있을 때에도 유한(幽閑)한 삶의 모습을 보이지만, 정치적 현실과 무관하게 살기를 추구한 것은 아니었다. 오히려 나라에 대한 근심을 적극적으로 표명하고 있다. 이는 보편적인 개념으로서의 '은일'이 아니라, 공(孔)·맹(孟)이 이야기한 선비로서의 '은일', 즉 '은사(隱士)'의 모습으로 파악해야 할 것이다.108)

따라서 이들 노론계 문인에게 있어 현실 정치에 대한 관심은 출처와 상관없이 지속되었다.

> 천년의 한 맺힌 단종의 넋이여
> 나라 사람 지금은 채색된 존엄한 영정 바라본다.
> 강가에 사육신의 사당이 남아 있으니
> 응당 영령이 계시다면 대궐 향해 절하리라.

> 寃結千秋望帝魂　　國人今見繢儀尊
> 六臣江上遺祠在　　應有英靈拜九門
> (김수증, 『곡운집』권2, 「十月望日 又移栗北」其 24.)

이 시는 김수증이 1698년에 지은 시로, 노산대군[단종]의 능이 추복된 것을 듣고 지은 시이다. 전술한 바와 같이 숙종 대에 이르러 계속해서 단종에 대한 복권이 광범위하게 이루어지기 시작했다. 1681년 (숙종 7)에는 노산군을 노산대군으로 추봉했고, 이듬해에는 1682년에는 노

---

108) 변성규, 「隱逸개념의 형성에 관하여」, 「中國文學」, 32권, 韓國中國語文學會, 1999, pp. 81 - 92. ; 졸고, "곡운 김수증의 한시 연구", 강원대학교 석사학위논문, 2000, pp.73-4.

산군 묘를 수축하고 표석을 세웠다. 이어 1698년에는 노산대군의 묘호를 단종으로 추봉하였고, 이듬해에는 영월군을 영월부로 승격시켰다.

이와 함께 사육신은 물론 생육신에 대한 복권도 서서히 시작되었다. 그 일환으로 김수증은 곡운 구곡과 한계산 등에 남아 있는 김시습의 자취를 밝히고자 했으며, 그의 뜻을 기려 유지당(有知堂)을 짓기도 하였다.109) 그리고 김시습에 대하여 다음과 같은 평가를 하였다.

우리 동방의 매월당(梅月堂)에 이르러서는 세상의 더러움을 피하여 미친 듯 떠돌자 그 때의 사람들이 손가락질하며 방정맞다 하였어도, 작은 표주박에 물을 가득 담아 부처님 앞에 꿇어 받들었다. ……110)

이것은 김시습이 당시 세조의 왕위찬탈을 반대하여, 세상을 떠나 방황하던 일을 논한 것이다. 물론 그의 기문 어느 곳에서도 이러한 문제에 대한 직접적인 언급은 없으나, 이는 오히려 당연하다 하겠다. 숙종 대에 이르러 비로소 단종에 대한 복위가 이루어졌으므로 그 이전까지는 세조

---

109) "내가 처음 산에 들어 그 와룡담(臥龍潭)이 있음을 가지고 회암(晦菴 : 주자 - 필자 주) 선생의 여산(廬山)에서의 거동을 본받고자 하였고, 또 가까이 매월당(梅月堂)의 터가 남아 있고 이른바 융의연(隆義淵)이라는 곳이 있어 장차 연못 위에 당(堂) 하나를 세워 그 안에 제갈무후(諸葛武侯)와 매월당(梅月堂)의 진상(眞像)을 두어 우러르고 사모하는 뜻을 붙이고자 하였다. …… 이제 무명와(無名窩) 동쪽 머리에 한 간을 이루어 두 분 공의 초상을 두어 일찍부터 품어 온 뜻을 이루니, 이름하여 유지당(有知堂)이라 하였다.(初余入山, 以其有臥龍潭, 欲倣晦翁廬山之擧, 又近有梅月堂遺址, 而又有所謂隆義淵者, 將立一堂於淵上, 中置武侯梅月眞像, 以寓瞻慕之意. …… 今就無名窩東頭一間, 安二公眞簇, 以成夙志, 而名之曰有知堂)"(김수증, 『곡운집』 권 4, 「有知堂記」)

110) "至於我東之梅月堂, 逃世染緇, 放狂自恣, 時人指以爲輕躁, 而盛水小瓢, 捧跪佛前"(김수증, 『곡운집』 권 4, 「無名窩記事」)

의 왕위찬탈의 시비에 대한 평가가 금기시 되었을 것이고, 때문에 그에 대한 어떠한 언급도 기록에 남지 않았을 것이다. 김시습에 대한 평가도 같은 맥락에서 이해해야 할 것이다. 일반적으로 김시습은 생육신으로서의 절의를 지킨 측면보다는 부조리한 세속에 머물지 않고 방황했던 방외인적인 측면이 더욱 크게 인식되어왔다. 이 글에서 김시습의 단종에 대한 절의에 대하여 직접적으로 서술하지는 않았다. 그러나 이 글의 이면에는 김수증이 단종에 대한 김시습의 절의를 높이 평가한 것임을 알 수 있다.

앞서 인용한 시 「十月望日 又移栗北」 其 24도 이와 같은 맥락으로 이해될 수 있을 것이다. 이 시에서 단종의 능이 추복된 것을 비장하고도 감격스럽게 표현하고 있다. 1구에서는 오랫동안 원한이 맺힌 채로 있던 단종에 대한 비통한 심정을 표현했다. 2구에서는 비로소 추복이 되어 나라 사람들이 단종의 존엄한 모습을 바라본다고 했다. 3구에서 사육신의 존재를 부각시켰다. 4구에 이르러서는 그들 사육신의 혼이 대궐을 향해 절을 하는 것을 묘사함으로써 단종 추복을 비장하게 표현하고, 이를 통해 단종 추복의 정당성을 표출하였다.

이상과 같이, 노론계 문인들은 은거 생활을 하면서 유자의 입장을 계속 견지하였다. 따라서 시에서 명분·절의 등이 계속하여 표출되었다. 이는 오랫동안 성리학에 대한 공부를 해왔을 뿐만 아니라 유교의 전통 속에서 생활했기 때문에 얻어진 자연스러운 결과라 하겠다.

III. 김수증(金壽增)의 산수관과 문학 세계

1. 산수관

　　김수증은 거듭된 예송논쟁으로 인해 혼란한 정치 상황을 피하여 현재의 강원도 화천군 사내면 영당동 일대를 자신의 복거지(卜居地)로 정하여 은거했다. 그는 골짜기에 '곡운(谷雲)'이라는 이름을 붙이고 구곡(九曲)을 경영하며 그 주변에 농수정(籠水亭)·부지암(不知菴)·무명와(無名窩) 등의 여러 정자와 당(堂)을 마련하였다. 서인은 경신대출척(1680년)에 집권했다가 기사환국(1689년)에 다시 실각하게 된다. 서인의 영수인 송시열과 동생 김수항이 죽자 김수증은 벼슬을 그만두고 양주의 석실서원에 은둔하다가 곡운으로 돌아와 이름을 '화음동(華陰洞)'이라 고쳐 짓고 은거를 자처했다. 당시의 김수증의 행보를 따라 김수항의 자손들도 영평(지금의 경기도 가평군) 등지에 은거하게 된다. 이후에 갑술옥사로 다시 서인이 정권을 잡았으나 김수증은 벼슬길에 나아가지 않고 화음동에 은거한다.

화음동이라고 이름을 고친 이유는 곡운이 화악산(華嶽山) 북쪽에 있었기 때문이기도 하거니와 송시열이 만년에 강학하던 곳이 '화양동(華陽洞)'이었던 것을 고려한 명칭이라고 하겠다. 이 화음동에서 자연경관을 완상하며 정자와 누대를 세웠다. 그리고 여러 편의 기를 지어 그 자세한 경위를 자신의 문집에 기록하였다. 한편, 화가인 조세걸111)로 하여금 「곡운구곡도」112)를 그리게 하는 등 글씨와 그림에 많은 관심을 기울였다.

김수증은 산수에 많은 관심을 보여 주변 산수에 대한 여러 편의 기문을 남긴 바 있다. 다음 인용문은 1677년에 백운산 동쪽에 있는 골짜기를 다녀와서 쓴 기문이다.

    (가) 내가 곡운의 귀운동(歸雲洞)에 자리잡았는데, 그 서쪽으로 수십 리를 가면 바로 백운산(百雲山)의 동쪽 줄기이다. 수석의 빼어난 경치가 있다는 말을 듣고 한 번 가 보려 하였으나 게을러 그렇게 하지는 못하였다. 또 내 지팡이가 미치는 곳도 산수가 기이하고 장하므로, 생각

---

111) 조세걸(趙世杰 1636~1705). 호는 패천(浿川)이고 평양 출생. 연담(蓮潭) 김명국(金明國)의 제자. 벼슬은 첨사(僉使)를 지냈으며 산수를 잘 그렸고 집안이 부유하여 중국의 명적(名蹟)을 많이 수집했으며 김명국의 유법(遺法)을 후세에 전했다.

112) 이 화첩은 곡운의 구곡과 농수정(籠水亭)을 포함한 가로 64cm×세로 42.5cm 크기의 열 폭 실경(實景)을 견본(絹本) 위에 담채(淡彩)로 그려서 장첩(粧帖)한 것이다. 발문(跋文)은 김창협이 쓴 것인데, 그림이 완성된 지 십 년 후(1692년)에 김수증과 두 아들, 다섯 조카, 그리고 외손인 홍유인까지 합하여 아홉 사람이 나이 순에 따라 「무이도가(武夷櫂歌)」에 차운하여 매 곡을 묘사하는 칠언절구의 시를 지어 화첩을 만들었다. ; 유준영, 谷雲九曲圖를 중심으로 본 17세기 實景圖發展의 일례, 정신문화 8호, 한국정신문화연구소, 1980, p. 44. 참조.

에 저기가 반드시 꼭 여기보다 낫지는 않을 텐데 또한 하필 가까운 곳을 버리고 먼 데서 구하겠는가 하였다. 1677년 9월 25일. 사함(士涵) 이정(李瀞)과 자삼(子三) 이여(李畬) 두 사람이 멀리서 찾아 왔다. 산수에 대해 이야기하다가 말이 이곳에 미쳐 드디어 말고삐를 나란히 하고 함께 갔는데, 또 자식과 사위들도 함께 데리고 갔다.113)

(가)에서는 김수증이 칠선동으로 산수 유람을 가게 된 경위를 보여준다. 칠선동에 대한 풍문은 예전부터 들어왔으나 이정·이여114)와 더불어 칠선동의 산수에 대한 이야기를 하다가 직접 산수 유람을 실행하게 되었음을 말하고 있다. 그런데 칠선동에 대하여서 예전부터 들어왔으면서도 새삼스럽게 이제서 실행에 옮기게 되는 과정이 흥미롭다. 그 전에 칠선동을 가지 않은 이유는 지금 머물고 있는 곡운구곡도 훌륭하기 때문에 굳이 먼 곳에서 선경(仙境)을 구하지 않겠다는 생각 때문이었다.

한편, 이 글에 따르면 산수에 대한 품평이 보편화되어 있다는 점을 알 수 있다. 길을 떠나기 이전에도 이미 칠선동의 수석이 빼어나다는 말을 자주 듣고 있었으며, 이사함과 이자삼과의 만남에서도 산수에 대한 이야기가 자연스럽게 나온 것 또한 산수 품평이 잦은 일이었음을 알 수 있다. 또 한 가지 주목할 만한 점은 김수증의 경우, 산수 품평은

---

113) "余占谷雲之歸雲洞, 其西數十里, 卽百雲山東支也. 聞有水石之勝, 欲一往見, 因循未果. 且余杖屨所及, 水石奇壯, 意以爲彼未必勝於此, 則亦何必舍近而求遠乎哉. 丁巳九月卄五日. 李士涵李子三兩上舍遠來相訪. 論說山水, 語及於此, 遂與之並轡, 且携子壻輩."(김수증, 『곡운집』 권 3, 「七仙洞記」) Ⅲ장에서 인용한 문집은 별도의 언급이 없을 때 김수증의 『곡운집』을 지칭하며 권수와 제목만 표기하기로 한다.
114) 김수증의 딸이 이여의 아들인 이병천(李秉天)에게 시집을 갔기 때문에 김수증과 이여는 사돈 관계였다.

산수 유람이라는 구체적인 행위로 이어진다는 점이다. 여기서 산수 유람에 대한 적극성을 살펴볼 수 있다.

(나) 마침내 서쪽을 따라 몇 리를 가다가 멈추었다. 맑은 물결이 고였다가는 쏟아지기가 무릇 일곱 굽이인데, 기이하고 장대하기는 백운담(白雲潭)만 못하나 은근한 맛은 그곳보다 낫다. 시냇가 바위에 늘어 앉아 산 열매를 따서 갈증을 해소했다. 산은 높고 골짜기는 깊으며, 소나무와 삼나무는 빽빽하다. 석양이 산마루에 걸렸는데 사람으로 하여금 즐거워 돌아감을 잊게 하였다. 그러나 또한 오래 머물 수는 없었다.[115]

(나)에서는 곡운구곡 중 제 4곡에 해당하는 백운담과의 비교를 통해 칠선동에 대한 품평이 이어진다. 기이하고 장대함은 백운담이 더 낫지만, 은근한 멋(蘊藉)은 칠선동이 백운담 보다 낫다고 하였다. 은근함이란 구체적으로 어떤 것을 지적하는지는 알 수 없으나, 산이 높고 골짜기가 깊으며 나무들이 빽빽하게 자란 것으로 보아 칠선동 역시 인적이 없이 깊은 곳이라는 것을 짐작할 수 있다.

(다) 아아! 내가 산수 가운데 든 것이 오래되어 가는 곳마다 각기 글을 지어 품평함이 있었으나, 오직 이곳만은 아직 이름이 없어 예전에 와서 노닐지 못한 것이 한스러웠다. 세상 바깥의 맑고 그윽한 경계로 이만한 곳을 어찌 손꼽아 헤일 수 있겠는가? 나의 산수에 대한 욕심[貪

---

115) "(중략) 遂由西而行, 至數里而止. 清流渟瀉, 凡有七曲, 奇壯遜白雲潭, 而蘊藉則過之. 列坐溪石, 摘山果沃渴. 山高谷深, 松杉陰陰. 夕陽在嶺, 令人樂而忘歸, 而亦不得久留焉." (권 3, 「七仙洞記」.)

饞於山水]을 가지고도 오히려 눈과 귀의 가까운 곳에만 국한되어 이곳을 거의 잃어버릴 뻔 하였으니, 또한 이보다 훨씬 더 빼어난 곳으로 겹겹의 산봉우리 사이에 감추어져 있어 살피기에 미치지 못한 것이 있을 줄 어찌 알겠는가?116)

(다)에서는 김수증 자신이 산수에 대한 욕심이 많이 있음을 이야기하고, 그 욕심을 가지고도 이름없이 먼 곳에 있는 이곳을 미처 발견하지 못한 것에 대한 아쉬움을 드러냈다.117) 이 아쉬움은 아직 가보지 못한 산수를 탐방하고자 하는 의욕으로 전환된다.

(라) 이제 이곳에 와 노닌 사람이 일곱인 까닭에 새로 이름을 지어 ‘칠선동(七仙洞)’이라 하였다. 그 능히 남들로 하여금 우리를 신선이라 부르게 할 수 있을지는 모르겠으나, 땅이란 사람으로 인하여 드러나는 것이 아닌가 하니 또한 한 번 웃을 만하였다. 애오라지 절구 한 수를 짓고 또 그 노닒을 기록하여 산중의 한 고사로 삼기로 한다.118)

(라)에 이르러 마침내 이름 없이 빼어난 산수를 지니고 있는 이곳에 ‘칠선동’이라는 이름을 붙인다. 칠선동이라 이름 붙인 이유는 함께 온

---

116) "噫! 余之入山水窟久矣, 所占各有題品, 而獨恨此之未始有名, 而不得早來遊也. 物外淸幽境界, 若此者, 何限? 以余之貪饞於山水, 猶限於耳目之近, 而幾失乎此, 又安知絶勝於此者, 藏秘於重巒復嶺之中, 而有不及窺者歟?"(권 3, 「七仙洞記」.)

117) 이 이후에 다시 한 번 칠선동에 다녀간 기록이 보인다. 그 때 일은 권 3, 「중유칠선동기」에 자세하다.

118) "今此來遊者七人, 故創名之曰七仙洞. 未知其能使人呼我爲仙, 而地因人顯否也, 亦可一笑. 聊作一絶, 且記其遊, 以作山中一故事云."(권 3, 「七仙洞記」.)

사람이 모두 일곱 명이기 때문이기도 하지만, 앞서 말한 바대로 물 구비가 일곱이기 때문이기도 하다. 한편, 산수에 이름을 붙이는 이유는 명명(命名)의 과정을 통해 산수가 세상에 알려질 수 있기 때문이라고 하였다. 아울러 이 날의 칠선동 유람을 절구와 기문으로 남긴다고 하였다.

이 때 지은 절구는 문집에서 보이지 않는다. 그러나 그 때의 일을 회상하는 시로, 「閏三月初八日 還華陰」 其29와 「七月晦日 還華陰」 其2가 있어 당시의 정황을 알 수 있다. 특히 「閏三月初八日 還華陰」에서 "칠선동을 찾아갔던 일 이야기 하다가 / 근황을 묻네. / 더듬더듬 산수에 대한 이야기를 하며 / 산 속에서 하루를 보내네.(謂訪七仙洞 / 轉來問寒燠 / 疑疑話山水 / 相送山日夕)"라 하였다.

김수증이 산수를 품평하고 명명하였던 근거는 문집에서 여러 차례 발견된다.

9일 갑오(甲午), 맑음. 아침을 먹고서 남쪽으로 마을 어귀를 나섰다. 시내를 따라 동쪽으로 가다가 소개촌(小開村)을 지나 솔숲이 울창하게 그늘진 가운데로 갔다. 북쪽으로 여러 봉우리를 바라봄에 눈길 닿는 곳마다 두루 기이하나, 그 가운데 한 봉우리가 유독 곱고 빼어난 데다 희고 깨끗하기에 마침내 이름하여 '백련봉(白蓮峯)'이라 하였다. 또 그 붉은 산마루가 하늘까지 치솟은 모양이 마치 붉은 푯대를 세운 듯한 것을 가리켜 '채하봉(彩霞峯)'이라 하였다. 동행했던 절의 중을 돌아보며 말하기를, "너희들은 잊지 말고 이를 기억해두라"고 하였다. 4, 5리를 가니 북쪽으로 작은 시내가 구불구불 흘러오면서 대여섯 자의 폭포를 만들고, 위쪽에는 층담이 있으니 모양새가 절묘하다. 언덕을 끼고 올라 못

가운데를 굽어보니 모양은 마치 가마솥 같고 빛깔은 검은 색이 엉겨 있는 듯한데, 못의 서쪽 바위 위에는 '옥류동(玉流泉)' 세 글자를 새겼다. 이곳을 지나서 가면 오른편에 바위 네 개가 있는데 마치 난새와 봉황이 날아 오르는 것 같고, 만 길의 절벽은 기세가 웅장하여 수백 보에 걸치어 있다. 이 어찌 중원 사람이 적고 있는 바 남쪽 봉우리가 절벽을 만들었다는 것이 아니겠는가.119)

이 글은 1691년 봄에 김창흡과 함께 곡운정사를 떠나 당시 김창흡이 머물고 있던 한계산에 다녀오며 쓴 글이다. 여정 주에 본 산수에 대해 이름을 붙이는 과정이 나타나 있다. 희고 깨끗한 봉우리에 '백련봉'이라는 이름을, 높게 솟은 붉은 봉우리에 '채하봉'이라는 이름을 붙였다. 흥미있는 것은, 이 명명(命名)이 자신에게만 국한된 것이 아니라는 점이다. 함께 갔던 중에게 "너희들은 잊지 말고 이를 기억해두라"고 하여, 명명의 행위가 단순히 자신의 인식 체계 속에서만 존재하는 것이 아니라 다른 사람을 의식한 행동임을 알 수 있다. 나아가 바위 위에 각자(刻字)를 한 행위는 다른 사람에게도 그 자연 경물의 이름을 알리고, 그들도 그 이름을 부르게 하기 위한 것이다.

김수증은 1691년 여름에 홍눌이라는 중과 화악산 정상까지 올라보기로 하고 길을 나선다. 홍눌은 화음동에 반수암이라는 암자에서 수도

---

119) "初九日甲午. 晴. 朝食後, 南出洞門. 循溪而東, 歷小開村, 行松林密陰中. 北望諸峯, 觸目環奇, 而其中一峯, 特貞秀皓鮮, 逐創名之以白蓮. 又指其丹嶂聳霄, 如建赤標者曰彩霞. 顧謂寺僧同行者曰: "汝輩毋忘而識之". 行四五里, 北有小川蜿蜒而來, 作瀑五六丈, 上有層潭, 形態妙絕. 緣崖而上, 俯視潭心, 形如釜鬲, 色若凝黛, 潭西巖上, 刻玉流泉三字. 過此而行, 右有四巖, 似鸞翔鳳翥, 而絕壁萬仞, 氣勢磅礴, 延亘數百步. 此豈中原人所記南峯作絕壁者耶!"(권 4, 「寒溪山記」)

를 하는 중으로 김수증과 가까이 있어 왕래가 잦았던 인물이다.

새벽에 일어나서는 구름 그림자가 곱게 물들었더니, 해가 동쪽 봉우리에 떠오르면서 흰 구름이 동남쪽에 드리운다. 산과 들은 하늘에 닿아 막힘이 없고, 세찬 물소리는 만 리 큰 바다인 듯하다. 고개 서쪽은 기전(圻甸)의 경계로 모두가 눈 아래 그윽하고 어두운 가운데로 들어오는데, 다만 용문산(龍門山)이 중천에 반쯤 드러나 보이고 멀고 가까운 봉우리 끝은 점점으로 나타나고 없어지기가 마치 섬들이 별이나 바둑돌처럼 늘어 선 듯하다.

일찍이 풍악산을 찾아 아침에 수점(水岾)을 올랐더니 비로봉의 만 길을 흰 구름이 삼키었다 토하곤 하여 이 또한 기이한 절경이었으나, 장엄하고 드넓은 기세는 이곳보다 조금 못하다. 회옹(晦翁)께서 운곡(雲谷)에서 보신 바가 과연 어떠하였는지는 알지 못하겠으나 이른바 천하의 기이한 장관을 참으로 선점한 것이라 하겠다.120)

화악산과 금강산의 산 정상의 모습을 비교한 글이다. 김수증은 1980년에 금강산을 다녀와 기문을 남긴 바 있다. 이 때 내수점 꼭대기에 이르러 일출 직전 구름에 뒤덮힌 산봉우리들을 보며 '산이 움직이는 것 같다'고 한 주자의 비유를 떠올렸다.121) 산봉우리들이 마치 바다에 떠

---

120) "曉起, 雲陰鮮駁, 日上東峯, 白雲平鋪於東南. 山野接天無際, 洶若萬里溟渤. 嶺西圻甸境界, 皆入眼底杳冥中, 只見龍門山半露於天畔, 遠近峯尖, 點點出沒, 有似島嶼之星羅碁布. 曾訪楓嶽, 朝登水岾, 毗盧萬仞, 白雲吞吐, 此亦奇絶, 而壯闊之勢, 少遜於此. 不知晦翁雲谷所見果如何, 而所謂天下之奇觀, 眞先獲也."(권4,「遊華嶽山記」)
121) "5일, 맑음. 해뜰 무렵에 돌아와 내수점(內水岾)에 오르니 아침 해는 아직 높지 않은데, 서편을 바라보니 흰 안개가 구렁에 가득하다. 비로봉 아래로 뭇 봉우리들이

있는 섬과 것과 같아 움직이는 것 같다고 하였고, 기이한 정취를 표현한 주자의 이 비유는 참으로 훌륭한 비유라 평하였다.

그러나 지금 화악산 정상에 올라와 보니 그 정경이 장엄하고 드넓어 금강산보다 더욱 기이한 장관임을 깨닫는다. 주자가 본 것이 어떤 것인지는 실제로 보지 못하여 알 수 없으나 이 화악산의 장관만큼은 자신이 먼저 선점한 것이라 하였다. 운무에 뒤덮힌 산 정상의 모습에 대하여 주자의 비유 이상의 감흥을 느끼게 된 것이다.

(가) 이곳에서 화음(華陰)까지는 10 리밖에 되지 않아 만약 판자집 하나만 지어두면 때때로 다니면서 주자가 노봉(蘆峯)에서 노닐었던 것처럼 티끌 세상의 어지러움을 끊어버릴 만하다. 그러나 산이 높고 골이 끊겨 큰 역량이 아니고서는 지내기가 쉽지 않겠고 부족한 힘으로는 또 새로 짓기가 어렵겠다. 잠시 그 빼어난 경치를 적어 두고 또 그 골짜기를 이름하여 '태초(泰初)'라 한다. 봄날이 화창하고 별이 밝으면 다시 조용히 와 노닐며 세상 바깥 다함이 없는 풍취를 맡기려 한다.

(나) 마침내 남여를 타고 돌아오면서 인하여 한계산(寒溪山)에 노닐던 때를 생각하니, 대승암(大乘菴)을 찾아 폭포를 구경하고자 하였으나 바윗길이 험준하고 좁아 놓아 몇 리 지나지 않아 겁이 나기에 능히 오르

높이 솟아 하늘을 찌르고 그 아래로는 아마득하기 마치 큰 바다와 같다. 회옹께서 이른바 산이 마치 움직이는 것 같으니 천하의 기이한 경치라고 한 것은 참으로 훌륭한 비유였다.(初五日, 晴. 平明還, 登內水岾, 朝日未高, 西望白霧滿壑. 毗盧以下衆峯, 優蹇當空, 其下茫然如大洋海. 晦翁所謂山如移動, 天下之奇觀者, 眞善喩也.)" (권 3, 「楓岳日記」)

지를 못하였었다. 이제 이 산등성이를 오름이 거의 5, 60리인데, 그 어렵고 험준함은 저와 그리 다르지 않으나 멀고 가까움은 현격하다. 그때 능히 잠깐 다리 힘을 시험해 보지 못한 채 위험을 보고 멈추었던 일이 몹시 한스럽다. 오늘 다행히 뜻하지 아니하게 이러한 노닒을 이루었으니, 절벽 꼭대기의 구름 놀과 깊은 골짜기의 커다란 수풀은 평생 두루 유람한 바 오직 이곳이 가장 기이하고 장대하다 하겠다. 애오라지 한둘 적어 스스로 살펴 본다. 이 해 중양일에 화음의 부지암에서 적다.[122)]

김수증은 주자의 행적을 본떠 화악산에 곡운정사 이외에 따로 작은 집을 마련하고자 하였으나 현실적으로 불가능할 것임을 깨달았다. 그래서 다음을 기약하는 의미로 역시 '태초'라는 이름을 부여한다. (나) 부분에서는 이 해(1691년) 한계산에 갔을 때 산등성이를 미처 오르지 못한 것에 대한 아쉬움을 표현하였다. 당시 김수증의 나이는 68세로 한계산 정상에 오르는 것은 쉽지 않은 일이었을 것이다. 그런데, 화악산 정상에 올라 그 아쉬움을 풀어내고자 한 것으로 보아 산수 유람에 대한 강한 의욕을 가지고 있으며, 그 일을 기록하여 남기고자 했던 의도가 컸음을

---

122) (가) "此去華陰, 不過十里, 若得作一板屋, 時時往來, 如蘆峯晦翁之爲, 則可以隔絶世紛. 而高山絶谷, 自非大力量, 未易居之, 瑣力又難開創. 姑記其勝, 且名其谷曰泰初. 春和景明, 庶復從容往遊, 以寄世外無窮之趣."
(나) "遂乘藍輿而還, 仍念遊寒溪時, 欲尋大乘菴觀瀑布, 巖逕峻窄, 不過數里而意恸, 不能輒登. 今此上岡巒, 幾五六十里, 其爲艱險, 視彼無甚異同, 而遠近則懸矣. 深恨伊時不能少試脚力, 見險而止. 幸於今日, 偶成玆遊, 而絶頂雲霞, 深谷穹林, 平生所歷覽, 惟此爲第一奇壯. 聊記一二, 以自觀焉. 是歲重陽日, 書于華陰之不知菴."(권 4, 「遊華嶽山記」)

알 수 있다.

산수를 탐방하고자 하는 의욕은 곧 자신이 머물던 곡운에 구곡을 설정하는 행위로 연결된다.123) 「谷雲記」에는 곡운을 둘려 보며 1곡부터 9곡까지 절경을 설정하여 명명하는 과정이 자세히 나와 있다. 다음 인용문은 그 중 1곡에 해당하는 방화계(傍花溪)에 관한 내용이다.

경술년(1670)년 3월에 경성으로부터 오리곡(梧里谷)을 말미암아 학현(鶴峴)을 넘고 큰 내를 건넜으니, 속명은 '탄기(灘歧)'로 바로 곡운의 하류이다. 다시 산현(蒜峴)을 넘자니 산은 차츰 높아지고 골짜기는 점차 깊어져 사람의 자취가 뚝 끊어졌다. 10여 里를 가서 아름다운 곳을 얻으니 속명을 '소박삽(小樸捕)'이라 한다. 골짜기는 고즈넉하고 기상이 매우 그윽한 데다 여울과 층층 바위마다 바위꽃을 헤아릴 수 없기에, 마침내 '방화계(傍花溪)'라고 이름을 고쳤다. 냇가를 에돌아 돌숲 가운데를 뚫고 지나자니 높고 낮은 큰 돌들과 줄이은 봉우리들이 하늘을 가려, 길이 다하였다가는 다시 통하곤 한다.124)

소박삽이라는 속명에 방화계라는 이름을 붙인 이유는 이 당시가 봄이어서 주변 바위 틈마다 꽃이 많이 피어있었기 때문이다. 주변 산수의

---

123) 김수증이 설정한 구곡은 다음과 같다. 방화계(傍花溪, 1곡), 청옥협(靑玉峽, 2곡), 신녀협(神女峽, 3곡), 백운담(白雲潭, 4곡), 명옥뢰(鳴玉瀨, 5곡), 와룡담(臥龍潭, 6곡), 명월계(明月溪, 7곡), 융의연(隆義淵, 8곡), 첩석대(疊石臺, 9곡)

124) "余曾任平康, 以公事過鉏五芝村, 距谷雲不過一舍, 盖聞其勝而未得探討. 庚戌三月, 自京城由梧里谷, 踰鶴峴涉大川, 俗名灘歧, 卽谷雲下流也. 又踰蒜峴, 山漸高谷漸深, 人煙隔絶. 行十餘里, 得一佳處, 俗名小樸捕. 洞府幽淨, 氣象深窈, 激湍層巖, 巖花無數, 遂改名傍花溪. 緣溪穿石林中, 高低犖确, 連峯障天, 徑盡復通." (권 4, 「谷雲記」)

모습에 가까운 이름을 지어넣은 것이다. 이와 같은 방법으로 2곡의 '청옥협(靑玉峽)', 4곡의 '백운담(白雲潭)', 5곡의 '명옥뢰(鳴玉瀨)', 9곡의 '첩석대(疊石臺)' 등을 명명하였다.

명명 과정은 산수 경물에만 그치지 않았다. 화음동 주변 경물과 조화를 이룬 구조물을 축조하면서 자신의 이상향을 구축하고자 하는데, 이때 새롭게 생긴 구조물에 보다 형이상학적인 명명 과정이 이루어진다. 또 명명의 이유는 기문으로 기록하는 것을 통해 명명에 대한 적극성을 살펴볼 수 있다. 이렇게 해서 정해진 곡운구곡과 그 주변 산수 경물의 각 명칭은 시 본문에 그대로 삽입된다.

다음 시는 1696년 12월에 화음동에 들어와 지은 연작시 중 한 편이다.

나는 동면하는 벌레 같아 추워지면 굴로 들어갔다가
다른 때 오히려 볕 좋은 봄을 만나면
추진교 위 쌍계 아래서
좋은 새 한가로운 꽃에 이 몸을 놓아두리.

我似蟄蟲寒入窟　　他時猶得見陽春
趣眞橋上雙溪下　　好鳥閑花屬此身
(김수증, 『곡운집』 권 1, 「臘月初七日 自京還華陰 ……」125) 其 40.)

---

125) 원 제목은 「臘月初七日 自京還華陰 正當嚴沍 閉門無聊 口占七絶 寫境書懷 不覺其多 意或重複 辭亦鄙俚 只爲消遣之資 不可與不知者道 聊示子姪輩云(섣달 7일에 서울로부터 화음동으로 돌아오다. 날씨가 매우 추워 문을 닫고 무료하게 있다가 입으로 칠언절구를 점하여 경계를 그리고 회포를 써내려 가다보니 그 많음을 깨닫지

위의 시에서 작가는 자신을 추위를 만나 칩거하는 곤충에 비유하였다. 곤충이 지금 굴 속으로 들어가는 것은 겨울이기 때문이며, '볕 좋은 봄(陽春)'이 되면 다시 굴 밖으로 나와 '좋은 새(好鳥)'와 '한가로운 꽃(閑花)'과 함께 노닐 것이다. 곤충이 계절의 변화에 따라 들어가고 나아감을 반복하는 것은 당연한 이치이다. 동시에 자기 자신도 세상에 나아가고 물러나는 것을 하늘의 이치에 순응하며 살고자 하는 마음을 나타냈다. '추진교'와 '쌍계'는 화음동에 있는 다리와 시내 이름으로 김수증 자신이 명명한 것이다. 이 사실은 앞서 인용한 「화음동지」에 자세히 나와 있다.

마침내 백운계(白雲溪) 가에 띠 정자를 처음 짓고 이름하여 '요엄류(聊俺留)'라 하였다. 대저 시냇물의 한 줄기는 화악산 북쪽에서 나와 왼편으로 오고, 또 한 줄기는 오른편에서 흘러 들어 마을 남쪽에서 만나는 까닭에 또한 이름하여 쌍계(雙溪)라 한다. 꺾어 북쪽으로 내달리다가 요엄류정(聊俺留亭)을 지나고 4, 5리를 돌아들어 농수정(籠水亭) 서쪽에 흘러든다. …… 정자(요엄류정 - 필자 주) 아래 커다란 반석은 무명 요를 펼친 듯하여 열 사람도 앉을 만하니, 천관석(川觀石)이라 하였다. 천관석 옆에는 추진교(趣眞橋)가 있고, 다리 서쪽으로 십여 발짝에 음송암(蔭松巖)이 있으며, 북쪽 물가에 또한 있다.126)

못하였다. 뜻이 혹 중복되고 말도 또한 비루하여 다만 소일하기 위한 자료가 될 뿐이로되, 알지 못하는 자들과 이야기할 바가 아니다. 그저 아들과 조카들에게 보일 뿐이다).」이다. 이하 「臘月初七日 還華陰.」으로 줄인다.
126) "遂草創茅亭於白雲溪上, 名之曰聊俺留. 盖溪水一派, 出華嶽之北, 左偏而來, 又有一

'쌍계'란 말 그대로 양쪽에서 흘러 들어온 두 물줄기의 실상을 가리킨다. '추진교'는 '참됨'으로 나아가는 다리로 풀 수 있다.

자신도 봄을 만나면, 자연의 섭리대로 이 추진교와 쌍계에 나와 새와 꽃과 함께 조화로이 지내겠다고 했다. 이도 역시 자연과 인위의 조화를 꾀한 것으로 볼 수 있다. 즉 곤충과 자기 자신을, 시내와 그 위의 다리를, 그리고 실제의 시내·다리와 '추진교'·'쌍계'라 명명한 것과의 조화를 뜻한다.

자연적인 것	인위적인 것
벌레	인간(작가)
시내	다리

다리와 시내의 실체	'추진교'와 '쌍계'라는 명명(命名)

「華陰洞志」에 따르면 특히 화음동 앞 뜰에 여러 꽃과 나무를 심어 조경을 하는 데에 깊은 관심을 보였다.

부지암 남쪽 창 계단 아래에는 본래 산반화(山礬花) 한 떨기가 있었는데, 부지암을 지을 때 이로 인하여 옮겨 심어 놓았더니 푸른 잎이 둥글둥글하였다. 4월에 꽃이 피는데 꽃송이가 아주 가늘어 낱알을 모아 놓은

派自右偏而來, 合於洞之南, 故亦名之曰雙溪. 折而北走, 經聊奄留亭, 轉過四五里, 入籠水亭之西焉. …… 亭下大石, 如鋪素氈, 可坐十人, 名川觀石. 石傍有趣眞橋, 橋西數十餘步, 有蔭松巖, 北涯亦有之."(권 4, 「華陰洞志」)

것과 같았다. 색은 눈처럼 희고 맑은 향기가 진하게 퍼지며 맺은 열매는 송이송이 푸른 구슬 같았다. 이 꽃은 산과 들판 어디든 있어 옛사람이 기술하고 읊은 작품에 보이지만, 우리나라 사람들은 이 꽃이 아름다운 줄을 모른다. 그 옆에 또 해당화 한 그루를 심었고, 마당 동남쪽 모퉁이에 황국(黃菊) 수십 그루를 심었으며, 또 오동나무 한 그루를 심었다. 부지암 계단 섬돌 사이에 석창포(石菖蒲)를 심고 남쪽 창 너머에도 심었다. 이 풀은 강도(江都)에서 나온 산물(産物)인데 약용(藥用)으로 쓸 수 있다. 또 세속에서 말하는 석창포는, 그 잎은 단풍나무와 같고 그 뿌리는 서려 있으며 돌 틈에서 잘 자라는데, 실은 창포가 아니고 더러 석단풍(石丹楓)이라고 불리는 것이다. 이것은 자연실 계단 사이에 심었다.

또 한천정 가에 감국(甘菊)과 구기(枸杞)를 심었다. 우물가에서 요엄류정과 표독립대 사이에 이르기까지 덩굴져 자라고 열매를 맺은 오미자(五味子)가 많이 있었다. 또 다래 한 무더기가 있는데 북쪽 언덕에도 있다. 이것도 나무 위로 덩굴져 휘감고 있다. 단풍나무, 진달래, 철쭉이 산과 시내, 솔숲 사이에 비춰 어려 있는데, 담홍색의 철쭉이 그중에서 가장 아름다워 이것이 가장 볼만하다. 내가 예전에 하루는 산길을 걸어나섰는데, 곱고 붉은 풀꽃 하나가 그야말로 금전화(金錢花) 같고 줄기와 잎도 그와 같았으나, 어지러운 풀 사이에 파묻혀 있었다. 이것이 이른바 '거마가 오지 않으니 누가 감상하랴.'라는 것이다. 그래서 마침내 울타리 아래에 옮겨 심고 야금전화(野金錢花)라고 이름을 붙였는데, 해마다 꽃이 피면 또한 구경할 만하였다. 분매(盆梅) 두 개가 있는데 날이 추워 방안에 두었더니 섣달에 꽃이 피었다. 또 분죽(盆竹) 하나가 있다.127)

산반화(山礬花), 해당화, 오동나무, 석창포, 국화, 구기자, 오미자, 진달래 철쭉, 금잔화 등을 마당을 돌아가며 곳곳에 심어놓고, '수레와 말이 오지 않으니 누가 보아 감상하리(車馬不臨誰見賞)'라고 하였던 최치원의 「蜀葵花」의 시 구절을 떠올리며 자락하였다.128)

김수증은 김창흡이 『곡운집』 서문에 지적했던 바와 같이129) 문학에 대한 구체적인 언급을 피력하지는 않았다. 그런데 실상을 토대로 하여 이름을 붙이고자 하는 의식은 시 창작에 대한 태도에도 일관되게 나타난다.

나는 본래 시에 능숙하지 못하여

노닐며 그저 자적할 뿐이라네.

---

127) "菴之南窓階下, 本有山礬花一叢, 作菴時, 因而封植, 翠葉團團. 四月發花, 花房極細, 如綴粟粒, 色白如雪, 淸香濃郁, 結子纍纍若靑珠. 此花山野間處處有之, 見於古人記述吟詠, 而我東人, 不知其爲佳品也. 其側 又種海棠一樹, 庭之東南隅, 種黃菊數十本, 又種梧桐一株. 菴階磴石間, 種石菖蒲, 又種南窓外, 此出於江都之産, 可入藥用. 又有俗所謂石菖蒲者, 其葉似楓, 其根盤屈, 喜生石罅, 實非菖蒲, 或名石丹楓, 此則種於自然室階間. 又於寒泉井上, 種甘菊枸杞, 自井邊至亭臺間, 多有五味子, 蔓生結實. 又有獼猴桃一叢, 北厓亦有之, 蔓綠樹上. 楓樹杜鵑躑躅, 映帶山溪松林間. 躑躅淡紅色品絶佳, 此最可觀也. 余嘗一日步出山逕, 有一草花姸紅, 正如金錢花, 莖葉亦如之, 埋沒亂草中, 此所謂車馬不臨誰見賞者. 遂移栽籬下, 名之曰野金錢花, 逐年開花, 亦可玩也. 有二盆梅, 遇寒置之房內, 臘月開花. 又有一盆竹." (권 4, 「華陰洞志」)

128) 황인건은 그의 논문("곡운 김수증의 산수문학 연구," 한양대 석사학위논문, 1998.)에서 이 구절의 출전을 최치원의 「촉규화」라 밝힌 바 있다. 필자 역시 이에 동의한다. ① 시 형식의 차이는 있으나 비슷한 구절인 점, ② 진달래에 관한 심상이 비슷한 점, ③ 화음동에 있는 '농수정'이라는 명칭 역시 최치원의 시에서 가져온 것이라는 점이 그 이유이다.

129) 김창흡, 『삼연집』 권 23, 「伯父谷雲先生文集序」, "小子五十年侍坐 一未聞自述文事"

억지로 오언시를 지으니

옛 격조를 어찌 따지리오.

그저 회포를 풀어낼 뿐

어찌 남의 눈치를 보리오.

우습구나! 백운계의 물로

서응과 같은 조악한 시 씻지 않네.

我本不能詩	優游徒自適
强作五字句	何論古調格
聊寫我懷抱	寧爲人眼目
可笑雲溪水	不洗徐凝惡

(김수증, 『곡운집』권 2, 「閏三月初八日 還華陰……」130) 其 95.)

위의 시는 1697년 봄에 화음동에서 40여 일을 머물며 지은 98수의
연작시 중의 하나이다. 제목에서 시사하는 바와 같이 '날마다 접하고
느낀 바 산 속의 경치'를 종이와 붓으로 형용'하려는 의식에서 시를 짓는
행위가 시작되었음을 알 수 있다. 아울러 자신이 지은 연작시는 '시가
되기는 부족'하여 '그저 한가함을 물리치는 재료가 되어 스스로에게나
보일 뿐'이라고 했다. 그러나 '모두 실제로 있는 것'이기 때문에 시를

---

130) 원 제목은 「閏三月初八日 還華陰 留四十二日 逐日所接所懷 山中景色 無不形諸楮毫
此不足爲詩 而皆是實跡 聊爲破閑之資 以自觀焉(윤 3월 8일 화음동으로 돌아와서
42일을 머물었다. 날마다 접하고 느낀 바 산 속의 경치는 종이와 붓으로 형용하지
않을 것이 없었다. 이는 시가 되기는 부족하나 모두 실제로 있는 것이다. 애오라지
한가함을 물리치는 재료가 되어 스스로에게나 보일 뿐이다.)」이다. 이하 「閏三月
初八日 還華陰」으로 줄인다.

짓는다고 하였다. 이것은 자신이 지금 짓는 시가 당대 유행하는 시풍과는 거리가 멀다는 것을 스스로 인식하고 있음을 증명한다. 동시에 자신의 시는 '실적(實跡)'을 이야기 하고 있으며 그 '실적'이란 산 속의 경치 모두임을 말하고 있다.

인용한 시에서도 자신이 시 짓는 데 능숙하지 않음은 물론 자신의 시는 그저 회포를 풀어내는 데에 역할을 할 뿐, 시가 갖추어야 할 격조는 갖추지 못했음을 말하고 있다. 자신의 시 혹은 시작(詩作)에 대한 주장은 7·8구에서 구체화된다. 자신의 시가 서응(徐凝)의 시처럼 조악하지만 백운계131) 물로 씻어내지 않겠다는 것이다.

서응은 당나라 때의 시인으로 조악한 시란 「廬山瀑布」에 나와 있는 구절, "만고에 길이 흰 비단폭이 날리는 듯하여라 / 한 줄기 폭포가 청산빛을 둘로 갈라놓았네.(古今長如白練飛 一條界破青山色)"을 가리킨다. 소식(蘇軾)이 일찍이 이 시를 아주 형편없는 것으로 간주하여 "상제가 한 줄기 은하수를 내려 보내니, 예로부터 오직 이태백의 시가 있을 뿐이네. 폭포의 내리쏟는 물 응당 많지만, 서응에게 주어 조악한 시를 씻게 하진 않으리.(帝遣銀河一派垂 古來惟有謫仙詞 飛流濺沫知多少 不與徐凝洗惡詩)"라고 한 데서 온 말이다.132)

소식이 서응의 시를 조악하다고 여긴 이유는 서응의 시에서 여산폭포의 실경에 대한 간략한 묘사만이 이루어졌기 때문이다. 김수증은 서응의 시가 단지 핍진함에 머물렀기 때문에 소식에게 비판 받았던 일을 끌어와 자신의 시작의 경우에 빗대어 표현하였다. 즉 실경을 그리는

---

131) 백운계는 화음동을 흐르는 시내를 지칭한다. 권 4, 「화음동지」 참조.
132) 소식, 『蘇東坡詩集』 卷 23 世傳徐凝瀑布詩云.

데에 그쳐 조악하다는 평을 듣더라도 '실적'을 드러내는 것으로 시업을 삼겠다는 의지를 표명한 것이다.

김수증은 조세걸에게 「곡운구곡도」를 그리게 할 때, 사실과 같이 그리도록 한 바 있다. 그는 그림에서뿐만 아니라 자신의 시에서도 사실에 대한 핍진한 묘사를 추구하였다.

> 울타리에 까치 지저귀며 아직 머물 곳을 정하지 못하고
> 눈 쌓인 깊은 골짜기에 찬 구름이 낮게 깔렸네.
> 마을에는 땅거미 내려 인적이 끊어지고
> 문 밖으로는 우물가로 가는 오솔길 겨우 통하네.

> 籬雀啾啾未定棲　　雪深陰壑冷雲低
> 村墟薄暮人蹤斷　　門外纔通汲水蹊
> (김수증, 『곡운집』 권 1, 「臘月初七日 還華陰」 其 33.

위의 시는 작가의 심경에 대한 언급은 전혀 없고 다만 눈 앞에 펼쳐진 정경만을 서술하고 있다. 내려 앉을 곳을 정하지 못한 까치를 제외한 모든 소재 즉, '골짜기(陰壑)', '구름(雲)', '마을(村墟)', '땅거미(薄暮)', '오솔길(蹊)' 등은 정적인 이미지이다. 그래서 마치 한 폭의 그림을 보는 듯 하다. 그러나 이것은 단순히 정경만을 묘사한 시는 아니다. 사방은 고즈넉하게 인적이 끊긴 상태이다. 그런 상황에서 까치는 유독 제가 머물 곳을 찾지 못해 지저귀며 배회하고 있다. 까치가 이렇게 배회하는 모습은 궁벽한 시골에 살면서도 그곳에 쉽게 적응하지 못하는 모습이라

볼 수 있고 이는 곧 김수증 자신의 모습으로도 대입시켜 볼 수 있다.

　작가 자신의 감정은 시 본문 어디에도 표현하지 않고 다만 행간의 의미로 파악될 뿐이다. 이와 같이 감정에 대한 노출 없이 정경에 대한 자세한 묘사만으로 시를 썼을 경우에 독자는 능동적으로 시를 읽을 수 있다. 즉, 독자가 작품으로부터 객관적인 사실만을 전달받았다면, 주관적인 감동을 얻기 위해 보다 능동적으로 시 감상에 임할 수 있을 것이다. 이렇듯 시에서 객관적인 사실 제시는 독자의 주관적인 상상이 가능하기 때문에 작가의 주관적인 감정이나 가치평가가 노출된 시보다 더욱 이미지 전달이 용이할 것이다.

　다음의 시는 시간의 추이에 따른 묘사가 나타난 시이다.

　시냇물 흘러 고요한 밤 시끄럽게 하여
　비바람 소리와 구별되지 않았는데
　새벽녘에 달이 반쯤 열린 창에 비추자
　옷을 걸치고 남쪽 집을 나선다.
　게으른 아이 종 늦도록 일어나지 않았기에
　손수 사립문 열고는
　오르락 내리락하며 정자와 누대 곁에 서니
　유연히 두 눈 밝아오네.

　溪流喧靜夜　　　不分風雨聲
　曉月半窓影　　　披衣出南榮
　慵僮晚不起　　　手自開柴荊

上下亭臺側　　　　悠然雙眼明

(김수증, 『곡운집』 권 2, 「閏三月初八日 還華陰」, 其 12)

　시간적 배경은 밤에서 아침으로 이동하고 있다. 즉, 1·2구는 한 밤 중을, 3~6구는 새벽녘을, 7·8구는 아침을 묘사한 것이다. 1·2구에 서는 작가가 늦도록 잠을 이루지 못하는 이유에 대해 설명을 하고 있다. 봄이 되어 물이 불어나자 시냇물 소리가 유난히 시끄러워졌고 그것이 마치 비오는 소리처럼 느껴졌기 때문이다. 3·4구에는 밤새 잠을 이루 지 못하다가 새벽 달로 주변이 약간 밝아지자 밖으로 나가기를 결심한 모습을 그리고 있다. 이미 시간은 새벽으로 옮겨진 것이다.

　5·6구에 와서는 문을 나서는 행위 자체를 '게으른 종(慵僮)'에 대한 불만과 손수 사립문을 여는 행위로 나누어 묘사하고 있다. 7·8구에 이르러서는 나가는 행위로 인해 도달한 목적지가 제시된다. 작가는 정 자와 누대 옆으로 온 것이다. 그러는 동안 시간은 흘러 아침이 되었다.

　이 시는 밤부터 아침까지의 시간의 흐름과 그에 따른 공간의 이동에 대해 묘사하고 있을 뿐, 작가가 밤 늦도록 잠을 이루지 못한 근본적인 이유에 대한 언급은 없다. 이 시를 표면상으로 봐서는 잠 못 이루고 방황하는 시인의 복잡한 심사도 직접적으로 드러나 있지 않다. 다만 시간의 흐름에 따른 묘사로 그 심정을 추측해 볼 뿐이다.

　김수증은 곡운구곡에 머물며 자신의 주관적인 감정을 드러내기 보다 는 담담하게 존재하는 '실적'을 그려내는 것에 치중하였다. 이것은 김수 증의 시 전반에서 공통적으로 드러나는 현상이다.

　이상을 통해 볼 때, 김수증은 산수 유람에 대한 강한 의욕을 가지고 있었으며 이것은 다시 실제 탐방으로 이어지는 적극성을 띠고 있음을 알 수 있었다. 실제 탐방의 결과로 해당하는 산수와 그 전에 탐방했던 산수와 비교를 통해서 산수 품평이 이루어졌으며 그 후에는 그 산수에 걸맞는 이름을 붙이는 명명 과정이 뒤따랐다. 명명은 산수 경물에만 그치는 것이 아니라 주변 구조물에까지 미쳤다. 품평과 명명을 통해 삼라만상의 이치와 조화로운 공간을 구현해 내고자 하였으며 그 노력은 곡운구곡 경영을 통해 구체화 되었다. 김수증의 이러한 노력에는 산수는 사람의 명명 즉 인식화 과정을 통해 그 참된 가치를 드러낼 수 있다는 생각이 밑받침되었음을 알 수 있었다. 따라서 산수를 시문을 통해 기록하고자 하였고 이 때 그 실상과 동일하게 그려내고자 하는 태도를 견지하였음을 알 수 있다.

2. 문학 세계

1) 산촌의 삶 구가(謳歌)

『곡운집』의 권1·2에 실린 편수를 살펴보면 다음과 같은 사실을 발견할 수 있다.

첫째, 권 1과 2 모두 연작시가 월등히 많이 있으며, 그 중 권 2에 연작시가 더 많이 실려 있다.133) 둘째, 권 1에서는 7언 절구가 많이 실려 있으며, 권 2에서는 7언절구와 5언율시가 각각 144수로, 전체의 반씩을 차지하고 있다. 그래서 권 1에서는 적게나마 여러 가지 시형이 실려 있는데 비해 권 2에서는 그 지어진 시형이 대폭 줄어든다. 전체적으로 볼 때 7언 절구의 편수가 전체의 반 이상을 차지하고 있다.

이들 제목을 살펴 보면, 어딘가에서 곡운으로 들어가 일정기간 동안 머물며 지어진 시라는 것을 알 수 있다. 머물러 있던 기간은 시 제목과 본문에 자세히 나와 있지 않지만 끝부분에 실린 시의 계절적 변화를 살펴보면 대략의 기간을 짐작할 수 있다.

한 예로「臘月初七日 自京還華陰 口占七絶 寫境書懷 不覺其多 意或重複 辭亦鄙俚 只爲消遣之資 不可與不知者道 聊示子姪輩云」은 모두 110수의 연작시이다. 이 시는 음력 12월 초에 곡운에 들어와 이듬해 봄이 될 때까지 지어진 시로, 창작 기간은 2개월 남짓으로 추정할 수 있다. 평균적으로 하루에 한편 이상의 시를 지은 셈이다.

---

133) 연작시로 지어진 시들의 제목은「谷雲秋懷 次文谷韻」(8수),「谷雲諸詠 次晦翁雲谷韻」(8수),「精舍初成 適逢重陽 菊花正開 以採菊東籬下 悠然見南山 分韻書懷 寄退憂文谷」(10수),「石室盆梅 蓓蕾正姸 病臥曉起 偶記退溪梅花間答詩 遂效其體戲賦」(8수),「臘月初七日 還華陰 口占七絶 寫境書懷 不覺其多 意或重複 辭亦鄙俚 只爲消遣之資 不可與不知者道 聊示子姪輩云」(110수),「閏三月初八日 還華陰 留四十二日 逐日所接所懷 山中景色 無不形諸楮毫 此不足爲詩 而皆是實跡 聊爲破閑之資 以自觀焉」(98수),「七月晦日 還華陰」(40수),「八月十八日 入華陰 以村廬癘疫 不得仍留 留二日還京 又以婢僕疑疾 九月十六 出寓渼陰村墅 卄九 又移石室 獨處松栢堂 女兒輩寓奴家 數月之間 遷次靡定 栖遑無聊 口占絶句 所遭所懷 率意輒書 以資消遣 皆實跡也 觀者不以詩看可也 然又不可與不知者道也」(25수),「十月望日 又移栗北」(40수),「山居記事述懷 示三洲家姪」(15수),「華陰索居 書懷示兒輩」(31수) 등이다.

또, 시의 제목은 대부분이 시를 지을 당시의 상황을 자세하고 장황하게 설명하고 있고, 의고체의 제목은 어디서도 보이지 않는다. 이는 당시의 17세기 당시풍의 시풍과는 거리가 먼 특징으로 삼을 수 있다.

『곡운집』은 시의 편재가 시기순으로 이루어졌는데, 이들 연작시는 권 1의 전반부에서는 연작된 편수가 많지 않고 후반부부터 그 편수가 많은 양으로 늘어나고 있다. 이렇게 변화한 연대를 따져보면 1690년 이후이다. 즉 기사환국(1689년) 이후, 그가 중앙 정계에서 완전히 발을 끊은 시기부터라는 것을 알 수 있다.

이상에서 김수증은 연작시를 주로 썼으며, 시 형태로는 7언절구와 5언율시를 선호한 것을 알 수 있다. 또 곡운에 머물러 있는 동안의 기록이 연작시의 주된 내용이 되었고 이 시기는 1690년 이후이다. 김수증의 연작시는 시의 기능뿐만 아니라 그날 그날을 기록하는 기능 또한 수행하고 있다. 그러기 위해서 5언절구는 호흡이 너무 짧고, 그 반대로 7언율시, 5언배율, 7언배율 등은 호흡이 길어 시의 형식으로는 적합하지 않았을 것이다. 그런데 비하여 7언 절구는 일상생활을 읊는데 있어서 호흡의 길이상 가장 적합했을 것이다. 이후, 노경에 이르러서는 느끼는 바가 자연스레 많아지면서 7언절구보다 조금 더 긴 형태인 5언 율시를 택했던 것이다.

한시에서 연작시의 기원은 당나라 때의 시인인 전기(錢起)의 「江行絶句」를 들 수 있을 것이다. 그 후에는 하나의 주제 아래 많은 수의 시를 짓는 시인이 많았다. 범성대(范成大)의 「田家詩」 40수는 7언절구로 특색을 발휘했다. 다채로운 제재와 감상을 연작시의 형태로 표현하는 관습은 송대 시인에게서 쉽게 발견되며 특히 염락풍(濂洛風)의 시는 잡영(雜詠)이 많다.

우리나라의 경우, 조선 초에 김시습은 7언의 「山居絶句」 100수를 지은 바가 있다. 이 연작시는 집구시(集句詩)로써, 주로 산 속에 살고 있는 한적한 분위기를 묘사하는 데 힘쓰고 있다. 그 뒤 김시습의 연작시에 영향을 받아 박상(朴祥)이 「山居絶句」 100수를 지었다. 이 연작시는 성정을 음영(吟詠)하여 산 속에 은거하는 즐거움을 염락풍으로 읊고 있다. 그리고 그 후에도 성리학자들의 시에는 절구의 연작시가 많이 창작되고 있다. 김수증의 일련의 연작시도 형태뿐만이 아니라 내용과 정서도 일정한 관련을 맺고 있어, 전술한 바와 같은 앞선 시대의 전통을 잇고 있다 하겠다.

김수증의 일련의 연작시는 후대에 김창흡의 「葛驛雜詠」의 출현에도 일정한 영향을 미쳤다. 또 김창흡이 이와 같이 방대한 분량의 잡영을 지은 뒤로도 최성대, 홍신유, 이언진, 박제가, 유경종, 조수삼 등의 18세기 작가들이 연작 절구시를 많이 짓고 있다.

요컨대, 이러한 연작시는 하나의 주제로 단일화시킬 수 없는 복잡한 현실의 문제나 사고 등을 다방면에서 고찰할 수 있는 장점을 가지고 있다. 김수증과 그의 뒤를 이은 김창흡은 그들의 일상에서의 체험과 다양한 사고를 연작시라는 형식을 통해 표현하려 했다. 이는 조선 후기 폭발적으로 제기되는 현실의 제반 문제와 철학적 인식의 문제, 복잡한 사회와 사고를 표현하고자 했던 많은 시인들에게 직·간접적으로 영향을 미쳤으며, 이로 인해 다양한 주제의 연작시를 낳게 하였다.

이들 연작시 속에는 산골생활의 다양한 모습이 다양하게 형상화되었다. 다음의 시는 곡운에서의 생활을 읊은 것 중의 하나인 「松蕈」이다.

> 흰 이슬 서쪽 고갯마루에 내리고
> 옥 같은 지초는 소나무 뿌리에서 났구나
> 그윽한 곳에 있으며 추흥을 움직이게 하니
> 어찌 다만 반찬상을 장식할 뿐이겠는가.

白露下西嶺　　玉芝生松根
幽居動秋興　　豈但媚盤飱
(김수증, 『곡운집』 권 1, 「松蕈」)

'송심(松蕈)'은 송이버섯을 말한다. '흰 이슬(白露)'이 내린 것과 '추흥(秋興)'라는 시어를 통해 이 시가 가을날 새벽의 일을 그려내고 있다는 것을 알 수 있다. 새벽녘에 서쪽 산마루에 올라갔을 때, 귀한 송이버섯이 소나무 뿌리에 기대어 나 있는 것을 발견한다. 이 송이버섯이 '그윽한 곳에 있으면서(幽居)'도 보는 이로 하여금 추흥을 일으키게 했음을 말한다. 즉, 송이버섯을 보고 기뻐한 것은 송이버섯이 단지 반찬거리의 의미만이 아니라 추흥의 촉매 역할을 하고 있기 때문에 이를 대견스레 여긴 것이다.

한편 시에서 문맥상 '그윽한 곳에 있는' 주체는 '송이버섯'이지만, 이는 깊은 산 중에서 은거하고 있는 곡운 자신의 모습으로까지 유추할 수 있다. 그러나 이렇게 의미를 확장시켜도 이 시는 단순하게 일상사를 읊은 것에 불과할 뿐, 그 주제가 '은거'의 행위에 대한 가치 평가로까지 주제가 확장되지는 않는다. 즉, 송이버섯은 추흥을 일으키는 소재인 동시에 소박한 산골생활을 드러내는 제재로 사용되었다.

다음의 시는 「養蜂」이다.

> 벌집에도 성령이 있어
> 믿음직스럽게도 한 길로 통하네.
> 산 속 늙은이 정말로 사랑스러이 여겨
> 두 팔에 꽃가루 끈끈해도
> 가을이 되어 꿀 거둬들인 것 적으니,
> 차마 다 빼앗지 못해서라오.

> 蜂衙有性靈　　　信乎通一路
> 山翁正愛玩　　　兩股粘花絮
> 秋來收蜜少　　　未忍盡物取
> (김수증, 『곡운집』 권 1, 「養蜂」)

위의 시는 제목 그대로 '벌을 키우는 것'을 주제로 하였고, 벌이 그 주된 제재가 되었다. 벌집에 성령이 있다고 판단한 이유는 벌들이 한 길로 통하여 다니는 것을 보았기 때문이다. 이를 대견스럽게 여긴 것 자체는 다분히 성리학자적인 관물태도(觀物態度)라 하겠다. 그런데, 시는 여기서 그치지 않는다. 벌을 키우는 목적은 꿀을 수확하기 위해서이지만, 이 꿀벌들의 움직임을 믿음직하게 여겼기 때문에 차마 악착같이 꿀을 모두 거둬들일 수 없다. 이는 꿀벌의 움직임을 그 주된 제재로 사용하여 질서를 이루며 살아가는 모습을 시에서 예찬한 것이다. 따라서 유학자적인 세계인식을 드러낸 시라고 볼 수 있다. 그릇을 제재로 한 「陶盆」에서도 "마시거나 쪼아먹는 것은 마땅한 바를 따르는 것 / 한 개 그릇에도 이치가 있구나.(飮啄隨所宜 / 生理一陶器)"134)라고 하여 그릇 주둥이가 좁고 넓은 것에도 각각의 타고난 이치가 있다고 하였다. 즉 음식의 특성에 따라 담는 그릇의 모양이 제각기 다른 것처럼 사람의 출사도 역시 그러함을 그릇을 제재로 하여 보여주고 있다. 이는 세상에 나아가거나 들어오는 행위가 그 각각의 처지에 달린 것임을 이야기한 것이다.

이렇듯, 주변에서 흔히 대할 수 있는 것을 시의 제재로 사용하였다. 이러한 경우, 일상적이고 신변잡기적인 소재들은 그 생활 자체를 형용하기도 하며, 철학적 의취를 드러내는데 사용되었다.

다음 시는 「山籬帶白雲」이다.

산 옆 울타리 넘어가 고쳐야 하겠네.
비바람으로 올해 이미 성글어 졌다오.
종에게 수고로이 고치게 하지 마오.
흰 구름이 초가집 한 채를 길게 둘렀으니.

傍山籬落當儲胥　　風雨年來已作踈
不遣樵靑勤補綴　　白雲長繞一茅廬

---

134) 권 1, 「陶盆」.

(김수증, 『곡운집』 권 1, 「山籬帶白雲」)

　　이 시도 곡운의 풍경을 읊은 시로, 자연과 인간의 삶이 동화된 모습을 보여주고 있다. 일년 내내 온 비바람으로 산 옆의 울타리가 이미 성글어져 마땅히 고쳐야 하지만, 굳이 수고로이 고칠 필요가 없다고 한다. 그 이유는 흰 구름이 자신이 사는 자그마한 초가집을 이미 울타리처럼 두르고 있기 때문이다. 흰 구름이 낮게 깔려 은자의 집을 에워싸고 있다는 것은 그만큼 은자의 집이 깊은 곳에 있다는 것을 의미한다. 또, 그곳이 궁벽하기 때문에 굳이 새로 고칠 만큼 울타리가 필요 없다는 것을 의미하기도 한다. 즉, 작가는 사람들의 왕래가 거의 없는 곳에 살면서 자연과 동화되어 한가롭게 사는 삶을 표현한 것이다.

　　김수증은 자신이 곡운구곡에 들어와 사는 것에 대하여 "막다른 길에서 좋은 경계를 만나니 / 마음 한가운데에 기쁨과 슬픔이 교차한다(窮途遇佳境 / 中心欣慨交)[135]"라고 표현한 바 있다. 즉 좋은 경계를 마주했기 때문에 기쁜 것이고, 궁벽한 곳에 이르렀기 때문에 슬픈 것이다. 반면에 곡운을 떠나 있을 때에는 곡운구곡을 그리워한다.

　　다음의 시는 산골에서 나는 여러 먹거리를 소재로 한 시이다.

　　　이웃 스님 산나물 보내오고
　　　마을 사람들 개울에서 잡은 고기를 주네.
　　　기장을 짓는 부엌일 하는 종이 있고
　　　닭 잡으러 씩씩한 노비가 온다네.

---

135) 권 2, 「閏三月初八日 還華陰 留四十二日」 其 31.

음식 맛 또한 훌륭하구나.

한껏 배불러 더 이상 바랄 것이 없네.

저기 장안 저자거리를 바라보니

누가 전유를 사모하지 않나.

隣僧餉山蔬	里人致溪魚
炊黍有廚婢	殺鷄來莊奴
風味亦佳哉	一飽不願餘
瞻彼長安市	誰不慕羶腴

(김수증,『곡운집』권 2,「閏三月初八日 還華陰 留四十二日」其 8.)

'산나물(山蔬)', '민물고기(溪魚)', '기장(黍)', '닭(鷄)'으로 대표되는
소박한 시골 음식과 '전유(羶腴)'로 대표되는 서울 저자거리의 음식이
그 소재로 사용되었다.

1·2구와 3·4구에서는 시골의 담박한 음식과 그를 통해 느껴지는
시골 인심의 훈훈함을 서술하고 있다. 5·6구에서는 그러한 맛, 더 나
아가서는 담박한 삶에 만족을 느끼는 작가 자신의 생각이 드러나 있다.
7·8구에 나오는 '전유'는 비릿한 냄새가 나는 살찐 고깃덩어리로 부화
한 삶을 드러내는 시어이다. 장안의 저자거리에 있는 사람들은 산골의
담박한 맛을 알지 못하고 그저 비릿한 고깃덩어리만을 좋아한다고 한
것이다. 한편, 이 시에서 그가 함께 생활하고 있는 사람들은 스님136),

---

136) 이 시에서 말한 스님은 '홍눌(弘訥)'이다. 김수증은 여러 곳을 유람하면서 많은 승들
과 만났는데, 그 중에서도 홍눌은 화음동에 와서 반수암(伴睡菴)을 짓고 지냈던 인
물이다. 권 4,「華陰洞志」. 참조

마을 사람, 노비들이다.

산골과 서울에서 나는 산물을 대비시켜, 산골 생활의 담박한 모습을 부각시켰고 함께 생활하는 이들과의 교류를 서술함으로써, 산골에서 사는 자신의 처지에 만족하고 있음을 드러냈다.

김수증은 오랫동안 곡운에 머물면서 점차 그곳의 산수뿐만이 아니라 생활까지도 시의 대상으로 삼고 있다.

우물가에 구기자 있고
문 밖에는 당귀초 났네.
시냇가 북쪽 움집에는 지황을 심고
집 동쪽 울타리에 국화를 심었네.
다시금 화악산 인삼을 캐다가
이를 섬돌 근처에 모종하니
어찌 다만 즐겨 감상하려 해서인가?
아마도 쇠한 나를 북돋기 위해서라네.

井上有枸杞　　門外生當歸
種芐溪北窩　　種菊舍東籬
復採華山參　　蒔此階庭陲
豈但供佳玩　　庶幾扶吾衰

(김수증, 『곡운집』 권 2, 「閏三月初八日 還華陰」 其 63.)

위의 시는 자신의 집을 중심으로 하여 소박하게 밭을 가꾸는 모습이 잘 드러나 있다. '구기자(枸杞)', '당귀초(當歸)', '지황(芐)', '국화(菊)', '인삼(參)'이 시의 소재로 등장하였다. 1·2구와 3·4구에서는 이러한 소재를 나열하면서 각각 그 구마다 대구를 이루고 있다. 이를 통해 여러 식물을 그 심은 위치에 따라 명료하게 제시하고 있다.

이 소재들 중 특히 '국화'는 은자를 상징하는 꽃으로 널리 알려져 있다.137) 도연명의 "동쪽 울타리 아래서 국화를 따고는 / 유연히 남산을 바라본다(採菊東籬下 / 悠然見南山)"의 구절이 있은 후로부터 '동쪽 울타리(東籬)' 역시 은거하는 사람이 사는 공간을 관습적으로 상징한다. 국화꽃을 따고 무심코 남산을 바라보는 행간에 은자의 의미를 부여한다. 그러나, 김수증은 이를 '단지 감상을 위한 것'이 아니라, 자신의 건강을 북돋우기 위하여 심어 놓은 것이라고 했다. 즉, 고상한 은자의 모습이기보다는 산골에서 생활하고 있는 생활인의 모습을 표현한 것이다.

다음의 시에서는 시골 사람과 다름없는 자신의 소박한 생활 그 자체를 말하고 있다.

> 나그네 있어 반찬을 묻지만,
> 반찬은 다른 것이 없소.
> 깊은 골짜기에서 향기 좋은 버섯을 따고
> 가까운 산에서 고사리와 고비를 캐어
> 부드러운 나물 잎으로 밥을 싸니
> 그 맛 달기가 꿀과 같다오.
> 어찌 되었든 세상 사람

---

137) 윤호진, 『漢詩와 四季의 花木』, 교학사, 1997, pp. 203-5.

내 담박한 생활을 비웃네.

客有問盤飱　　　盤飱無他物
深谷摘香菌　　　近山採薇蕨
裹飯軟茱葉　　　其味甘如蜜
任他世上人　　　笑我淡生活

(김수증, 『곡운집』 권 2, 「閏三月初八日 還華陰」 其 86.)

　이 시에서도 '향기좋은 버섯(香菌)', '고사리(薇)', '고비(蕨)', '부드러운 나물 잎(軟茱葉)' 등의 산물을 소재로 사용하여 그 반찬의 소박함을 드러냈다. 특히 5구에서 '나물에 밥을 싸서 먹는(裹飯軟茱葉)' 행위는 그 시골 생활의 풋풋함을 직접적으로 표현했다. 또 6구에서 그 맛이 꿀처럼 달다 한 것으로 보아, 지금과 같은 생활에 만족하고 있음을 드러냈다. 7·8구에서는 세상 사람들이 자신의 담박한 생활을 비웃는다고 했다. 그러나 실제로 그의 담박한 생활을 비웃는 사람은 없을 것이며, 또한 비웃는다고 하여도 그는 자신의 생활을 고치지 않을 것이다. 따라서 이것은 자신의 소박한 생활에 대한 자기 만족과 위안으로 해석될 수 있다.

　다음의 시는 1699년 다시 화음동으로 들어가 지내면서 삼주(三洲)에 사는 조카 김창흡에게 보낸 시로, 15편의 연작시 중 일곱 번째 시이다.

　시골 사람들 내가 이른 것을 듣고

와서 시후를 묻고는

서로 마주하여 잡다한 말은 하지 않고

정답게 농사일 이야기하네.

큰 골짜기에서 난 배를 주니

상쾌한 입맛이 뱃속을 맑게 하네.

서울의 나그네

자주 번거롭게 추천장 구하는 것과 비교하지 말게

鄕人聞我至	爲來問暄涼
相對無雜言	款款話農桑
贈以大谷梨	爽口淸肺腸
不比洛中客	頻煩求薦章

(김수증, 『곡운집』 권 2, 「山居記事述懷 示三洲家姪」 其 7.)

위의 시도 역시 시골 농부들과 더불어 사는 삶의 즐거움을 나타냈다.

1·2구와 3·4구에서는 김수증이 화음동에 사는 시골 사람과 서로
만나 나누는 대화 내용을 서술하였다. 특히 '관관(款款)'은 한 가지 일에
대해 진지하게 열중하는 모습을 표현하는 의태어인데, 이로써 농사일에
관한 대화에 서로 관심을 기울이는 모습을 그려내고 있다. 5·6구에서
는, 시골 사람이 그 동안 큰 골짜기에서 수확한 '배'를 가져다 줘 맛을
보는 일이 서술된다. 이 때 작가는 그 '배'로 인해 입이 상쾌해지고 뱃속
이 맑아지는 것을 느낀다. 그러나 이것은 비단 '배' 때문만은 아니다.
이 구절의 이면에서는 시골 농부와 나눈 일상적이지만 진솔한 대화를
통해 정신과 육체가 모두 맑아졌음을 표현한 것이다. 이것은 7·8구에

서 말한 서울에서 만난 정객들이 '추천장(薦章)'을 구하는 것과 크게 대조된다. 그 '관관'하지 못한 태도를 못마땅히 여겼기 때문에 비교조차 하지 말라고 하였다.

한편, 자신이 몸소 산골의 일을 하며 지은 시들도 찾아볼 수 있다. 벌을 키우며 꿀을 거둬들이는 것을 읊은 시(「養蜂」), 닭을 기르며 쓴 시(「祝鷄」), 송이버섯을 캐며 지은 시(「松蕈」) 등이 그것이다.

이상에서 살펴 본 바와 같이 『곡운집』에 실린 시는 대부분 곡운구곡에서 지어진 것들이다. 이들 시에서는 속세를 벗어나 산속에서 사는 삶을 구가하였다. 김수증은 산속에서 주변 산수와 조화를 이루는 모습을 통해 은일에 대한 의지를 표현하였다. 이 때 산수는 작자의 은일한 삶을 구체화시키는 소재로 사용된다. 은일을 하며 산속의 삶을 표현하는 데에 주로 7언 절구나 5언 율시의 형식을 선호하였으며, 대체로 장편 연작시 형태를 띠고 있음도 살펴본 바와 같다.

2) 삶에 대한 자탄

『곡운집』에 실린 시는 단 한 수138)를 제외하고 모두 50대 후반에 지어진 것들이다. 따라서 시 곳곳에 노경에 이른 자신에 대한 탄식이 드러난다. 이러한 감정은 자신이 전대의 명성을 잇지 못했다는 자책과 함께, 자식과 조카들에 대한 권면의 의미로 전환된다.

---

138) 1653년에 지어진 시로, 권 1에 실린 「直廬獨坐 詠懷寄久之」이다.

다음의 시는 도성문을 들어서며 쓴 시로, 고적(高適)의 「除夜作」에
차운한 시이다.

쇠한 늙은이 뒤척이며 잠들기 어려워
오늘 밤 생각이 슬퍼지길 기다리지 않네.
온갖 일 아득하여 한 가지도 전념할 수 없으니
어찌 시름하며 흰 머리로 또 한 해를 보태리오.

衰翁耿耿自難眠　　不待今宵意愴然
萬事茫茫無一念　　豈愁霜髮又添年
(김수증, 『곡운집』 권 2, 「入城」 其 17.)

이 시는 섣달 그믐날 밤에 쓰여진 시로, 날이 새면 또 한 해가 더해지
는 것을 슬퍼한 시이다. 1구에서는 뒤척이며 잠을 이루지 못하는 노쇠
한 늙은이가 등장한다. 늙은이는 오늘밤이 지나면 또 한 살이 늘어날
것이며, 그로 인해 쓸쓸한 마음이 들 것이라는 것을 잘 알고 있다. 그래
서 2구에서, 날이 새는 것을 기다리지 않겠다고 한 것이다. 3구에서는
슬픈 생각이 들지 않기 위해 억지로라도 아무 생각도 하지 않는 모습이
그려지고 있다. 생각을 하면 시름겨워지고 그렇게 되면 지금도 '서릿발
같은 머리(霜髮)'가 더욱 희게 될 것이기 때문이다.

사그라지는 등불 한 점은 홀로 잠든 이를 비추고
아침 늦게 추운 방에서 일어나 앉은 자리 쓸쓸하구나.

궁벽한 마을은 적막하고 사람들 자취마저 끊겨
내일이면 새해인 줄도 모르겠네.

殘燈一點照孤眠　　晏起寒房坐悄然
窮巷寂寥人跡斷　　不知明日是新年
(김수증, 『곡운집』권 2,「入城」其 18.)

위의 시는 그 두 번째 시로, 1구에서는 그 소재로 '등(燈)'과 '잠(眠)'
이 쓰였다. 등은 잠든 사람을 비추고 있는데, 그 모양이 '사그라질(殘)'
듯하여 노경의 시인을 의미하기도 한다. 2구에서는 늦은 아침에 추운
방에 일어나 앉는 모습을 보이는데, 앞의 시와 마찬가지로 그 심사는
쓸쓸할 따름이다. 한편, 3구와 4구에는 시인의 심사가 쓸쓸한 이유가
드러나게 된다. 한 해가 더해지는 것 이외에도, 자신이 처한 곳이 너무
궁벽하기 때문에 내일이 새해인지조차 모를 것이기 때문이다.
　이러한 시상의 전개는 고적의 작품과 약간의 차이가 있다.

　객관에는 찬 등불 켜 있고 홀로 잠들지 못하니
나그네의 마음 무슨 일로 쓸쓸한가.
고향에선 오늘 밤 천 리의 나를 생각할 텐데……
흰 머리로 내일 아침이면 또 한 해로구나.

旅館寒燈獨不眠　　客心何事轉凄然
故鄉今夜思千里　　霜鬢明朝又一年

(高適, 「除夜作」)

위의 시도 1구에서 '등'과 '잠'을 소재로 사용하였다. 등불이 차가운 것 역시 시인의 고독감을 더해준다. 2구에서는 시인의 처지가 '나그네'라는 것이 밝혀지고, 이어 3구에 들어서면서 시인의 쓸쓸한 심정의 원인이 그가 고향에서 멀리 떨어져 있는 나그네이기 때문임이 밝혀진다. 노경에 이른 시인이 객지에서 새해를 고통스럽게 맞이하는 모습이 객창감과 함께 잘 드러난다.

고적의 「제야작」과 김수증의 작품은 모두 노경에 새해를 맞는 쓸쓸한 심사를 작품으로 형상화 한 것에서는 유사점 찾을 수 있다. 그런데, 고적의 작품이 객창감과 고향에 대한 그리움이 주된 정조를 이뤘다면, 김수증의 작품은 궁벽한 곳에 외로이 살고 있는 자신에 대한 연민이 주된 정조라 하겠다.

먼지 쌓인 책은 퇴색하여 오래도록 보지 않았고
옛 학문 새로운 지식 모두 내 것이 아니네.
눈은 침침해지고 머리는 눈 같으니
이 내 생애 늙고 병든 탄식을 견디네.

塵編寥落久無窺　　舊學新知摠已非
眼著昏花頭似雪　　此生堪歎老而衰
(김수증, 『곡운집』권 1, 「臘月初七日 還華陰」其 35.)

이 시에서도 역시 노년에 이른 시인의 자탄이 시의 주제가 된다. 1구에서 오랫동안 보지 않아 먼지가 쌓인 책이 제시된다. 2구에서는 이렇게 책에 먼지가 쌓이도록 보지 않은 이유가 드러난다. 새로운 지식이나 예부터 내려오던 학문이 모두 자신과는 관계없는 것으로 느껴졌기 때문이다. 3구에는 늙고 병든 시인의 모습이 묘사된다. '혼화(昏花)'는 눈에 보이는 것이 희미해지는 것을 말한다. 즉, 옛 학문이나 새로운 지식이 아무리 훌륭하다고 할지라도 자신의 눈이 어두워져 이 모든 것을 제대로 탐구할 수 없는 경지에 이른 것이다. 따라서 보고 읽을 수 없는 책은 시인 자신에게 아무런 도움도 되지 못하기 때문에 자신의 것이 아니라고 한 것이다.

> 소년 때는 바람이 많아 괴로웠고
> 늙어서는 하나도 가능한 것이 없다네.
> 연하고질의 흥은 이미 막혔고
> 저술의 공 또한 무너졌네.
> 모든 인연을 끊은 것만 같지 못하니,
> 정신을 모으고 고요히 앉네.

> 少年苦多願　　　老來無一可
> 烟霞興已闌　　　簡策功亦墮
> 不如謝諸緣　　　凝神且靜坐
> (김수증, 『곡운집』 권 1, 「靜坐」.)

위의 시는 이렇게 늘그막에 이를 때까지 아무 것도 이룬 것이 없음을 탄식하고 있다. 1구와 2구는 글자마다 대구로 이루어져, 소년 때의 모습과 노년이 된 지금의 모습을 극명하게 대조시켜 나타내고 있다. 3구와 4구도 역시 대구로 이루어져 있다. 3구에서는 은거를 택하였던 자신의 삶에 대한 후회이다. 즉, 처음에 연하의 아름다움을 좋아하여 자신이 선택했던 은거가 지금은 이미 노쇠하여 흥이 다해버렸음을 이야기하고 있다. 이어서 4구에서는 학문의 공 마저 무너졌음을 말하여, 2구에서 말한 '하나도 가능한 것이 없는(無一可)'의 상태를 말하고 있다. 5구와 6구에서는 이러한 모든 것에 대한 후회를 하는 대신 고요히 앉아 자신의 삶을 반성하는 절제된 모습을 보이고 있다.

한편, 다음의 시에서는 자기 반성이 또 다른 양상으로 표출되고 있다.

주희 선생의 백편 책

늦도록 한번 훑어 보고자 하나

어찌 그 뜻을 만날 수 있으랴

결국에는 그 말을 얻지 못했네

늙어지면 연구하기는 어렵고

다만 궁벽한 시골집의 슬픔이 있네.

아! 후생들아

나를 경계삼아 나와 반대로 하려무나.

晦翁百篇書　　　晚欲一斑窺

何能會其旨　　　終未得其辭

耄矣研究難　　　　徒有窮廬悲

嗟爾後生輩　　　　戒我反我爲

(김수증, 『곡운집』 권 2, 「華陰索居 書懷示兒輩」 其 30.)

　　이 시에서도 늙어 더 이상 이치를 탐구할 수 없는 처지에 이른 자탄이 드러난다. 그러나 결구에 이르러 자신의 삶에 대한 반성은 곧이어 후생들에 대한 권면으로 이루어진다. 이러한 특성이 나타난 까닭은 이 시의 제목 자체에서 알 수 있듯이 그는 그의 시에서 아들과 조카들을 독자층으로 뚜렷하게 인식하고 있기 때문이다.

　　이상에서 살펴본 바와 같이 김수증의 시는 대부분이 노년에 지어졌기 때문에 노경에 이른 자탄과 자기 반성이 주된 정조 중의 하나로 나타난다. 이는 은거 생활을 했던 특수한 경험과 맞물려 고독감을 한층 더하게 된다. 그러나 이러한 고독감과 자탄은 자기 반성과 후생에 대한 권면으로까지 승화된다. 산수는 고요히 자신의 삶을 반성하는 계기를 제공한다.

3) 주자학적 이상향 추구

　　김수증이 구곡을 경영하며 은거생활을 했던 것에는 주자의 무이정사 경영에 연원을 두고 있을 뿐만 아니라, 소옹(邵雍)의 음양소식관(陰陽消息觀)에 깊은 영향을 받았다.139) 흥미로운 사실은 시를 통해서는 주자에 대한 직접적인 숭모를 나타내고 있으나 소옹에 대한 언급은 찾아보기 힘들다는 점이다. 그럼에도 불구하고 김수증이 소옹과 밀접한 연관성을 보인다고 판단한 첫 번째 이유는 삼일정(三一亭)을 비롯하여 그 주변 경물을 명명하는 과정에서 소옹의 사상이 드러나기 때문이다. 두 번째 이유는 김수증이 만년에 곡운구곡에서 은거했던 삶은 소옹이 안락와(安樂窩)에서 은거했던 삶과 유사하기 때문이다.

김수증의 시는 주로 화음동에 머무르는 동안에 지어졌다. 따라서 자연이 그 주된 공간적 배경이 되고 있다. 뿐만 아니라 자연현상은 그의 시에 있어서 가장 많은 비중을 차지하는 소재가 된다.

다음의 시 역시 곡운의 경물을 읊은 시 중의 하나이다.

　　이 몸은 한가한 구름 같아

　　이 화악산 골짜기에 맡기었네.

　　재주를 감추거나 드러내는 것 또한 무슨 마음인가.

　　예부터 나 혼자만이 아니었네.

　　是身如閑雲　　　　託此華山谷

　　卷舒亦何心　　　　自昔非余獨

　　(김수증, 『곡운집』 권 1, 「谷雲諸詠 次晦翁雲谷韻」 谷雲.)

이 시는 모두 8수의 연작시로, 제목에서 보이는 바와 같이 주자의

---

139) 유준영, "김수증의 은둔사상과 곡운구곡," 동아세아 은자들의 미의식과 곡운구곡, 한일미학연구회 국제심포지엄(1999). ; 졸고, "조선 후기 문학 작품에 형상화된 '북한강'," 한겨레어문연구 3집(2006). pp. 822-3.

「雲谷二十六詠」에서 운자(韻字)를 취하여 시를 지었다. 「조운기(釣雲磯)」는 「석지(石池)」를, 「탕운곡(盪雲谷)」은 「산영(山楹)」을, 「열운대(悅雲臺)」는 「서뇨(西寮)」를, 「청은대(淸隱臺)」는 「회선(懷仙)」을, 「융의당(隆義堂)」은 「죽오(竹塢)」를, 「와운암(臥雲菴)」은 「태궤(漆圓)」를, 「폐운촌(吠雲村)」은 「중계(中溪)」를 각각 차운하였다.140) 김수증의 이 8수의 연작시는 모두 '구름'을 주된 소재로 사용하고 있다. 그 중 이 시는 첫 번째 시로 '곡운'을 읊었으며, 「운곡이십육영」 중에서 첫 번째 시인 「운곡(雲谷)」141)에서 차운하여 지었다. 김수증이 주자의 영향을 받았고, 또 '곡운'이라는 이름 자체가 주희의 '운곡'에서 비롯한 것이라는 종래의 설은 이 시의 제목을 보더라도 확인할 수 있다.

이 시에서는 골짜기에 들어와 사는 자신과 '한가로이 떠 다니는 구름〔閑雲〕'을 동일시하고 있다. '구름'은 골짜기에 깃들어 있으면서 '말았다 폈다(卷舒)'하며 그 모양을 바꾼다. 그러나 구름이 이렇게 모양을 바꾸는 것은 의도하는 바가 있기 때문이 아니라, 하늘의 운행에 따른 것일 따름이다. 즉, 자신을 구름에 비유하여 자신이 그 재주를 감추어 은거한 것은 천리에 따르는 행동이라는 것을 이야기하고 있다.

이 시는 문집의 편제 상으로 보면 1676년과 1677년 사이에 지어진 시로 파악된다. 이 시기는 갑인예송(1674년)의 여파로 김수항과 김수흥이 유배를 갔으며, 김수증 자신도 성천 부사 직을 버리고 곡운에 은거하던 시기이다. 한편, 마지막 구에서 자신처럼 재주를 감추어 숨은 이는

---

140) 주자, 『朱子大全』, 보경문화사, 1984. pp. 123-4.
141) "서늘한 구름은 사계절 때가 없이 / 이 산 골짜기에 질펀히 흩어졌네. / 유유히 타고 가는 안개비 모습은 / 그윽한 데 혼자 사는 이에게 잘 보이는 것 어찌 꺼리리오.(寒雲無四時 / 散漫此山谷 / 幸乏霖雨姿 / 何妨媚幽獨)". 같은 곳.

비단 혼자만이 아니라고 하였다. 이는 주자가 은거했던 일을 염두에
둔 말로, 유배되어 있는 두 동생들을 위로한 뜻으로 해석된다. 구름이
하늘의 운행에 따라 그 모양을 바꾸어 순행하는 것처럼 자신도 역시
하늘의 이치에 따르고 있음을 이야기한 것이다.

우선, 그의 시에서 자연은 조화로운 삶의 공간으로 제시된다. 다음의
시는 그가 1697년 봄에 화음동에 머물며 쓴 시이다.

> 진달래꽃 피었다 또 떨어졌는데
> 철쭉 산골짜기에 두루 퍼져있네.
> 꽃들의 일 차례가 있어
> 은자의 집을 꾸미네.
> 화음동의 숲은 또한 좋아할 만 하고
> 새로 돋아난 잎 맑기가 닦아낸 듯
> 홀로 감상하고 홀로 읊조리며
> 배회하다 보니 날 저물 때 되었네.

> 杜鵑開又落　　　躑躅徧澗谷
> 花事有次第　　　粧點幽人屋
> 華林亦可佳　　　嫩葉淨如拭
> 獨賞還獨吟　　　徘徊到日夕
> (김수증, 『곡운집』 권 2, 「閏三月初八日 還華陰」 其 10.)

위의 시에서 자연은 '차례(次第)'에 따라 순행하는 모습으로 그려진

다. '진달래꽃(杜鵑)'과 '철쭉(躑躅)'은 두 가지 모두 봄에 피어나고 그 생김새도 비슷한 꽃이다. 그러나 그 꽃들이 피고 지는 데에는 일정한 순서가 있다. 이렇듯 자연의 한 일부인 '진달래꽃'과 '철쭉'은 다만 각기 자신에게 맞는 때에 피었을 뿐이지만, 결국에는 서로 조화를 이루게 되었다. 이렇게 시기에 맞게 꽃이 피어나는 공간에 '은자가 사는 집(幽人屋)'을 배치시켜, 꽃과 자기 삶의 조화를 꾀하였다. 이는 자신도 그 조화로움 속에 함께 어우러져 살고자 하는 마음의 표현이다. 그렇기 때문에 하루 종일 날이 저무는 것도 깨닫지 못하고 꽃들을 감상하며 읊조린 것이다. '맑기가 닦아낸 듯하다(淨如拭)'는 표현은 '닦는다(拭)'는 단어를 통해 작가의 구도적인 태도를 표현하고 있다. 한편, 7구에서 '독(獨)'자가 한 구에 두 번 거듭 사용되었다. 이는 음영의 행위가 남과 더불어 행해지지 않고 홀로 이루어진다는 모습을 강조한 것으로 보인다. 그런데 이것은 고독한 감정이기보다는 차라리 한적한 모습으로 묘사되어 있다.

시간에 따른 자연의 순행 그 자체에도 만족감을 느끼지만, 이것이 인간의 삶과 조화를 이루었기 때문에 더 큰 의미를 지니는 것이다. 그래서 시인은 홀로 이것들을 감상하며 읊조리지만 외롭지 않은 것이다.

다음의 시는 1676년 가을에 곡운에 있으면서 느낀 바를 쓴 시로, 동생인 문곡 김수항의 시에 차운하였다. 모두 8편의 연작시로, 이 시는 그 중 첫 번째 수이다.

흰 머리로 늙고 병들어 두 귀밑머리 서늘하구나.
늙어가니 아름다운 시절을 맞보기 어렵네.

속세와의 인연 겨우 벗고 길이 갈 것을 생각하며

초가집의 마룻대 처음 얽으니 쉽고 편한 곳을 찾았네.

세상에 처하여 차라리 조악한 나무로 살지언정[142]

거문고 타며 다시금 의란조 연주하지는 않으리라.

구름 낀 산이 눈에 가득하니 모두 나의 즐거움

비참한 가을에 신맛 보게 하지 말게나.

白首龍鍾兩鬢寒	駐年難試九華丹
塵機纔脫思長往	茅棟初成審易安
處世寧能栖惡木	鼓琴無復奏猗蘭
雲山滿目皆吾樂	莫遣悲秋一味酸

(김수증, 『곡운집』 권 1, 「谷雲秋懷 次文谷韻」 其 1.)

위의 시는 1~6구가 각기 대구를 이루고 있다. 1 · 2구에서 '백수(白首)'와 '주년(駐年)'이 각기 '노경'과 '늙어가는 동안'을 시절을 의미하고 있으며, '두 귀밑머리가 서늘한' 것과 '궁실이 화려한' 것 역시 대구를 이루고 있다. 3 · 4구에서 '진기(塵機)'는 속세의 인연을 말하며, '모동(茅棟)'은 탈속의 상태를 의미한다. 또 '재(纔)'와 '초(初)', '탈(脫)'과 '성(成)', '사(思)'와 '심(審)', '장주(長往)'와 '이안(易安)'이 각각 대구를 이루면서 속세를 벗어나는 과정을 서술하였다. 5 · 6구에서는 '녕(寧)'자와 '무(無)'자의 대구를 사용하여 탈속의 의지를 극명하게 드러냈다. 즉, '쉽고 편하다면(易安)' 조악한 나무로 살아갈 것이며, 의란조

---

142) 『莊子』, 山木 第 20.

를 연주하지는 않을 것이라 했다.

한편, 6구에 나오는 '의란(猗蘭)'은 원래 난초의 일종인데, 거문고 곡조의 이름으로 사용된다. 일명 '유란조(幽蘭操)'라고도 하는 이 곡조는 공자가 노나라로 돌아올 때 향기로운 난초를 보고 지은 것이다. 공자가 여러 제후를 만나 보았으나 벼슬을 맡지 못하여 노나라로 돌아오던 때의 이야기이다. 숨은 골짜기 사이에 향기로운 난초가 홀로 무성한 것을 보고 탄식하여 말하기를, "난초는 마땅히 왕의 향기가 되어야 하거늘 지금 이에 홀로 무성하여 여러 풀들과 뒤섞였구나! 현자가 때를 만나지 못한 것과 비슷하구나(蘭當爲王者香 今乃獨茂 與衆草爲伍 譬猶賢者 不逢時)"라 했다. 그리고 마차를 멈추고서 거문고를 꺼내어 타며 자기가 때를 만나지 못한 것을 슬퍼하며 이 향기로운 난초에 마음을 의탁하였다고 한다. 때문에 이렇게 보면 의란조는 벼슬을 얻지 못한 자의 탄식과 구관의 바람을 뜻한다고 보아야 할 것이다.

이 시에서 김수증은 의란조를 연주하지 않겠다고 하면서, 오히려 구름 낀 산을 바라보는 것이 자신의 즐거움이라고 한다. 이 시가 지어질 당시, 김수항은 갑인예송의 여파로 원주에 유배되어 있었고, 김수증도 성천부사직을 버리고 곡운에 들어와 지내고 있는 상태였다. 따라서 이 시는 다시 속세로 나아가 벼슬을 구하지 않겠다는 의지를 보인 것이다.

다음은 「華陰洞志」의 일부분이다.

(가) 총계봉(叢桂峯) 아래 물가에 바위가 있는데 요엄유정(聊俺留亭)과 서로 짝을 지어 작은 정자를 세울 만하였다. 그러나, 바위의 앞은 넓으나 뒤가 좁아서 네 기둥은 안 되겠기에 마침내 기둥 셋을 두어 짧은

들보에 맞추어 달았고, 들보의 세 면에 서까래 셋을 꿰어 맞춰 세 마룻대가 만나는 데 얹었다. 들보 뿌리에는 태극도(太極圖)를 그리고 8쾌를 늘어 놓았다. 서까래 셋에는 음영, 강유, 인의라는 글자를 나누어 적었으니, 글자는 팔분체(八分體)로 하였다. 세 마룻대에는 통하여 64쾌를 그렸다. 세 기둥은 각각 여덟 면을 만들어 무릇 스물 네 면이니, 24절기를 두고 또 12벽쾌를 배치하였으며, 다시 12율과 12지를 적고 마침내 이름하여 삼일정이라 하였다.

(나) 또 커다란 바위가 있는데 높이 몇 장으로 냇가에 우뚝 섰다. 그 꼭대기에 기대어 긴 다리를 지어 놓으니, 시냇가 골짜기에 가로 걸려 길이는 수십 척 남짓이요 높이는 몇 장이 더 된다. 마침내 백원옹(百原翁)의 말을 취해 이름하여 한래왕교(閒來往橋)라 하고, 그 바위는 월굴(月屈)이라 했다. 다리 건너 북쪽으로 또 큼직한 바위가 있어 천근석(天根石)이라 이름 붙였다. 천근석으로부터 인문석(人文石)을 밟아 수십 걸음이면 삼일정에 이르고, 다시 삼일정으로부터 다시 몇 장 사이에 방 세 간을 두어 명명하여 무명와라 하였으며, 동쪽 한 간에는 단사(丹砂)를 더해 제갈무후의 화상을 베풀고 또 김시습의 진상을 두어 편액하여 유지당이라 하였다.[143]

---

143) (가) "峯下水邊有巖, 與聊淹留亭相對, 可作小亭. 而巖面前廣後狹, 不容四柱, 遂排三柱, 中懸短梁, 梁之三面, 挿三衝椽, 加於三棟之交. 梁根畵太極圖, 旁列八卦. 三衝椽, 分書陰陽剛柔仁義字, 字作八分. 三棟通畵六十四卦. 三柱各作八面, 凡二十四面, 排作二十四節氣, 又排十二辟卦, 又書十二律十二支, 遂名之曰三一亭."

(나) "又有大巖, 高可數丈, 突立溪邊, 據其頂作長橋, 橫過溪壑, 長可數十餘尺, 高過數丈. 遂取百原翁語, 名曰閒來往橋, 名其巖曰月窟. 渡橋而北, 亦有巨石, 名之曰天根. 自天根石, 踏人文石數十步, 至三一亭, 又自三一亭, 稍上尋丈之間, 置屋三間, 命之曰無名窩, 東偏一間, 加丹雘, 設諸葛武侯畵像, 又置梅月堂眞簇, 扁曰有知堂."

김수증은 화음동을 경영하며 화음동 주변의 곳곳마다 이름을 붙이고 그 이유를 설명해 놓았다. (가)에서는 '삼일정'을 세우게 된 연유와 삼일정의 구성에 대하여 설명하였다. (나)에서는 삼일정 – 무명와 – 유지당의 세 건축물과 천근석 – 월굴암 – 한래왕교의 주변 경물을 소개하였다.

(가)에서는 바위의 천연적인 생김새가 기둥을 세 개밖에 놓을 수 없는 형상임을 전제하여 기둥을 세 개만 둔 것이 특별한 의도에 의한 것이 아님을 나타냈다. 이렇게 놓이게 된 세 서까래에 '음양', '강유', '인의' 세 단어를 나누어 적었다고 한다. 주렴계의 「태극도설」에 따르면, 하늘의 도를 세운 것이 음과 양이요, 땅의 도를 세운 것이 강과 유요, 사람의 도를 세운 것이 인과 의라 하였다. 따라서 세 개의 기둥은 각각 하늘, 땅, 사람의 삼재(三才)를 하나(一理)의 도로 세운 것을 의미한다. 그래서 이름을 '삼일(三一)'이라 명하게 된 것이다.

(나)에서는 소옹과의 관련성이 구체적으로 제시된다. 백원(百原)은 지명으로, 지금의 하남성 휘현(輝縣) 서북을 칭한다. 소옹이 일찍이 은거했던 곳이므로 백원옹은 소옹을 가리킨다. 무명와의 '무명'이라는 명칭은 소옹이 안락와에 지내면서 「無名公傳」을 지은 데에서 연유한 것으로 파악된다.

또, 제갈무후의 화상을 둔 것은 주자의 행적을 떠올리게 한다. 주자는 순희(淳熙) 5년(1178)에 남강군(南江郡) 지사(知事)로 임명되고 이듬해 부임하였는데, 이때 여산(廬山) 주변에 있는 선현들의 유적지를

(권 3, 「華陰洞志」)

찾아 사당을 짓거나 수리하고, 참배한 다음 시를 남겼다. 이때 서간(西澗) 서쪽의 와룡암(臥龍菴)에 있는 무후사(武侯祠)도 찾은 바 있다. 이 때 지은 시가 「臥龍菴武侯祠」이다.

김수증은 소옹의 「관물음」에 제7구 "天根月窟閒來往"을 따와 삼일정 주변의 큰 바위에는 '천근'·'월굴'이라는 이름을, 월굴암에 이르는 작은 다리에는 '한래왕교'라는 이름을 붙였다. 소옹의 '천근월굴설'에 따르면, 천근은 양의 기운이 생겨나는 곳이고, 월굴은 음의 기운이 생겨나는 곳이다. 소옹의 이 설은 1년 24절기의 변화와 음양 두 기운의 소멸과 생장 관계를 설명하는 것으로, 천근과 월굴은 각각 동지와 하지 무렵을 나타내기도 한다. 결국 소강절의 '천근월굴'은 음양이 한데 어우러짐을 의미한다. 소옹의 음양소식관에 경도되어 있던 김수증 또한 계곡 앞 양쪽 바위를 각각 '천근석', '월굴암'이라 이름 하여 자신의 거처에 음양 조화의 바람을 덧붙였다.

김수증은 이 곡운정사 안에 여러 개의 당을 만들었는데, 그 중의 하나가 유지당이다. 김수증은 김시습이 지내던 터를 보고는 제갈무후와 김시습의 진상을 두고자 하였다. 이 말을 송시열이 듣고는 찬성하여 「谷雲精舍記」를 보내주었고, 김수증은 한 칸 당을 만들고 거기에 제갈무후와 김시습의 진상을 베껴다 걸어 놓는다. 유지당은 이미 곡운정사를 만들던 당시인 1670년 무렵에 건립되었으나 「有知堂記」는 1683년에 기록한다.

김수증은 「有知堂記」를 통해 당호(堂號)인 '유지'에 대한 전고를 다음과 같이 소개하고 있다.

무릇 회암(晦菴) 선생께서 담사(潭祠)를 적어 "뒤에 오는 사람이 오히려 이를 가지고 나의 뜻을 앎이 있으리라." 하시었고, 매월공(梅月公)은 "뒷날 반드시 쏙(역자 주 : 김시습의 법호임)을 아는 사람이 있으리라."144) 하시었다. 내가 감히 스스로 천 년 전 옛 사람을 안다고 할 수는 없겠으나, 세상에 이러한 뜻을 아는 사람이 없다 하지는 못할 것이다.145)

공자는 남들이 자신의 능력을 알아주지 않는다 하더라도 마음 졸이며 성 내지 않아야 군자라고 하였다. 그러나 이는 매우 역설적인 의미를 전제하고 있다. 즉, 누군가가 자신을 알아주기를 바라는 것 그 자체가 인간의 솔직한 본성이라는 것이다. 주자나 김시습은 당대에 자신의 의지가 받아들여지지 않는 상황에서 스스로의 마음으로 다스리는 심정으로 '유지'의 말을 남긴 것이다.

한편 유지당을 지으며 김수증은 김시습이 지은 글귀를 뽑아 손수 써 놓는다.

'온 나무에 서리가 맺히려 하니 중유(仲由)의 솜옷을 손질한다. 萬樹

---

144) 양양 군수 유자한이 김시습에게 벼슬을 권하자, 그는 자기의 넋을 떨어뜨려가며 세상을 살기보다는 조용히 소요하면서 일생을 보내는 편이 어떻겠느냐고 말하며 금오산(金鰲山)으로 들어가 『新話』를 지어 석실에 간직하면서 후세에 반드시 설잠(雪岑)을 알아줄 사람이 있으리라고 하였다(김시습, 『梅月堂集』 부록 권2 「贈吏曹判書淸簡公金時習」, p. 81 참고).

145) "蓋晦翁記潭祠而曰 後之來者 尙有以識余之意也. 梅月公有云 後世必有知岑者. 余不敢自謂知古人於千載之上 而世之知斯義者 不可謂無其人."(권 4, 「有知堂記」)

凝霜 脩仲由之縕袍'146)

이 글은 김시습이 양양 군수 유자한(柳自漢)에게 보내는 글 속에 있는 구절이다. 유자한이 김시습에게 세상으로 나와 벼슬할 것을 권하자 출사하지 않을 생각으로 위와 같이 답하였다.

『論語』「子罕」에서 공자는 "헤진 옷에 솜을 넣어 입고서 여우나 담비의 털옷을 입은 자와 함께 서 있어도 부끄러워하지 않을 자는 유(由)일 것이다.147)"라고 하였다. 주자는 이에 "자로(子路)의 뜻이 이와 같다면 빈부로써 그 마음을 움직이지 않고 도에 나갈 수 있었으므로 夫子께서 칭찬하신 것이다"148)라고 주를 달고 있다. 이 답변을 통해 김시습은 벼슬길에 나아가지 않고 자로의 청빈함을 닮고자 하는 뜻에서 이와 같이 말하였다. 이에 김수증은 이 구절을 인용하여 자신의 은일의 의지를 적극적으로 표명하고 있다. 동시에 '유지'라는 단어를 통해, 고인들과의 동질감을 형성하게 된다.

한편, 1693년에서 1694년 사이에 무명와에서 한가로이 마음을 가다듬으며 지내던 기록을 「無名窩記事」에 남기고 있는데, 여기서 김수증은 김시습을 제갈무후와 소옹에 빗대어 설명한다.

제갈무후께서 말씀하시기를, "군자의 행실은 고요함을 가지고 몸을 닦는다(君子之行, 靜以修身)." 하셨으니, 무후의 평생 사업이 모두 이러

---

146) 김시습, 『梅月堂文集』 권 21, 「上柳襄陽陳情書」.
147) 『論語』「子罕」. "衣敝縕袍, 與衣狐貉者立, 而不恥者, 其由也歟."
148) 『論語』「子罕」. "朱註 : 子路之志如此 則能不以貧富動其心 而可以進於道矣 故夫子稱之."

한 고요함을 좇는 가운데 흘러 나온 것이다. 소옹은 화로도 없이 부채도
없이 고요히 백원사(百原山) 가운데 앉았으니 내성외왕(內聖外王)149)
의 학문도 또한 근본하는 바가 있는 것이다. 우리 동방의 매월당에 이르
러서는 세상의 더러움을 피하여 미친 듯 떠돌자 그 당시 사람들이 손가
락질하며 방정맞다 하였어도, 작은 표주박에 물을 가득 담아 부처님 앞
에 꿇어 받들었다. 아침부터 저녁까지 3일이 되었기에 스님의 무리가
모두 놀라 복종하였으니, 마음이 고요히 안정되지 않고서야 능히 이와
같았겠는가.150)

김수증은 위 세 사람이 모두 고요하게 자신의 몸을 닦는 데에 힘썼음
을 말하고 있다. 이어 동중서의 '불규원(不窺園)'151) 고사와 한(漢)나
라 말엽의 은사(隱士)인 관저(管宁)의 '천목탑(穿木榻)'152) 고사를 들
어 행동거지에 절제가 있으며 꾸준히 한 가지 일에 정진해야만 군자의
풍모를 이룰 수 있다고 말한다. 이러한 측면에서는 김시습이 비록 불문
에 들어 부처 앞에 무릎을 꿇은 모습을 보였으나 그 본질은 중이 참선하

---

149) 속은 성인이고 겉은 국왕이란 뜻으로, 학술의 체용본말(體用本末)을 겸비함을 이
름.
150) "諸葛武侯有言曰 君子之行, 靜以修身 武侯平生事業, 皆從此靜中流出. 邵堯夫不爐
不扇, 靜坐百原山中, 則內聖外王之學, 亦有所本焉. 至於我東之梅月堂, 逃世染緇,
放狂自恣, 時人指以爲輕躁, 而盛水小瓢, 捧跪佛前. 自朝達夜, 至于三日, 僧徒驚服,
則心不靜定而能若是乎."(권 4, 「無名窩記事」.)
151) 『史記』「董仲舒傳」에 보인다. 동중서는 수업 때마다 방문 앞에 발을 드리웠기 때문
에, 제자들은 그의 얼굴을 보지 못했다. 삼년 동안 뜰 한 번 내다보지 않았을 정도로
정심했던 그의 학문하는 자세를 일컫는다.
152) 한(漢)나라 말엽의 은사인 관저는 50여 년을 항상 나무 걸상에 꿇어 앉아 공부했는
데, 그 걸상 위 무릎이 닿는 곳에 모두 구멍이 뚫렸다고 한다. 역시 학업에 정진하는
자세를 일컫는 말이다.

는 것이 아니라, 군자가 고요히 '수신'하는 자세를 보인 것이라 평한 것이다.

이상에서 살펴 본 바와 같이, 김수증은 곡운구곡에 머물며 주자학적 이상향을 실현하고자 하였다. 주자의 행적을 본받아 구곡을 경영하려 하였으며, 여기에 소옹의 상수학적인 질서를 부여하고자 하였다. 또, 절의를 지킨 은자의 표상으로 김시습을 형상화하여 스스로 유교적인 은일을 추구하고자 하였다. 산수 경물과 구조물에 이들의 뜻을 새기거나 명명함으로써 주자학적 이상향을 추구하고자 했던 뜻을 표명하였다.

Ⅳ. 김창협(金昌協)의 산수관과 문학 세계

1. 산수관

김창협은 스스로 산수간에 머물며 「동음대」, 「은구암기」 등의 기문을 지어 산수에 대한 자신의 생각을 피력한 바 있다. 그뿐만 아니라 당대에 문장으로 이름이 높았던 까닭에 다른 사람의 문집에 서발을 써 주는 경우가 빈번하였다. 그 중에서도 유람기에 대한 서발이 많은 비중을 차지하고 있다.

다음은 동생들 김창흡, 김창업, 김창즙에게 보낸 편지의 일부이다.

사람들 중에 간혹 풍악산의 경치를 별것 아니라고 깎아 내리는 경우는, 비단 미리 상상을 너무 지나치게 했거나 산수를 찾아다닌 경험이 많지 않기 때문임을 알게 되었네.153)

---

153) "以此知人或貶毀者 不惟想像太過 亦由經歷山水不多故耳."(김창협, 『농암집』권

이 편지에서 일단 산수에 대해 품평을 하기 위해서는 실제로 자주 산수를 찾아다녀야 한다고 하였다. 실상을 만나지 않고 미리 기대를 많이 할 경우, 실경의 모습과 어긋나 실망할 수 있기 때문이라고 하였다. 그래서 산수를 자주 유람하여 보편적인 산수의 맛을 알았을 때, 더 뛰어난 풍광을 발견하고 감탄할 수 있다고 보았다.

다음의 편지에서도 산수의 실경을 중시한 면모를 확인할 수 있다.

덕주사라는 곳은 월악의 높고 깊은 곳에 있어서 고요하고 한적하여 좋았네. 총평을 하자면 정말 명승지였는데, 이전에는 사람들이 거론하는 것을 들어본 적이 없으니, 이번 경험으로 세상에는 사람들에게 인정받지 못하는 좋은 산수들도 많으며, 명성으로 품격을 규정할 수 없다는 사실을 알았네.[154]

이 글은 1688년에 월악산을 유람하며 김창즙에게 쓴 편지의 일부분이다. 월악산의 덕주사가 고요하고 한적하여 명승지로 손꼽을만 한데, 사람들에게 유명하지 않은 것을 보며 산수를 품평하는 데에는 명성보다 실상을 중시하여야 함을 강조하였다.

그런데 산수의 실상을 중시한다 하더라도 외물에 얽매여서는 안 됨을 이야기하였다. 다음은 황규하에게 보낸 편지의 일부분이다.

---

11. 「與子益, 大有, 敬明(乙丑)」) Ⅳ장에서 인용한 문집은 별도의 언급이 없을 때 김창협의 『농암집』을 지칭하며 권수와 제목만 표기하기로 한다.

154) "所謂德周寺者 在一山高深處 幽靈可喜 摠之良爲勝處 而前此未見人稱道 以此知世間 好山水多不見知於人 而名稱聲譽 不足以定品格耳"(권 11, 「答敬明(戊辰)」)

유람(遊覽)의 유익함에 대해서는 소철(蘇轍), 마존(馬存)의 글 두 편에 자세히 나와 있네. 그러나 그것도 평소에 글을 읽고 학문을 하여 마음 속에 쌓인 것이 풍부해진 뒤에 외물을 보고 듣는 것이 내면을 감동시켜 발현시킬 수 있다는 말일 뿐이니, 어찌 마음 속은 공허하여 아무것도 없으면서 오로지 외물의 도움에만 의존한다는 뜻이겠는가.

인자(仁者)와 지자(智者)가 산수를 좋아하는 것도 이와 같네. 만약 평소에 이치를 궁구하고 마음을 보존하는 공부를 하지 않다가 갑자기 우뚝한 산의 정적인 모습과 흐르는 물의 동적인 모습을 보고 인(仁)과 지(智)의 취향을 끌어내려 한다면 어찌 어렵지 않겠는가. 그러나 이른바 '이치를 궁구하고 마음을 보존한다'는 것도 일상생활에서 글을 읽고 일에 대처하는 가운데에 있을 뿐이니, 고명의 편지에 말한 것처럼 고원(高遠)하여 미치기 어려운 것이 아니네. 이점도 고명이 더 생각해보기 바라네.155)

인자(仁者)와 지자(智者)가 산수를 좋아하는 이유는 그 속에서 '인(仁)과 지(智)의 취향'를 이끌어낼 수 있기 때문이다. 즉, 김창협은 산수를 통해 성정을 도야하고 기운을 북돋을 수 있다고 본 것이다. 이것은 전통적인 산수양기론에 바탕을 둔 견해이다. 그런데 여기서 주목할 만한 것은 무턱대고 산수에 나아가 유람을 한다 하더라도 그것이 그대로

---

155) "至於游覽之助 蘇子由, 馬子才二書 固已具道矣 此亦平日讀書爲學 積於中者已富 而耳目之接於外者 有以感觸助發耳 豈其中空虛無有 而專有資於外耶 仁智之樂 亦是如此 若無平日窮理存心之功 而驟觀於山水流峙動靜之狀 求以發仁智之趣 豈不遠哉 然所謂窮理存心者 亦只在於日用讀書應事之間 非高遠難及如來諭所云爾也 亦惟賢者加之意也." (「권 18, 答黃奎河(癸未)」)

성정을 도야하거나 기운을 북돋는 데에 도움이 되는 것은 아니라는 지적이다. 평소에 '이치를 궁구하고 마음을 보존'하려는 노력이 수반되었을 때 산수로부터 인(仁)·지(智) 등을 얻을 수 있다고 보았다. 물론 이치를 궁구하고 마음을 보존하려는 노력은 일상생활에서 글을 읽고 사물에 대응하는〔應事〕과정을 통해 이룰 수 있다. 이 과정을 도식화하면 다음과 같다.

다음은 유집중이 금강산을 유람한 기록을 적은 『명악록』에 써준 발문이다.

(가) 나는 일찍이 산수를 구경하는 것은 성현 군자를 뵙는 것과 같다는 생각이 들었다. 성현 군자를 보지 못했을 때에는 한 번만 만나 봤으면 하고 바라다가, 직접 만나 그 용모를 보고 그 말씀을 듣고서 그가 애모할 만한 사람이라는 것을 참으로 알게 되면 헤어지고 나서 생각할 때 세월이 흐를수록 더욱 잊지 못하여 다시 보고 싶은 마음이 애당초 보지 못했던 때보다 더 간절해지는 것이다.

(나) 그러나 성인을 잘 관찰하는 것은 옛사람도 어렵게 여겼던 것인데, 산수라 하여 어찌 다르겠는가. 처음 내가 이 산을 유람할 때는 한창

젊은 시절이라, 거친 마음으로 한갓 아름답고 진기하며 웅장하고 화려한 점만 좋아하여 오직 이곳저곳을 바쁘게 오르내리며 마음껏 널리 구경함으로써 만족하려 하였다. 그러니 한 곳에서 차분히 주위 경관을 둘러보고 여유롭게 음미하여 오묘한 도의 견지에서 관찰하고 정신으로 이해함으로써 성정을 도야하고 흉금을 넓히는 기회로 삼는 일은 거의 없었다. 이 어찌 산수를 제대로 구경했다 할 수 있겠는가. 나는 이 점이 실로 유감스럽다.156)

(가)에서는 산수를 유람하는 것을 성현이 군자를 뵙는 것에 비유하여 논지를 전개하고 있다. 처음에 산수에 대한 이야기를 들어 가보고 싶은 마음이 생기다가 실제로 산수 유람을 통해 산수를 접한 뒤에는 오히려 산수의 진면목에 눈을 뜨게 되어 더욱 산수에 대한 생각이 간절해진다고 하였다.

(나)에서는 전술한 바와 같이, 산수의 진면목을 파악하는 일이 쉽지 않음을 이야기하고 있다. 즉, 산수를 유람할 때 아름답고 기이한 겉모습에 현혹되어 이리저리 바쁘게 오르내려서는 산수가 주는 본래의 의미를 파악할 수 없다고 주장하였다. 주변 경관을 여유가 있게 음미하여 도를 관찰하고 정신으로 이해해야 성정을 도야하고 흉금을 넓힌다는 본래의 산수 유람의 목적을 달성할 수 있다고 하였다. 자신은 젊었을 때 금강산

---

156) "余嘗謂觀山水 如見聖賢君子 自其未見時 則唯得一面焉幸矣 及旣得見而望其容貌 聽其言論 而眞知其可愛慕 則去而思之 愈久愈不忘 而其欲復見也 乃甚於未見時 (중략) 然善觀聖賢 古人所難 山水獨異乎 始余之游是山 方少年粗心 徒悅其瑰奇宏麗之爲勝 而唯務凌獵登頓 縱覽博觀以爲快 若乃從容俯仰 紆餘游泳 察之以道妙 會之以精神 用以陶冶性靈而恢廓胸次 則殆無是矣 此何足與於山水之觀哉 余於是實有遺恨焉"(권25,「柳集仲溟嶽錄跋」)

에 다녀와 이런 감상법을 몰라 진면목을 파악하지 못했음을 아쉬워하였다.

다음은 유명건과 이몽상이 관동을 유람할 때 지은 시집의 서문에 있는 글이다.

시가(詩歌)의 오묘함은 산수와 상통한다. 청명하고 광활하며 드높고 무성한 것이 기이하고 아름다우며 그윽하고 장엄하여, 그 모습이 변화가 많고 그 경계가 끝이 없다. 그래서 멀리서 바라보면 정신이 흥분되고 가까이 다가서면 마음이 융화되는 것이니, 이는 산수의 뛰어난 점인데 시가(詩歌) 역시 그러하다. 이 때문에 이 두 가지가 만나면 정신과 기운이 서로 융합되고 경치에 따라 흥취가 촉발되는 것이니, 이는 진실로 일부러 그렇게 하려고 하지 않아도 그렇게 되는 것이다.

그러나 조화에는 완전한 공(功)이 사람의 재주는 불완전하기 때문에 세상의 산수가 다 뛰어나지는 못하고 사람도 시가의 오묘한 경지에 이르는 경우가 드물다. 그 때문에 평범한 경치에서 기발한 말을 찾으려 들면 도움을 받을 수가 없고, 비속한 가락으로 아름다운 경관을 묘사하려 들면 근사하게 묘사할 수가 없는 것이다. 이 두 가지 경우는 산수와 사람이 서로 저버리는 것인데, 사람이 산수를 저버리는 경우가 더 많다.157)

산수와 시문은 둘 다 변화가 많고 경계가 끝이 없는데, 이 두 가지가

---

157) "詩歌之妙 與山水相通 夫淸逈峻茂 奇麗幽壯 其爲態多變 其爲境難窮 望之而神聳 卽之而心融 此山水之勝也 而詩歌亦然 故二者相値 而精氣互注焉 景趣交發焉 是固有莫之然而然者矣 然造化無全功 人才有偏蔽 故宇內之爲山水者 不能皆勝 而人之於詩歌亦鮮造妙 是以踐常境而求奇雋之語則無助 操哇音而寫瑰麗之觀則未肯 是二者又交相負也 而人之負山水也顧多"(권 21, 「兪(命岳)李(夢相)二生東游詩序」)

만나면 정신과 기운이 함께 융합되어 조화로운 상태에 이르게 된다고 하였다. 그러나 시가가 산수의 아름다움만 못한 경우가 자주 있기 때문에 시를 짓는 자들은 시에 여러 수식을 덧붙여 시의 아름다운 시어를 기발하게 꾸미는 것을 경계하였다. 기박한 말을 찾으려 하거나 비속한 가락으로 경관을 묘사하려 든다면 오히려 산수를 저버리는 것이라 하였다.

다음 인용문에서는 산수를 감상하며 즐거움을 얻는 방법에 대해 제시하고 있다.

낮과 밤이 갈마듦에 따라 해와 달이 교대로 빛나고 사계절이 운행함에 따라 기후가 변화하여 초목이 번성하는 것은 눈을 가진 사람이면 누구나 볼 수 있는 것이다. 그런데도 세상의 현자와 일사들이 간혹 이것을 독점하여 자신들만의 즐거움으로 삼고 보통 사람들은 함께하지 못하는 것처럼 구는 것은 어째서인가? 권세와 이익이 외면에서 유혹하면 뜻이 분산되고 기호와 욕망이 내면에서 불타면 보고 듣는 것이 흐려지기 마련이다. 이와 같은 사람은 눈이 어지럽고 행동이 어수선하여 제 몸이 어디에 놓여 있는지도 알지 못하는데, 또 어느 겨를에 외물을 음미하여 그 즐거움을 맛보겠는가. 오직 몸은 영욕을 초월하고 마음은 작위의 밖에 노닐어, 텅 비어 밝고 고요하여 전일한 정신으로 이목에 가리어진 것이 없어야만 외물의 깊은 의미를 관찰하여 내 마음이 실로 천리와 합치될 수 있는 것이다. 이러한 즐거움이 어찌 보통 사람들이 함께 누릴 수 있는 것이겠는가. 그래서 귀거래사를 지은 도연명 정도가 되어야만 북창의 바람을 시원하게 느낄 수 있고, 격양가를 읊조린 소옹의 수준이

되어야만 낙양의 꽃을 볼 수 있었던 것이다. 이것이 우리 후곡(송규렴)
송선생이 제월당을 두게 된 까닭일 것이다.158)

주야가 서로 교차하여 해와 달이 교대로 빛을 발하는 하루 동안의
운행, 그리고 사계절의 순환에 따른 산천초목의 변화가 곧 하늘의 이치
이며 이 이치를 알아야 그 속에서 즐거움을 느낄 수 있다고 하였다.
보통 사람들이 산수에서 즐거움을 느낄 수 없는 이유는 첫째, '권세와
이익'에 현혹되면 자신의 마음 속에 있는 '지의'가 분산될 수 밖에 없기
때문이고 둘째, 하고자 하는 마음이 마음 속에 강렬하게 자리잡고 있으
면, 보고 듣는 바가 어두워져 실상을 파악하기 힘들기 때문이라고 하였
다. 즉 '권세와 이익'으로 대표되는 영욕에서 벗어나고, 마음이 사물과의
객관적인 거리를 유지해야만 사물의 깊은 이치를 볼 수 있어 '천기'와
만날 수 있다는 것이다.

여기서 '천기'159)의 의미를 고찰해 보자. 천기론에 대한 근대적인 연
구는 최웅에 의하여 시작되었다.160) 이 연구를 필두로 하여 천기론에

---

158) "晝夜之相代 而日月互爲光明 四時之運行 而風雲變化 草木彙榮 此有目者之所共覩也
而世之高賢逸士 乃或專之以爲己樂 若人不得與焉者 何哉 勢利誘乎外 則志意分 嗜欲
炎於中 則視聽昏 若是者 眩瞀勃亂 尙不知其身之所在 又何暇於玩物而得其樂哉 夫惟
身超乎榮辱之境 心游乎事爲之表 虛明靜一 耳目無所蔽 則其於物也 有以觀其深 而吾
之心 固泯然與天機會矣 此其樂 豈夫人之所得與哉 是以 必其爲歸去來賦者 然後可以
涼北窗之風矣 必其爲擊壤吟者 然後可以看洛陽之花矣 此我後谷宋先生之所以有霽月
堂者歟"(권 24,「제월당기」)
159) 천기에 대한 사전적 의미는 다음과 같다. (1) 猶靈性. 謂天賦靈機.「莊子, 大宗師」
: "其耆欲深者, 其天機淺."(2) 謂天之機密, 猶天意 (3) 國家的機要事宜.『한어대사
전』2-1448p.
160) 전형대·정요일·최웅·정대림 공저, 한국고전시학사, 1979, 기린원. pp.
268-9.

대한 개념과 그 의의에 대한 연구는 활발히 진행되었다. 그런데, 이러한 연구의 진행은 각 시인의 개성에 따라 여러 의미로 설명됨으로 인해 세분화되었기 때문에, 사전적인 의미에서 점점 확장·파생되되 경향이 있다. 천기에 대한 그간의 연구 성과를 검토해 보도록 한다.

천기에 대한 개념은 다음과 같은 부류로 세분되어 연구되었다.

첫 번째 부류는 천기란 '하늘의 비밀, 조화의 신비'를 뜻한다는 것이다. 이는 가장 사전적인 의미에 가까운 것이다. 이러한 천기론의 시론적 향방은 시의 소재 혹은 주제 혹은 내용에 있어서 하늘의 비밀, 조화의 신비를 표현하고 있어야 한다는 것으로 진행되었다.

두 번째 견해는 천기를 마음의 상태를 의미하는 용어로 보는 경향이다. 천기란 욕심에 의하여 얽매이기 이전의 천연 그대로의 인간의 마음의 상태라 하였다. 즉, 천기론이란 '좋은 시는 천기 즉 더럽혀지지 않은 마음 상태를 표현한 것'이라는 주장을 내세운 시론이라고 규정되었다.

세 번째는 천기를 '진정'이라고 규정하고 있는 견해이다. 즉, 문학이론으로서의 천기의 개념은 인위의 최상인 도덕적 차원마저도 배제한 자연의 상태에서 저절로 흥기되는 느낌, 즉 진정(眞情)의 세계라는 데 그 핵심이 있다고 여긴 것이다. 천기론은 시는 학문을 통하여 이루어지는 것으로 보고 도덕적 심성수양을 전제로 규범적 제약에 성정의 의미를 얽어매었던 성정론에 대한 반성적 의미에서 성정을 도덕과는 무관한 것으로 보려는 반성의 과정에서 제기된 하나의 새로운 이론이라고 보았다.

네 번째는 '천기'란 '자연이라는 틀'이란 의미로서 우리가 흔히 '천' 혹은 '자연'이라고 부르는 것을, 하나의 거대한 기계 혹은 기관이라고 생각해서 붙인 이름이다. 그냥 '천'이라 해도 되지만, 굳이 '기'라는 말을 덧붙인 것은 그 '작동체로서의 능동적 입장'과 그 '작동성'과 그 작동의 섬세함·치밀함·강력함 등을 보다 실감나게 할 필요성에서라고 본 견해이다. 이 용어는 인간이 만들지 않은 것으로서 이 세상에 저절로 있게된 모든 존재, 모든 존재의 모든 기관, 이러한 존재나 기관이 움직이는 작동과정 및 그에 따라 발생하는 현상, 그리고 그 결과물에까지 그 의미가 확장될 수 있음을 시사하였다.

그러나 천기에 대한 사전적 의미와 이러한 연구 성과를 종합해 볼 때, 결국은 첫 번째 견해인 '하늘의 비밀, 조화의 신비'라는 개념과 크게다르지 않다고 본다.

시는 성정의 산물이다. 따라서 오직 천기를 깊이 체득한 사람만이 잘할 수 있다. 만약 속이 좁고 사리에 어두운 사람이 한갓 성병(聲病)과 격률에 얽매인 채 억지로 생각을 짜내고 수사를 가하여 솜씨를 내보이면서 시인이라고 자칭한다면 그 어찌 진정한 시가 나오겠는가.161)

김창협은 '시가 성정의 산물'이라고 천명하였다. 즉 만물에 깃든 각각의 성정이 곧 시의 내용으로 이어지기 때문에 그 성정이 무엇인지 깊이체득해야만 시를 지을 수 있다고 보았다. 따라서 사성을 조합하는 일이나 격률만을 따져 억지로 생각을 짜내거나 수식을 다듬는다면 진정한

---

161) "余謂詩者 性情之物也 惟深於天機者能之 苟以齷齪顚冥之夫 而徒區區於聲病格律 掐擢胃腎 雕鎪見工 而自命以詩人 此豈復有眞詩也哉" (권 25, 「송담집발」)

시〔眞詩〕를 지을 수 없다고 하였다.

다음은 1702년에 지어진 편지글로 임방이 역대 중국 시인들의 시를 가려 뽑아 책으로 엮으며 김창협에게 조언을 구하자 그에 대해 답한 것이다.

(가) 그러나 서문에 말한 것을 가지고 제목을 상고해 보면 내심 의심이 없을 수 없습니다. 景物을 묘사하는 것과 감정을 표현하는 것이 시의 작용인데, 이 두 가지를 『시경』에서 관찰해 보면 알 수 있습니다. 그러나 벌레, 물고기, 새, 짐승, 산천, 초목의 형상과 바람, 비, 해, 달, 눈, 서리, 추위, 더위의 변화를 말한 것이 비단 광경을 나열하는 것일 뿐만 아니라, 요컨대 흥을 일으키고 비유를 가탁하여 기쁘고 평화롭고 원망스럽고 고통스럽고 감격하고 분하고 슬프고 즐거운 감정을 나타내는 것이니, 애당초 분리하여 별개의 두 가지로 간주할 수 없습니다.

(나) 그러나 이 두 가지를 가지고 논해 보건대, 경물을 묘사한 말은 간결하고 정교하며 사실적이고 분명하여 사물을 잘 형상하고, 감정을 표현한 말은 여유롭고 편안하며 은근하고 간곡하여 사람을 잘 감동시키는데, 이것이 『시경』의 시가 오묘하게 된 까닭입니다. 당 나라 사람들의 시는 비록 여기에 비견되지 못하긴 해도, 경물을 묘사하고 감정을 표현한 것이 각각 그 오묘한 경지에 이르러 애당초 둘 사이에 경중을 따질 수 없습니다.

그런데 지금 집사께서는 굳이 경물을 묘사하는 것은 본색이라 하여 돈오하는 선종에 비기고, 감정을 표현하는 것은 본색이 아니라 하여 점수하는 교종에 비기셨는데, 이러한 논의가 비록 엄우의 설에 뿌리를 두고 있는 것 같긴 하지만 실은 같지 않은 점이 있습니다. 엄우가 말한 '본색'이니 '오문'이니 하는 것은 오직 흥취가 영롱하여 말 껍데기 속으로 떨어지지 않는 데에 있으니 그 의미가 마치 물 속에 비치는 달이나 거울 속의 형상처럼 말은 끝이 있어도 뜻은 끝이 없는 것입니다. 이는 경물을 묘사하는 것과 감정을 표현하는 것을 막론하고 모두 이러한 오묘한 경지가 있는 것이니, 어찌 지금 여기에 말한 것과 같겠습니까.

(다) 그리고 기발하고 웅건하며 자유분방함을 경치 묘사의 품격이라 하고, 원활하고 풍부하고 유창함을 감정 표현의 품격이라 하는 것도 정확하지 않은 것 같습니다. 이러한 것들은 오직 시인의 재기와 성격이 어떠한지에 달려 있을 뿐이니, 어찌 경물을 묘사한 것에는 원활하고 풍부하고 유창한 맛이 없으며 감정을 표현한 것에는 기발하고 웅건하고 자유분방한 맛이 없겠습니까. 이는 모두 경물과 감정을 완전히 분리하여 그 품격을 나눈 데에 기인한 잘못입니다.162)

(가)에서는 시의 작용이 경물을 묘사하는 것과 감정을 표현하는 데에 있다는 것과 이 두 가지 즉 경물 묘사, 감정 표현은 연속적인 과정에서

---

162) "然以序文所云參之題目 竊不能無疑 蓋所謂描寫景物 論說事情 詩之爲用 惟此二端 觀於三百篇 亦可見矣 然其言蟲魚鳥獸山川草木之狀 風雨日月雪霜寒暑之變 非止以 留連光景而已 要以起興託喩 以發其歡愉怨苦感憤哀樂之情 則初未嘗判而爲二也 然 試就二端而論之 景語簡妙眞切 深於體物情語 優游婉曲 善於感人 此詩之所以爲妙也 唐人之詩 雖不得例此 而其寫景言情 亦往往益臻其妙 初不當有所抑揚於二者之間也 今必以描寫景物者 爲本色而譬之悟禪 論說事情者 非本色而譬之漸敎 此論雖似本於 嚴羽卿 而實有不同者 蓋彼所謂本色悟門 只在於興趣玲瓏 不落言筌 如水中之月 鏡中 之象 言有盡而意無窮 不揀寫景言情 皆有此妙 夫豈如今者之云哉 且以警絶遒逸 爲寫 景之品 圓活贍暢 爲言情之品 亦似未確 凡此只視其人才調之如何耳 豈寫景者無圓活 贍暢 而言情者無警絶遒逸哉 是皆畫景物事情 以分其品之過也"(권 17, 「답임대중」)

일어나는 것이므로 나누어 볼 수 없다는 것을 강조하였다. 다시 말해 산천 초목의 모습과 천지 운행의 변화를 묘사하는 것에서 자연스럽게 흥(興)이 발하여 사물에 감정을 의탁하게 되기 때문에 둘 사이의 경계가 명확하지 않다는 것이다. 소위 '인물우흥(因物遇興)'을 말한 것이다.

이어서 (나)에서는 경물 묘사와 감정 표현에 있어서 유의할 사항이 제시된다. 즉 경물 묘사에 있어서는 말이 간결하고 정교하며 사실적일 것을 요구한다. 흥을 촉발시키기 위해서는 보다 사물에 가까워야 사물을 잘 형상화할 수 있다고 본 것이다. 그런가 하면 감정을 표현하는 말은 여유롭고 편안하며 은근하고 간곡해야 사람을 감동시킬 수 있다고 강조하였다. 이 두 가지 모두를 충족시킨 것이 바로 『시경』이며, 그 다음이 당시(唐詩)라는 것이다.

(다)에서는 시를 품평하는 데에 있어서 경물 묘사와 감정 표현에 대한 평어를 붙이는 것이 부적절함을 지적하였다. 경물 묘사와 감정 표현이라는 두 가지 시의 과정이 연속선상에 놓여 있으므로 시의 품격은 오직 시인 자신의 재기와 성격에 따라 특성 지워진다는 것이다.

송나라 사람의 시는 고사와 의론을 위주로 하였다. 이것은 시가의 큰 병이다. 명나라 사람이 이것을 공격한 것은 옳다. 그러나 그 자신(명나라 사람)이 한 것이 더 나은 것도 아니며 가다가는 오히려 못 미친다. 왜냐? 송나라 사람이 비록 고사와 논의를 주로 했다지만, 그러나 그 학문의 축적된 바와 지의의 온결된 바가 감격, 촉발되어 뿜어져 나와 옮겨져서 그려져 격조에 얽매이지 않았고 도철에 궁해지지 않았기 때문이다. 그 까닭에 그 기상이 호탕, 습하고 때로는 천기가 발현된 것에

가까워서, 읽어보면 오히려 그 성정의 참모습을 볼 수가 있다. 명나라
사람은 너무나 승묵(繩墨)에 얽매여, 움직였다 하면 모의(模擬), 효빈
(效顰), 학보(學步)를 건너니, 다시는 천진이 없다. 이것이 바로 오히려
송나라 사람의 아래로 벗어난 까닭인저!163)

위의 인용문을 보면, 남의 것을 모방한 것을 배격하는 내용을 찾아
볼 수 있다. 농암은 감정을 읊었던 지의를 읊었던 간에 자신으로부터
비롯된 작품을 높이 평가했음을 알 수 있다. 즉, 시의 우열은 시인 자신
의 참된(眞) 표현 욕구에 의해서 가려지는 것이며, 그것에 의해 표현된
시의 경우는 기, 성색의 좋고 나쁨은 시 우열을 가르는 관건이 아니다.
이는 시인 각 개인의 개성을 중시한 것으로도 확장될 수 있다. 따라서,
그의 시론에 있어서의 천기는 자신이 하늘로부터 부여받은 자질로 자신
의 시를 짓는 것을 말한다고 하겠다.

그런데, 이러한 산수의 물성으로 인한 객관적·보편적 인식이 지나치
게 강조되면서 결국 산수는 시공의 변화나 인식 주체에 따라 변하는
대상으로서 인식되기보다 그것들을 뛰어넘은 하나의 정형화된 대상으
로 인식되고 말았다는 점이다. 이렇게 되면 산수는 동경의 대상으로
이념화된 산수이며, 물성의 의미를 토대로 한 완전히 도체화된 산수라
고 할 수 있다.

---

163) "宋人之詩 以故實議論爲主 此詩家之大病也 明人攻之是矣 然其自爲也 未必勝之 而
　　或反不及焉 何也 宋人雖主故實議論 然其學問之所蓄積 志意之所蘊結 感激觸發 噴薄
　　輸寫 不爲格調所拘 不爲塗轍所窮 故其氣象豪蕩淋漓 時有近於天機之發, 而讀之, 猶
　　可見其性情之眞也. 明人太拘繩墨 動涉模擬效顰學步 無復天眞 此其所以反出宋人之
　　下也歟." (권 34, 「雜識 外篇」)

이에 대해 이민홍은 "주자가 은거한 무이구곡의 무이도는 조선의 사림이 자연의 미를 향유하는 데 크게 기여했다고 생각된다. 사림이 본 자연은 미적인 면과 아울러 자연에서 도의를 배우고 심성의 순정을 터득한 선적인 자연관도 여기에서 얻어진 것으로 믿어진다."[164]하고 하였다. 곳에 따라 수시로 변화하는 산수의 참모습을 직접 목시하려는 것보다 도체로서의 동경의 대상으로 인식하고 있음을 알 수 있다.

김창협은 산수의 물성은 중시하되, 산수를 이념 위주로만 인식하지는 않았다. 지나친 객관성과 보편성은 자칫 획일화될 수 있을 뿐만 아니라, 산수의 변화와 활의 의미를 놓칠 수 있기 때문이다. 따라서 김창협은 이념으로서의 산수가 아닌 생활 속에서 살아 숨쉬는 산수, 나아가 직접 산수 속에 기거함으로써 산수와 자아를 동일시하고 있다. 이러한 경향은 백부인 김수증이 산수를 통해 도체를 실현하고자 했던 산수관과 같은 맥락에서 해석될 수 있다.

2. 문학 세계

1) 은자의 삶 예찬

---

164) 이민홍, "율곡시가와 성정미학," 『조선중기 시가의 이념과 미의식』, 성균관대학교 출판부, 1993. p. 271.

김창협은 기사환국 이전에도 은자의 삶을 예찬한 시들을 자주 남겼다. 그 대상은 농암 주변에 은거의 자취가 있었던 동음 이의건과 백부인 김수증이었다.

이른 아침 냇가를 거닐어 본다.
조약돌은 반짝반짝 빛이 나는데
쉼없이 흘러가는 맑은 이 냇물
옛사람 목 축이고 갓끈 씻었지.
옛사람은 떠나가 자취 없어도
이름 석 자 산사람들 기억하리.
울울창창 아름다운 이 소나무숲
어찌 차마 베어다가 불을 지필까.
여기저기 흩어진 사슴 발자국
그 분이 은둔했던 곳이었다오
오늘 나도 그처럼 살고 싶은데
어디에서 이웃을 찾을 수 있나.
밝디 밝은 그분의 아름다운 덕
지금까지 깊은 산속 향기롭구나
딴 세상에 살아도 마음은 같이
백운산 바라보며 노래 부른다.

朝步川上石　　　　鮮潔石磷磷

源泉逝不息　　飲濯自古人
古人不可見　　名姓在山民
鬱鬱好松樹　　寧或摧爲薪
町畦鹿作場　　過者識衡門
棲遲今可爲　　安所與託隣
皎皎彼令德　　巖穴留餘芬
異世而同心　　高歌望白雲

(김창협, 『농암집』 권 1, 「過峒隱舊居 (戊午)」)

　동은은 명종, 선조 때의 문신인 이의건의 호인데, 그는 경기도 영평현 (지금의 가평) 동쪽 60리 지점에 있는 백운산에서 은거하였다. 이 시와 다음의 '곡운'은 작가의 나이 28세 때인 1678년(숙종 4) 여름, 아우 김창흡과 함께 곡운에 사는 백부 김수증에게 문안드리러 가던 길에 지은 것이다. 특히 이 시는 이의건의 은거지에 들렀을 때 지은 것이다.[165]

　1구부터 4구에서는 맑은 냇가를 거닐며 옛 사람 이의건을 회상한다. 맑게 흐르는 냇물은 곧 이의건의 은일에 대한 숭고한 의지를 의미하기도 한다. 그 숭고한 의지가 은자의 옛 집터에 남아 있는 것을 맑은 냇물이 흘러내려오는 것으로 형상화된다. 그러니 목을 축이는 자는 이의건인 동시에 이곳에 와 이의건을 떠올리는 김창협 자기 자신을 의미하기도 한다. 5구~8구에서는 앞 부분에서 말한 옛사람을 기억하겠다는 뜻을 표명한다. 그러기에 이의건의 정기가 서려 있는 숲을 훼손하지 않겠다고 하였다. 9구~12구에서는 이의건의 발자취를 따라 자신도 은일한

---

165) 권 35, 부록 연보

삶을 살고자 하는 바람을 표출하였다. 13구~16구에서 은자의 덕이 지금도 백운산에 남아 있기 때문에 자신이 비록 다른 세상을 살아가고 있지만 백운산을 바라보며 뜻을 기리고자 하였다.

다음 시는 김수증을 기린 시이다.

맑은 새벽에 민가를 나서
저물녘에 큰 산 기슭 오른다.
큰 산 기슭엔 인적 드물고
가다보면 보이네 사슴 또 사슴
아 우리 백부께서는
저 깊은 골짝에 몸을 숨겼네.
높은 바위로 집을 삼았고
먹는 것 입는 것은 풀과 나뭇잎
거문고 노래로 대도 읊으니
마음 속 소원은 벼슬 아니네.
나도 그 지팡이와 짚신 받들고
그 분과 소요하며 지내고 싶네
부귀하면 진정 꺼릴 것 많고
빈천한 사람은 마음 평온해
그 때문에 기리계 같은 은자들
호쾌할사 얽매임 없이 살았네

淸晨發民家   夕暮躋大麓

大麓少人行	行行見麋鹿
眷言我伯父	隱身彼深谷
嶄巖爲室宅	衣食惟草木
絃歌詠大道	所思匪珮玉
我願奉杖屨	卒歲同藚軸
富貴諒多畏	貧賤易爲足
所以綺皓輩	肆志從所欲

(김창협, 『농암집』 권 1, 「谷雲 (戊午)」)

김창협은 백부 김수증의 유지당에서 주희의 「臥龍菴武侯祠」와 「陶公醉石歸去來館」이라는 두 편의 시를 차운하여 지었다.[166] 인용문은 「陶公醉石歸去來館」을 차운한 시이다. 주희가 55세 때인 1184년 여산에 있을 당시, 여산의 오유봉 기슭의 와룡담 위에 무후사를 지어 제갈량을 향사하고 시를 지어 그를 기렸으며, 또한 오유봉 근처 귀종 서쪽의 진나라 도연명이 술에 취해 앉아 있었다는 바위인 도공취석과 그가 거처한 곳이었다는 귀거래관을 둘러보고 도연명을 그리는 시를 지었다고한다.

---

166) 김창흡도 이와 같은 시를 지은 바 있다. 김창흡, 『삼연집』 권4, 「有知堂 次晦翁二詩 應伯父命」
(臥龍韻) "玄潭含萬古 / 不受人濬鑿 / 蕭條我來晚 / 感名意廓落 / 彷彿抱膝翁 / 其來此丘壑 / 一心有相契 / 千載便是昨 / 深深濁世感 / 思見禮樂作 / 松風詠二表 / 溪月酌一酌 / 淸高忽我右 / 眞成比肩樂 / 此意與者誰 / 山空水漠漠"
(醉石韻) "廣而四海內 / 遠而百世前 / 古人豈不多 / 尙友惟其賢 / 歸來碧潭月 / 有懷不能眠 / 嘆息五歲迹 / 遺墟久荒煙 / 山有可採薇 / 谷有不食泉 / 以玆奉淸像 / 相守可終年 / 曠感視朝暮 / 同調寄潺湲 / 堂淸更何設 / 楚騷只一篇"

산속이라 깊은 곳 움집을 짓고
산 앞이라 오솔길 죽장 끌면서
지난날 동봉 선생 생각해 보니
이런 인물 못 본 지 오래 되었네.
수양산에 은거한 백이 숙제요
율리에 단잠 즐긴 도연명으로
어둡지 아니하고 환한 그 흉금
뜬구름 걷히어진 태양 빛인데
흰 구름 속 바위 집 자취 없지만
목 축이던 찬 샘물 남아 있어서
여기에 참모습을 붙여뒀거니
수백 년 지난 세월 믿기지 않네.
불우함 탄식하는 뜻있는 선비
눈물이 하염없이 아니 흐르랴
옛 누대 기대고서 한숨지으며
옛 작품 뒤를 이어 노래 부르네.

結廬在山裏　　　曳杖行山前
永懷東峰子　　　久矣無此賢
緬邈首陽隱　　　沈冥栗里眠
心期炯不昧　　　皦日脫浮煙
巖棲空白雲　　　澗飮餘寒泉
於焉寄眞像　　　未信曠百年

志士歎所遭　　　能無淚潺湲

太息倚古臺　　　悲歌續遺篇

(김창협, 『농암집』권 3, 「有知堂 次晦翁二詩 應伯父命」)

이 시에는 김시습, 백이·숙제, 도연명의 이미지에 원시의 저자인 주회와 유지당을 경영한 김수증의 이미지가 중첩되어 나타난다. 1~4구에서 유지당에 모셔진 김시습의 그림을 보면서 김시습과 같은 현자가 당대에 없음을 이야기하고 있다. 김창협은 5~8구에서 김시습을 백이·숙제와 도연명과 같은 은자의 전형에 빗대고 있다. 백이·숙제와 도연명은 자신의 뜻이 관철되지 않는 세상을 등지고 떠나 은거한 인물로, 관습적으로 은자의 전형으로 표현되던 사람들이다.

비록 동봉이 은거했던 집은 오랜 세월동안 쓰러지고 사라져 자취를 찾을 수 없지만, 그가 목을 축였던 것으로 보이던 '차가운 샘물'이 있어 오랜 세월이 지난 지금도 김시습의 맑은 정신을 알 수 있는 것이다. '차가운 샘물'이란 지조를 굽히지 않겠다는 냉철한 의지의 표현이요, 그들의 뜻에 잡된 것이 섞이지 않았다는 청절의 이미지를 보여주고 있다. 13구에 등장하는 '불우함을 탄식하는 선비'는 먼 옛날 유지당에 집을 지었던 동봉을 의미하기도 하며, 여산에 은거했던 주회를 연상케 하는 단어이며, 또한 유지당을 세워 김시습의 화상을 모신 김수증을 의미하기도 하는 중의적 표현이다. 그리고 아울러 이 시를 지어 이들을 기억하는 작자 자신을 의미하기도 한다. "옛 작품 뒤를 이어 노래 부르네"라고 하여 이러한 은자의 삶을 기억하고 계승할 것을 다짐하고 있다.

김창협은 1679년(29세)에 경기도 영평의 응암에 은거할 뜻으로 집을 지었다.167) 이듬해 경신대출척(1680년)이 되자 중앙 정계로 다시 진출하였다가 기사환국(1689년)을 기점으로 관직에서 물러나 여생을 미호에서 강학을 하며 보냈다.

다음 시는 미호의 동음으로 가며 아들 김숭겸의 시에 차운한 시이다.

> 미호의 푸른 물결 아름답지만
> 해맑은 백운 골짝 잊혀질 리야
> 말 타고 가는 길에 산 꽃 환하고
> 늘그막 쇠한 몸에 봄옷 가벼워
> 캄캄한 하늘 금세 비를 뿌려도
> 돌아가는 발걸음 멈추지 않네.
> 아이들도 산수의 흥이 솟는지
> 세상 영화 덧없음 절로 아누나

> 莫以渼湖綠　　能忘雲峽淸
> 巖花歸騎映　　春服老身輕
> 黯黯天須雨　　悠悠我且行
> 兒曹山水興　　已解薄浮榮
>
> (김창협, 『농암집』 권 6, 「冒雨向洞陰 路次崇兒韻」)

---

167) "농암은 응암(鷹巖)의 옛집 동쪽에 있는데, 속칭 '농암(籠巖)'이라고 한 것을 선생이 지금의 이름으로 고쳤다. 농사 지으며 생활할 뜻으로 자신의 호로 삼았다. 서실 세 칸을 지어 앞에 두 개의 네모난 못을 뚫었다. 실의 편액을 '관백(觀白)'이라 하고, 헌(軒)을 '호월(壺月)'이라 하였으며, 이 모두를 '농암수실(農巖樹室)'이라고 하였다." (권 35, 「연보」 상)

1・2구에서 '미호', '백운협' 등의 구체적인 지명을 들어 은거지의 아름다움을 소개한다. 은거지의 아름다움 때문에 늙어 쇠한 몸으로 말 타고 가면서도 발걸음이 가볍게 느껴지고(3・4구) 비가 오는 궂은 날씨에도 발걸음을 멈추지 않는다.(5・6구) 7・8구에서 이르러 악조건 (즉 연로한 나이와 궂은 날씨) 속에서도 은거지로 굳이 돌아가고자 했던 이유가 밝혀진다. '산수의 흥' 때문이라는 표면적인 이유뿐만 아니라 그 이면에 세상 영화는 덧없는 것이라는 깨달음이 자리하고 있다.

「은구암기」에는 출처에 대한 김창협의 생각이 보다 구체화되어 있다. 「은구암기」에서 김창협은 군자를 언제라도 종묘와 조정에서 천하의 인재를 구할 때 나아가 도를 펼칠 수 있는 사람으로 보았다. 그리하여 군자의 은거에 있어서 두 가지를 강조한다. 첫째, 출처는 때에 맞게 하는 것이 중요하다고 하였다.

군자의 일은 출처보다 중대한 것이 없는데, 출처는 때에 맞게 하는 것이 중요하다. 나가도 될 때인데 나가지 않는 것을 국량이 좁다하고, 나가서는 안 될 때인데 나가는 것을 조급하다고 한다. 조급하면 지조를 잃게 되고 국량이 좁으면 인륜을 저버리게 되는데, 인륜을 저버리는 일 과 지조를 잃는 일은 군자가 행하지 않는다. 따라서 때를 만났으면 관복 과 패옥 차림으로 천 종의 녹봉을 누려도 사치스럽다 하지 않고, 때를 만나지 못했으면 산골짜기에 살며 소쿠리 밥에 표주박 물을 마셔도 검소 하다고 하지 않으니, 이 두 가지는 실로 각기 마땅한 때가 있는 것이다. 비록 그렇긴 하나, 군자의 출처가 어찌 제 한 몸을 드러내고 감추는 것에 불과하겠는가. 필시 장차 무언가 하려는 일이 있는 것이다. 그렇지 않으면 출처가 아무리 때에 맞는다 하더라도 부귀에 미혹되거나 인륜을 저버리고 자연에 묻혀 사는 것과 다르지 않을 것이니, 어찌 숭상할 가치가 있겠는가. 나가서는 무언가 하는 일이 있고 물러나서는 무언가 지키는 것이 있는, 이러한 출처라야 올바르다 할 것이다.168)

출처를 때에 맞게 하지 않으면 인륜과 지조를 잃게 되어 군자로써 반드시 피해야할 바로 이야기하고 있다. 그리고 벼슬에 나아가서는 "함이 있고" 벼슬에서 물러나 은거함에 "무언가 지키는 것이 있는" 출처가 올바른 출처라고 강조하였다. 그렇다면 군자가 하는 일과 지키는 일은 어떤 것일까?

세상에는 사소한 청렴을 지키거나 시시콜콜 삼가는 것으로 지조를 지키려하고 사사로운 지혜나 천박한 술수로 일을 삼는 자들이 있는데, 이는 군자의 일이 아니다. 그렇다면 군자가 하는 일은 어떤 것인가? 사물의 이치를 연구하여 지식을 극대화한 뒤 뜻을 참되게 하여 마음을 바르게 가지는 것과 그리하여 마침내 나라를 다스리고 천하를 태평하게 하는 것이다. 이치는 음양과 성명, 덕은 인·의·예·지·신, 인륜은 부자·군신·장유·부부·붕우, 교양은 예·악·사·어·서·수, 사람은 요·순·우·탕·문왕·무왕·주공·공자를 추구하는 이것이 군자가 일삼는 것들이다. 이러한 도는 공자께서 일찍이 말씀했던 것이니,

---

168) "君子之事 莫大於出處而時爲貴 時可矣而不出 謂之隘 不可矣而出 謂之躁 躁則失己
隘則廢倫 廢倫失己 君子不由也 是故得其時 則冠冕珮玉 享千鍾之祿而不以爲泰 不得
其時 則巖居谷處 飮食簞瓢而不以爲約 二者固各有當也 雖然 君子之於出處 豈獨其身
之隱顯哉 必將有所事焉 不然 其趣舍雖時 而亦無以異於顯冥富貴 放曠山澤者矣 何足
尚哉 其出也有爲 其處也有守 若是者 庶乎其可也."(권 23, 「隱求菴記」)

'은둔해서는 뜻을 추구하고 의를 행하게 되어서는 도를 편다'는 말씀 중에 '뜻'은 이것을 보존하는 것이요, '도'는 이것을 행하는 것이다. 이것을 추구하여 제 몸에 체득되고 펼치어 사람들에게 미치면 군자의 일이 완전해지는 것이다. 따라서 군자가 은거하여 지조를 지키면 도의가 몸에 충만하여 집안에 교화가 행해지고, 벼슬하여 세상을 어루만지면 이로움과 은택이 온 세상에 베풀어져 만물이 제자리를 얻게 되니, 어찌 위대하지 않은가.169)

그는 출처에 있어서 군자가 해야 할 일로 청렴함과 삼감이 중요한 것이 아니라 사물의 이치를 연구하여 지식을 극대화하는 데에 열중해야 함을 강조하였다. 그렇지 않으면 다시 종묘와 조정에 나아간들 도를 행할 수 없기 때문이라고 하였다. 공자가 '은둔해서는 뜻을 추구하고 의를 행하게 되어서는 도를 편다(隱居以求其志 行義以達其道)'라고 말한 것이 바로 이 때문이라는 것이다. 그렇다면 김창협이 출처에 맞게 지키고자한 도는 무엇일까? 그것은 바로 "사물의 이치를 연구하여 지식을 극대화한 뒤 뜻을 참되게 하여 마음을 바르게 가지는 것과 그리하여 마침내 나라를 다스리고 천하를 태평하게 하는 것170)"이다. 비록 군자

---

169) "世蓋有小廉曲謹以爲守 私智淺數以有爲者 此非君子之所事也 然則君子所事者 何也 格物致知 誠意正心 以至於治國平天下 其理則陰陽性命 其德則仁義禮智信 其倫則父子君臣長幼夫婦朋友 其文則禮樂射御書數 其人則堯舜禹湯文武周公孔子 此君子之所事也 斯道也 吾夫子固嘗言之矣 曰隱居以求其志 行義以達其道 志也者 所以存此也 道也者 所以行此也 求之而得於己 達之而及於物 君子之事備矣 是故其窮居而自守也 道義充於身 而閨門之內教行焉 其進爲而撫世也 利澤施於四海 而萬物得其所 豈不大哉.." (권 23, 「隱求菴記」)

170) 『大學』"格物致知 誠意正心 以至於治國平天下"

가 은거지를 구하여 은거하더라도 항상 "격물치지"와 "성의정심"에 힘써야 하는 것이다.

이러한 은거할 때 이러한 공부가 있어야 출사해서는 천하를 구제하고, 도를 행할 수 있다고 하였다. 비록 옛 은자들이 천하에 대한 뜻이 없는 듯이 호방하게 즐기고 부귀를 잊고 몸과 마음, 성과 정을 삼가고 뜻한 바를 추구하였지만, 은거한 가운데 항상 "격물치지"와 "성의 정심"을 통해 천하와 국가를 이끌 준비를 하였다고 생각했다.171) 이는 김창협이 은자를 때가 되면 국가에 나아가 천하와 국가를 위해 뜻을 펼 수 있는 사람으로 생각했음을 보여준다. 이가 바로 은자의 전형적인 유학자적 처세를 보여 준다고 할 수 있다.

한편, 김창협도 「有知堂記」를 지어 김수증의 정사 경영에 뜻을 보태였다. 이 글에서 역시 김창협은 김시습을 제갈무후에 빗대어 설명하고 있다. 즉, 김시습은 '머리를 깎고 세상을 피하여 고사리를 캐면서 산에 올라 슬픈 노래를 부르고 통곡하면서 유유하게 미련 없이 조수와 한 무리가 되어 돌이킬 줄을 몰랐는데 어찌 무후와 같은 반열에 오를 수 있겠는가?'172)라며 우선 질문을 던진다. 사실 김시습과 제갈무후의 자취는 그 차이가 현격하지만, 군신의 의리에 독실했고 윤리와 기강을 바로잡아 세상의 교화시킨 것은 두 사람이 마치 부절(符節)이 제짝을

---

171) "苟不修之於隱約窮獨之日 養之於從容燕閒之中以有得焉 而遽立乎宗廟朝廷 欲以兼濟天下 亦將何道而行之哉 是以古之君子 方其處畎畝之中也 儻然若無意於天下也 囂然樂而忘富貴也 惟日惕惕於身心性情之際 以求其所志 而天下國家之本 在此矣"(권 23, 「隱求菴記」)

172) "若梅月公 則削髮而逃世 採薇而登山 悲歌痛哭 悠悠忽忽 以與鳥獸同羣而不知返焉 是且爲淸狂 爲傲僻爲索隱而行怪者焉 若何而得與武侯班乎."(권 24. 記「有知堂記」)

만난 듯이 같다고 이야기 한다.173) 여기서 말하는 세상의 교화란 것은 바로 '伯夷의 풍도를 들은 자는 완악한 지아비라 하더라도 청렴하게 되고, 나약한 사람이라 하더라도 뜻을 바로 세우게 됨'을 의미한다.

아울러 김창협은 김시습이 살던 시국이 어수선하여 은거를 도모한 까닭에 그를 기억하는 이가 없다고 이른다. 곧, 김시습이 말한 바, '有知' 할 만한 이가 많지 않으나, 김수증이 그를 기리는 당을 지었으므로 그의 은거의 자취는 길이 유지될 수 있을 것이라고 기대하고 있다. 게다가 그 당시 오랑캐가 중화를 멸하여 중국 영토는 추악한 땅이 되었으니 무후의 진상을 모시기에도 적합하지 않은 곳이라 하였다. 반면에 곡운은 시속의 추잡함이 미칠 수 없는 깊은 곳이기에 '有知'의 뜻을 지키기에 적합한 곳이라고 이른다.174)

여기서 주목할 만한 것은 김시습을 '은일지사'의 모습으로 규정지었다는 점이다. 무조건 세상을 등졌다고 하여 은일지사로 평가해서는 안되며, 세상을 등지게 된 존심을 통찰하고 의리의 귀착을 규명해야만 한다고 하였다. 이는 공자가 말한 바, '그 하는 바를 보고, 그 이유를 살펴보고, 그 편안히 여기는 바를 살펴 보면 그 사람을 숨길 수 없다'175)고 한 것과 같은 맥락이다. 즉, 세상을 등지고 어떻게 행동하였

---

173) "夫以梅月公而比之武侯 其跡則誠懸矣 要以義篤乎君臣 而心存乎靖獻 足以扶倫紀而 神世教 則雖謂之如合符節焉 可也."(권 24. 記「有知堂記」)
174) "況今戎夷泯夏 四海左袵 西蜀南陽 皆爲腥膻之區 雖以侯之眷懷舊邦 亦必不忍於臨睨 而俎豆之奉其殽也 蓋久矣 況於其餘乎 惟我東表一域 尙爲衣冠禮樂之邦 而又此谷雲 者 幽深夐絶 自爲陳區 一切氛溷穢濁所不能及 而又得先生以爲之主 而梅月公爲之隣 焉 以此而言 則擧天下之大而可以揭侯淸高之像者 莫有宜於此者也."(권24. 記「有 知堂記」)
175) 『論語』「爲政」"視其所以 觀其所由 察其所安 人焉廋哉 人焉廋哉."

는가, 세상을 등지게 된 까닭은 무엇이었는가를 살펴 보아야 한다는 것이다. 이를 실천한 인물로 바로 김시습을 꼽았다. 즉, 김시습은 세조가 단종에게서 왕위를 빼앗은 것을 의롭지 못하다고 여겼기 때문에 세상을 등지게 되었고, 그 후에도 의롭지 못한 것을 보고는 곧은 말로 거침없이 상대를 나무랐다. 이를 토대로 볼 때, 김창협은 김시습이 은일의 선비이면서도 일의 시비를 정확히 가리는 지조의 선비의 모습을 하고 있다고 파악하였다.

이상에서 살핀 바와 같이 김창협은 기사환국 이후 농암에서 머물며 은거를 지속하는 한편, 백부 김수증이 곡운구곡에 은거한 자취를 기려 은거를 추구하고자한 자신의 뜻을 보태었다.

2) 산수에 대한 품평

김창협은 산수를 품평하여 우열을 가린 글을 여러 편 남긴 바 있다. 이것은 전술한 산수관과 연관성에서 이해해야 할 것이다. 다음 인용한 시는 금강산에 유람한 뒤에 지은 것이다.

내가 금강산 유람하고 돌아온 뒤에
영산이 가슴 속에 파고들었지
일 년이 지나도 그 모습 생생하더니

오늘 다시 볼 줄 생각이나 했을까?

맑은 새벽 산마루에 올라 보니

신이한 빛깔 허공에 가득하고

빼곡한 천만 봉우리는

하나하나 춤추며 나는 듯

높이 솟아 하늘 기둥 비스듬히 받치고

땅의 영기 모아 맑게 드러내었네.

붉은 노을은 자욱하게 내려와

모든 옥부를 빽빽이 둘렀네.

위대한 장관은 온 세상을 가리고

빼어난 빛은 천고에 다하였네.

평생에 본 산일랑

자잘하여 누가 다시 헤아리겠는가

저 절정에 돌라 본다면

동산에 올라 노나라 작게 여길 만 할걸세[176]

自我東游還	靈山在肺腑
宛宛一紀餘	不謂今再覯
淸晨躋崇嶺	異彩滿空宇
叢叢千萬峰	一一如翔舞
高扶天柱傾	淸見地靈聚
蔚蔥絳霞氣	森朗羣玉府

---

176) 『맹자』에서 공자가 동산에 올라가 노나라가 작다고 했고 태산에 올라가 천하가 작다고 했다는 말이 있다.

偉觀掩九有	秀色竟千古
平生所見山	瑣細誰復數
行當上絶頂	或可小東魯

(김창협, 『농암집』 권 2, 「朝登嶺上 望楓嶽」)

'옥부(玉府)'란 옥으로 만든 신선이 사는 곳을 가리킨다. 금강산이 흰 바위로 되어 있으므로 옥으로 된 세상이라 한 것이다. 금강산의 정경이 우리나라 어느 산보다 가장 뛰어나다고 여긴 것이다.

다음 시는 김창협이 송시열이 거처하던 화양동에 찾아 갔을 때 지은 시로, "서구가 선유동의 풍경이 파곡보다 낫다는 나의 품평에 대해 기분이 썩 좋지 않아 시를 지어 반박하였기에, 그에 따라 차운하다."는 다소 긴 제목의 시이다.

파곡은 넓고 평탄하며 선유동은 기묘하니
진실로 너그러운 유하혜와 맑은 백이 숙제 닮았네
너른 도량 남을 포용 그런 줄은 알지만
높은 기개 늠름히 지킴만은 못하리

| 葩谷寬平仙洞奇 | 眞同和惠與淸夷 |
| 須知曠度能容物 | 未若高標凜自持 |

(김창협, 『농암집』 권3, 「敍九以余品第仙洞在葩谷上 意頗不悅 有詩爲諷 次之」)

1688년(숙종 14)에 김창협은 송시열을 찾아가 권상하, 송주석 등과 함께 『주자대전차의』를 교감하였다. 이 당시 4월 15일과 16일 이틀 동안 주변 산수를 유람하며 무려 9수의 시를 지었다.[177) 김창협은 이 날 송시열의 손자인 송주석과 함께 선유동과 파곡을 유람하며 각각의 산수를 품평했음을 밝혔다. 단순히 경물을 보는 데 그치지 않고 산수의 특징을 품평하기에 이르렀다. 기구에서는 파곡과 선유동의 풍광을 통해 두 장소의 성격을 이야기하고 있다. 제목에서 김창협은 선유동의 풍경 이 더 낫다고 하였다. 그 이유를 기수에서 기묘함 때문이라고 하였다. 반면 송주석은 파곡이 넓고 평탄하기 때문에 더 낫다고 품평하였다. 승구에서는 넓고 평탄한 풍광을 지닌 파곡은 너그러운 성품을 지녔던 유하혜에 비유하였고, 기묘한 풍광을 지닌 선유동은 맑은 정절을 지닌 백이에 비유하였다. 그리하여 수양산 숨어 고사리를 먹으면서 높은 기 개를 지킨 백이를 높이면서 자신의 뜻을 드러내고 있다.

김창협은 1700년에 이하조가 쓴 해서지방 유람록인 『서유록』의 뒤 에 글을 써 준다.

(가) 이제 이『서유록』수십 편을 보니 대체로 모두 마음 내키는 대로 붓 가는 대로 지은 것으로, 즉흥으로 일을 읊고 경치를 묘사한 언어가 모두 진실한 데다 아름다운 시편과 빼어난 시구에 조금도 잘못된 점이

---

177) "우암 선생을 화양동으로 가 찾아뵈었다. 수암 권상하와 더불어 함께 가서 『주자대 전차의』를 점토하였다. 여가에는 선생을 모시고 파곡, 병천, 내선유동, 외선유동을 유람하였다. 화양의 여러 명승에 대한 기문이 있다.(拜尤齋先生于華陽洞 與遂庵權 公尙夏同行 講討朱子大全箚疑 暇日 陪先生遊葩谷屛川內外仙遊洞 有華陽諸勝記)" (권 35, 연보.)

없었다. 시는 이와 같으면 충분한 것이니, 어찌 굳이 지나치게 교모하고 아름다움을 추구할 것이 있겠는가. 저들 자부심이 지나쳐서 이따금 아름다운 경치를 앞에 두고도 입을 꼭 다문 채 한마디도 내뱉지 못하는 자들은 요컨대 모두 명예를 지나치게 좋아해서 그런 것일 뿐이다. 이로 볼 때 낙보는 그 득실이 과연 어떠한가.

낙보가 나에게 『서유록』 끝에 글을 써 달라고 매우 간곡히 요청하니, 어쩌면 남이 하는 말에 관심이 없을 수 없어 그런 것이 아니겠는가. 이렇게 써서 돌려보내는 바이다.

(나) 나는 어릴 적에 해주 목사로 부임한 외할아버지를 모시고 있으면서 어른들을 따라 읍 안의 명승지를 꽤 구경하였다. 그러나 유독 석담에는 한 번도 가보지 못하였으니 이는 마치 사주를 지나면서 궐리를 보지 못한 것과 같은 꼴이라, 후일에 그 일을 생각하면 늘 매우 부끄럽고 한스러웠다.

지난날 우재 선생[송시열-역자 주]은 뜻을 같이하는 여러 공들과 '주 선생의 무이도가에 차운하여 석담 아홉 굽이를 나누어 각자 시를 읊어 보자'고 약속하고는 선생이 먼저 짓고 선군자가 그 뒤를 이었다. 나도 외람되이 그 속에 끼이게 되었으나 12년이 지난 지금까지 짓지 못하고 있으니, 이승과 저승을 돌아볼 때 부끄럽고 한스러운 마음이 더욱 절실하다. 그런데 이제 낙보는 그 아홉 굽이를 두루 유람한 데다 각 굽이마다 무이도가의 운을 사용하여 그 아름다운 경치를 읊었으니, 어찌하여 내가 하지 못한 것을 낙보는 모두 얻었단 말인가.

스스로 생각건대, 내 몸이 이미 늙어 은병과 송애 등지를 찾아갈 날이 다시는 없을 것 같다. 하지만 병이 조금 차도를 보이면 애써 짧은 시 한 편을 지어 선군자의 뒤를 이을 생각이니, 그리하면 지난 날 약속을

어졌던 죄를 씻을 수 있을 것이다. 그러나 나의 시상이 또 낙보에게 모두 선점당하고 말았으니, 장차 나는 어디에다 손을 댄단 말인가. 이 점이 또 한탄스러울 뿐이다.178)

이 시기 어느 정도 경제적인 기반을 갖춘 문인들은 전국의 명승지를 유람하는 일이 어느 때보다도 잦았다. 이에 따라 유람의 기록을 『서유록』, 『동유록』 등의 제목의 시집으로 남기는 일이 많아졌다. 이들은 서로의 유람 기록을 공유하며 서문 또는 발문을 적어 주며 호연지기에 대한 격려를 아끼지 않았다. 이 과정에서 산수에 대한 묘사는 유람록의 주된 내용이 되었으며, 작가가 바라본 산수에 대한 품평이 뒤따랐다. 이하조의 글에 대한 김창협의 이야기는 두 부분으로 이루어져 있다. (가)에서는 『서유록』에 실린 시편에 대한 칭송을 말하였고, (나)에서는 김창협 자신이 석담에 다녀오지 못한 아쉬움을 토로하고 있다.

앞서 Ⅱ장에서 17세기 문인들이 주자의 무이구곡을 직접적인 구곡 경영, 구곡가 창작, 구곡도 제작 등으로 광범위하게 수용하였음을 밝힌

---

178) (가) …… 今觀此錄數十百篇 大抵皆率意信筆之作 卽事寫景 語皆眞實 而佳篇秀句 未嘗不錯落其間 詩如是足矣 何必過求工麗 彼矜持太甚 往往對境遇勝 噤不能出一語 者 要皆好名之過耳 以視樂甫 其得失何如也 樂甫要余題其後甚勤 豈猶未能無意於人 言耶 第書此以歸之
　(나) 余少侍外王父之官海州 頗得從長者 觀游邑中勝處 獨不得一至石潭 此如過泗州 不見闕里 後來思之 每深愧恨 往歲尤齋先生 約同志諸公 分詠石潭九曲 用朱先生武夷 棹歌爲韻 先生旣首倡 而先君子繼之 余亦猥被見屬 而至今一紀不果作 俯仰幽明 愧恨 尤耿耿矣 今樂甫旣徧游九曲 又逐曲用棹歌韻 以詠其勝 何余之所未能 樂甫盡得之也 自念此身老矣 隱屛松崖之間 恐無復可到之日 唯俟病憂少間 勉賡一小詩 庶可以贖其 宿逋 而田地又都被樂甫所占 却將使余何所措手 此又可歎也已"(권25, 「題李樂甫西 游錄後」)

바 있다. 그 중에서도 서인 노론계 문인들의 경우 주자의 무이구곡과 더불어 율곡의 고산구곡도 함께 숭상했다.179)

(나)에서는 송시열이 제자 권상하와 더불어 노론계 문인들을 중심으로 하여 무이도가에 차운한 「고산구곡가」를 지어 『고산구곡첩』을 만들고자 했던 정황이 드러나 있다. 실제로 원래 「고산구곡가」를 짓고자 한 당시에는 김창협이 지목되었으나 거듭 고사하여 김창협 대신 김창흡이 제6 곡의 고산구곡시를 지었다.180) 그는 사주를 지나면서도 공자의 마을인 궐리를 가보지 못한 것과 같은 부끄러움을 느낀다고 하였다. 이이와 이이가 경영한 석담구곡에 대한 경모의 마음을 가지고 있는 상태에서 그곳에 대한 시를 짓는 데에 뽑혔다는 것은 매우 영광스럽게 생각되지만 실제로 그곳에 가보지도 못한 상태에서 석담에 대한 시를 짓는다는 것은 섣불리 나설 수 없는 일이며 그에 대한 부담 또한 컸을 것이다. 따라서 김창협은 자신이 가보지 못한 곳에 대한 시를 지어 그곳의 풍광을 읊은 것이 외람되다 생각했기 때문에 시 짓는 것을 계속해서 고사한 것이다. 즉 자신이 실제로 접하지 못한 산수는 품평의 대상이

---

179) 윤진영, 앞의 논문, p. 79. "이이의 학통을 계승한 서인 문사들은 17세기 이후 고산구곡도에만 집착하는 경향을 보였다. 이들의 궁극적 지향은 주자였으나 조선 성리학의 전통이 이이의 문하에서 계승되었다는 인식을 배경으로 하고 있다. 이 사실은 송시열이 17세기 말 고산구곡도 제작을 주도한 이래, 고산구곡도를 그리게 하거나 감상한 자들이 예외 없이 모두 서인계 인물이었다는 점에서 다시 한번 확인된다. 이같은 구곡도의 학통별 이원화는 조선성리학의 도통에 대한 학파별 대립에 기인한 것으로서, 18세기 이후 전개되는 구곡도의 두 축을 이루게 되었다."

180) 이상원은 앞의 논문에서 김창협이 고산구곡시 창작을 계속하여 고사한 이유를 호락논쟁으로 인한 정치·사상적 맥락에서 추론한 바 있다. 그러나 고산구곡시의 창작을 고사한 이유는 이 글에서 보이는 바와 같이 이이에 대한 경모의 마음이 내재되어 있기 때문으로 보인다.

될 수 없음을 피력한 것이다.

다음은 김시보에게 답한 편지의 일부이다.

황강(黃江) 권상하(權尙夏)와 의견을 주고받은 편지들도 모두 잘 받아보았네. 그런데 산수(山水)에 대한 평은 지나치게 장황한 것 같으니, 생각이 너무 드러나고 기상(氣象)이 천박하다는 느낌은 받았네. 이는 자네들이 이전부터 지녀온 병근(病根)인데 그것이 지금 또 드러난 것이니, 이 점을 잘 살피지 않아서는 안 될 것이네.

산수를 품평하는 일은 주 선생도 그런 일이 있긴 하지만, 예를 들어 "월(越) 지방의 산수는 기상이 아무래도 협착하고 느낌이 심원(深遠)하지 못한데 무이산(武夷山)도 그다지 좋지는 않다. 그러나 봄에 그곳에 가보니, 산이 높고 물이 깊으며 붉은 꽃과 푸른 숲이 서로 어울려 그 나름대로 나쁘지는 않았다." 하여 말뜻에 여유가 있었으니, 어찌 이와 같이 박절한 적이 있었겠는가.181)

이 편지에서는 산수에 대한 품평이 보편적으로 이루어졌음을 알 수 있다. 김창협은 권상하와 김시보의 산수 품평이 장황하여 생각이 너무 드러나고 기상이 천박하다고 평가하였다. 즉 산수에 대한 평가를 단정적으로 내렸기 때문에 평가하는 사람의 생각이 많이 드러났고, 그렇기 때문에 기상이 천박하다고 여긴 것이다. 김창협은 주자의 산수 품평을

---

181) "黃江往復諸紙 倂荷投示 但山水之評 似太張皇 覺得意思暴露 氣象淺薄 此是道以從來病根 而又發於此 不可不察也 評品山水 朱先生固亦有之 而如云越中山水 氣象終是淺促 意思不能深遠 武夷亦不至甚好 春間至彼 山高水深 紅綠相映 亦自不惡 其語意自是優裕 何曾似此迫切"(권 19, 「答道以(甲申)」)

예로 들어 자연 변화에 따라 산수에 대한 평가는 얼마든지 바뀔 수 있음을 설명하였다. 산수 품평에 절대적인 기준을 적용하지 않으며, 유보적인 평가를 추구하였음을 알 수 있다.

이상에서 살펴본 바와 같이 김창협은 산수의 실경을 접하여 산수에 대한 적극적인 묘사와 더불어 산수에 대한 품평을 통해 자신의 뜻을 표현하기도 하였다. 산수를 품평하는 이유는 외면에 내재되어 있는 산수의 참다운 이치를 파악하기 위한 의도 때문이었다.

3) 천기의 발견

김창협은 농암에서 은거를 취하면서 정적인 삶을 살며 농암 주변의 산수 경물을 통해 점차 천기를 파악하고자 하였다. 이러한 태도는 산수 유람을 할 때도 동적인 여정에 주목하기 보다는 정적인 태도로 하나의 사물에 시선을 고정시켜 사변적인 경향을 띠게 되었다.

> 이곳 승경 세상에 아는 이 없어
> 거친 길만 저 혼자 뻗어 있구나
> 움푹 패인 바윗돌은 누가 팠을까
> 콸콸콸 앞다투는 여울물일레
> 일천 그루 고목이 우거져 있고

온갖 새 제철 만나 짖어대는데
산꽃은 아직 활짝 피지 않으니
아마도 소선생을 기다리겠지.

勝處無人識　　荒塗只自橫
嵌空石誰鑿　　噴薄水相爭
老木千章合　　時禽百種鳴
巖花開不盡　　應待邵先生
(김창협, 『농암집』 권 3, 「屛川」)

　병천은 경북 문경시 농암면 내서리와 상주시 화북면의 경계에 위치한
도장산 밑에 흐르는 쌍룡계곡으로, 화양동에서 40리 거리이다. 소선생
은 송나라 소옹을 가리킨다. 소옹은 『주역』에 조예가 깊고 수리에 밝아
미래의 일을 잘 알았다. 어떤 사람이 나무 한 그루를 가리키며 그 나무의
운명을 물어보자, 추리해 볼 수 없다고 말했다가 조금 뒤에 잎사귀 하나
가 떨어지는 것을 보고 비로소 추리해 나갔다고 하는데, 그것은 모든
사물의 성쇠의 단서가 일단 드러나야 그 실체를 추리할 수 있기 때문이
었다. 『주자어류 권 65 역일』봄이 지나고 초여름이 돌아왔는데도 병천
골짝의 꽃이 피지 않은 것은 소옹처럼 성쇠소장의 이치를 체득한 사람
이 찾아와 보아줄 때까지 기다리고 있기 때문일 것이라는 말이다.

　옥처럼 맑은 샘물 벽돌 틈새 솟아나서
　거울 하나 삼라만상 환히 비춰 담았구나

깨끗한 참 본성과 서로 한번 비겨볼까

솔 사이 우뚝 앉아 의관을 가다듬네.

瑤泉甃石湛凝淸　　一鑑中涵萬象明

欲把靈臺相比試　　松間兀坐整巾纓

(김창협, 『농암집』 권4, 「影池 敬次曾王考韻」)

위의 시는 춘천의 청평사에 와서 쓴 시 중 일부이다. 김창협은 「영지」를 지나면서 증조부 김상헌을 생각하면 김상헌의 시에 차운하여 쓴 시이다. 김창협은 청평사에 방문하여 진락공 이자현과 청한자 김시습 등 은자들을 회상한다.[182] 그리고 영지를 지나다가 영지에 비친 만물을 본다. 영지에는 산과 자연 등 만물이 밝게 담겨 있다. 비춰진 만물 가운데 자신을 발견하고 자신의 의관을 바르게 함으로써 자신을 반성한다. 김창협에게 영지는 자신의 본성을 되돌아 보고 살피는 도구의 기능을 함을 알 수 있다.

다음 시는 매화를 읊은 시 「賦梅 用疎影橫斜水淸淺爲韻」의 일곱 번째이다.

소씨의 선천도

염계옹의 태극권

음과 양이 뿌리와 싹이 되어서

---

182) "眞樂淸寒兩不廻 靑松落影只空臺 農巖有客僧知否 欲入廬山舊社來." (권4, 「敬次曾王考入山韻」)

천지조화 조용히 운행 하누나

지난날 선현의 책 완미하면서

이처럼 깊은 뜻을 몰랐었는데

매화나무 아래에 돌아온 지금

어느새 드러났네 환한 천기여.

邵氏先天圖	濂翁太極圈
陽陰互根芽	造化密移轉
宿昔玩陳編	此意看猶淺
歸來梅樹下	邂逅天機顯

(김창협, 『농암집』 권 5, 「賦梅 用疎影橫斜水淸淺爲韻」 其 7)

작자의 족질 김시보가 보내준 분재 매화를 보고 읊은 것으로 보인다. "疎影橫斜水淸淺"은 '성긴 그림자 옅고 맑은 물 위에 비끼고'라는 뜻으로, 송나라 임포가 매화를 주제로 읊은 칠언율시 「산원소매」의 함련 가운데 한 구이다. 임포의 「산림소매」는 역대의 매화를 읊은 시 가운데 가장 뛰어난 가작이란 평을 듣고 있다. 특히 3·4구의 '疎影橫斜水淸淺, 暗香浮動月黃昏'은 뒷날 매화를 음영한 모든 시인들에게 회자된 천하의 명구이며, 임포의 이름을 영원히 빛나게 한 절창으로 평가되고 있다.

김창협 또한 3구의 "疎影橫斜水淸淺"를 한 자씩 떼어 운자로 삼아 7수로 지었다. 이 구절로 시를 지은 이유는 달 그림자에 비친 매화의 모습, 곧 잎도 채 나기 전에 추운 겨울을 무릅쓰고 꽃을 피우는 앙상한

가지가 보는 이에게 진한 감동을 주기 때문이다. 그리하여 일반적으로 매화는 "그 고졸 청신하고 소박 단아하며 인고수절(忍苦守節)하는 상태가 '중화 사상'을 바탕으로 한 유가 사대부들에게 지순 지선한 아름다움으로 인식되었고, 동시에 그들의 지조와 덕을 존양 성찰하는 표상으로 받아들여졌던"[183] 것이다. 그러나 김창협은 줄기가 구불구불 뒤틀리고 가지가 성글고 야윈 겨울 매화를 보면서 소옹의 선천도와 주렴계의 태극권을 상기한다. 소옹의 선천도와 주렴계의 태극도는 음·양의 조화와 천지 순행의 도를 가르쳐 주는 책이다. 매화는 겨울에서 봄으로 계절이 바뀌는 시점에 이 변화를 감지하고 꽃을 피워낸다. 겨울에 핀 매화를 통해 겨울 속의 봄, 음양의 전환과 조용히 변화하는 계절의 변화를 응시한다. 책을 통해 얻은 지식은 체화(體化) 되지 못하다가 매화가 성글게 피어나는 모습을 통해 드디어 천기를 깨닫는다고 하였다.

이 시에서 매화를 보며 깨달은 천기는 바로 함련의 "陽陰互根芽 / 造化密移轉"의 세계이다. 즉 음과 양이 순환하면서, 조용히 일어나는 변화의 세계이면서, 누구보다 변화의 조짐을 감지하여 봄의 선봉에 서서 그 소식을 제일 먼저 알려 주는 이의 세계이다.

김창협은 「삼일정기」를 지어 백부인 김수증이 삼일정을 건립했던 일에 대하여 그 뜻을 기렸다.

　(가) 삼일정은 곡운의 화음동에 있는데, 나의 백부께서 설치한 것이다. 왜 삼일정이라 이름 지었는가 하면, 세 기둥〔三柱〕에 한 대마루〔一

---

183) 홍우흠, 「퇴계의 매화시첩에 대한 연구」, 『인문연구』 제4집, 영남대학교 인문과학
　　연구소, 1983. pp. 98~102.

極]로 되어 있기 때문이다. 세 기둥과 한 대마루에서 무슨 뜻을 취한 것인가? 그것은 삼재(三才)와 일리(一理)의 상(象)을 취한 것이다. 그렇다면 삼재와 일리의 상을 나타내기 위하여 그렇게 지은 것인가, 아니면 지어 놓고 보니 그러한 상이 있는 것인가?184)

이 단락에서는 '삼일정'에 대한 간략한 소개가 이루어지고 있다. '삼일정'이라 이름한 이유는 보통의 건축물과 달리 기둥이 3개이기 때문이다. 전술한 바와 같이 삼일정의 3개의 기둥은 각각 천·지·인을 뜻한다고 본 것이다. 그 후 이것이 삼재의 상을 나타내기 위해 일부러 3개의 기둥을 세운 것인지, 짓고 나서 보니 그러한 의미를 부여할 수 있게 된 것인지에 대해 물었다. 질문 형식을 취하여 독자의 의식을 환기시켰다.

(나) 처음에 백부께서 시내 상류에 이르렀는데, 거기에 있는 돌이 거북이 물가에 나와 볕을 쪼이는 모양과 같아서, 그 등에 정자를 세울 만하였다. 그런데 앞은 넓고 뒤는 좁아서, 겨우 세 기둥밖에 세울 수가 없었다. 그대로 완성해 놓고 보니 그런 상이 되었고, 이름을 붙이고 보니 그러한 뜻이 나타나게 되었으니, 이 또한 자연적으로 그렇게 되었을 따름이다.185)

---

184) "亭在谷雲之華陰洞. 吾伯父所置也. 何以名三一. 三柱而一極也. 何取於三柱一極. 以爲有三才一理之象焉爾. 曰是象之而爲也歟. 亦爲之而有是象也."(卷24, 「三一亭記」)

185) "始伯父杖屨於溪上. 有石焉如龜鼈之曝于涯. 其背可以亭也. 而前嬴後殺. 劣容三柱. 因以成之而象具焉. 成而名之而義見焉. 是亦自然而已矣."(卷24, 「三一亭記」)

이어서 기둥을 세 개만 세울 수 밖에 없었던 까닭이 드러난다. 정자를 세울 곳에 있는 바위의 모습이 반듯하지 못했기 때문에 부득이 세 개만 세운 것이다. 이로써 앞 단락에서 제시한 문제에 대한 해답이 밝혀진다. 즉, 이름을 붙이고(철학적인 의미 부여) 난 뒤에 짓게 된 것이 아니고, 바위의 생김새(자연의 모습)에 따라 지은 것이 마침 삼재의 이치에 맞아 떨어졌다는 것이다.

　(다) 무릇 천지간의 사물은 그 수가 지극히 고르지 못한 것이기는 하나, 그 어느 것이나 자연의 상을 갖지 않은 것은 하나도 없다. 도를 아는 자가 가만히 보면 그 수는 어느 것이나 다 제대로 들어맞기 마련이지만, 오직 몽매한 자는 그것을 살피지 못할 따름이다. 하도·낙서라 하여 사람들은 오직 그 수가 10이나 9인 것을 알뿐이지만, 복희나 하우와 같이 터득하고 보면 천지 생성의 차례와 음양 기우(奇偶)의 수가 일목요연하게 되는 것이다. 그리하여 8괘가 지어지고 구주의 법이 만들어졌으며, 후세의 군자가 토끼만 보고서도 가히 괘를 그릴 수 있다는 말이 나오게 된 것이다. 대개 사물을 잘 보는 사람들은 사물을 사물로서 보는 것이 아니라 상으로서 보며, 상으로서 상을 보는 것이 아니라 이치로서 상을 본다. 상으로 사물을 보면 어느 것이나 지극한 상이 아닌 것이 없고, 이치로 상을 보게 되면 어느 상이나 지극한 이치 아님이 없다. 비유하건대 포정의 눈에 완전한 소가 없다는 것이다.186)

---

186) "凡物於天地間者 其爲數至不齊也 而莫不皆有自然之象焉 知道者 默而觀之 無往而不相值焉 顧昧者不察耳 河之圖也 洛之書也 人但見其十與九而已矣 而伏羲夏禹得之 則天地生成之序 陰陽奇耦之數 一擧目而森如也 故八卦作焉 九疇叙焉 至後之君子 乃謂觀於賣兎者 亦可以 畵卦 蓋善觀物者 不以觀物觀而以象觀物 不以象觀象而以理觀象 以象觀物 則無物而非至象也 以理觀象 則無象而非至理也 譬之 庖丁眼中 無復有全牛

이 단락에서는 위에서 설명한 상황을 논리적으로 설명하고 있다. 우선 천지간의 모든 사물은 수로 나타낼 수 있으며, 이는 다시 상으로 표현될 수 있다는 상수학의 세계관을 전제하고 있다. 이렇게 자기에게 품부된 수는 사물마다 조금씩 달라 일관성이 없이 둘쑥날쑥한 것 같아 보이나, 실상은 그 수들이 서로 조화를 이루어 상생토록 되어있음을 말하고 있다. 따라서 사물은 그 속에 내재된 이치를 통해 파악해야됨을 역설하고 있다. 사물에서 상을 찾고 다시 여기서 이치를 찾는 과정을 포정이 소를 잘 잡게 된 단계에 빗대어 설명하고 있다.

포정이 처음에 소를 잡으려고 할 때는 사물인 소만을 봤기 때문에 손을 댈 수 없었던 것이다. 이 단계는 보통 사람들이 바위의 모양이 반듯하지 않아 정자를 세우기에 부적절하다고 보는 단계이다.(1단계) 포정이 소를 잡기 시작한 지 3년이 지나자 비로소 사물로서의 소의 온전한 모습은 보이지 않게 되고 각 부분과 부분으로 이루어진 소의 象이 보이기 시작하였다. 이 단계는 바위의 생김새에 따라 기둥을 셋만 세우게 된 단계를 의미한다.(2단계) 포정이 소를 잘 잡게 된 지금은 눈으로 사물이나 사물의 형상을 보는 것이 아니라 정신으로 소를 대하고 있다는 것이다. 즉 소의 각 부분의 상에 내재된 이치를 파악했기 때문에 눈의 작용 대신에 정신을 통해 천리를 따라 쇠가죽, 고기, 살, 뼈 등을 갈라낼 수 있는 것이다. 이 단계는 세 개의 기둥과 하나의 대마루를 통해 삼재가 하나의 이치(一理)를 구현하고 있음을 깨닫게 되는 것이

焉."(卷24,「三一亭記」)

다.

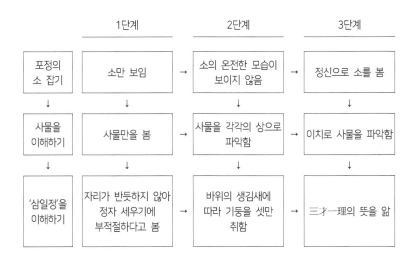

	1단계	2단계	3단계
포정의 소 잡기	소만 보임 →	소의 온전한 모습이 보이지 않음 →	정신으로 소를 봄
↓	↓	↓	↓
사물을 이해하기	사물만을 봄 →	사물을 각각의 상으로 파악함 →	이치로 사물을 파악함
↓	↓	↓	↓
'삼일정'을 이해하기	자리가 반듯하지 않아 정자 세우기에 부적절하다고 봄 →	바위의 생김새에 따라 기둥을 셋만 취함 →	三才一理의 뜻을 앎

  (라) 이제 이 정자가 세 기둥, 한 대마루로 된 것이야 산중의 목동이
나 나무꾼들이 모두 가리키며 말하는 바이지만, 그 이치와 상의 오묘함
은 선생만이 말 없는 가운데 이해하고 있을 뿐이다. 조석으로 거기에서
굽어보고 우러러보며 좋아하고 즐거워할 뿐, 하도나 낙서를 앞에 펴 볼
필요를 느끼지 않는다. 그러니 이 정자를 짓고 거기에 선생이 이름을
붙이고 한 것은 굳이 어떤 의미를 취해서가 아니고, 서로 만나게 된 것을
기뻐한 것일 뿐이다. 그러니 어찌 구구히 상을 말할 필요가 있겠는가?
…(중략)… 뒷날 이 정자에 오르는 자가 그 법상을 살펴보고, 대체로
삼재·일리의 상을 취했다 해도 되겠지만, 만약에 꼭 그러한 상에 맞추
어서 지었다고 말한다면 이 정자를 지은 실상은 아니다.187)

187) "今是亭也. 其爲三與一者. 山之牧兒蕘叟. 皆可指而言之. 而其理象之妙. 則先生獨默

이 단락에서는 앞 단락에서 논한 이치를 '삼일정'에 대입시켜 설명하고 있다. 사물의 깊은 이치를 보지 못하는 일반 사람들은 삼일정의 모습의 특이함만을 지목하고 있다. 이는 삼일정의 외형만을 보고 판단한 것이다. 그러나 김수증은 삼일정의 세 개의 기둥과 하나의 대마루로 이루어진 것을 통해 상을 보았으며, 이것이 다시 삼재 일리의 이치로 설명될 수 있음을 알았다. 때문에 아침 저녁으로 그 속에 있으며 이치의 묘함에 즐거움을 느낄 수 있었다. 한편, 이것이 인위적으로 맞춘 것이 아니라 자연과의 조화 속에서 절로 얻어진 이치이기 때문에 더욱 의미를 갖는다고 보았다.

김창협은 「삼일정기」를 통해, 삼일정이 그 특이한 모습으로 세워진 경위를 밝힌 것에 머물지 않고, 그 속에 담긴 상수학적 원리를 밝혀냈다. 이를 통해 김수증의 구곡 경영이 소옹의 음양소식관의 영향 하에 있음을 아울러 밝히고 있다.

이상에서 살펴본 바와 같이, 김창협은 전술한 '인물우흥'의 방식으로 산수 자연을 통해 천리를 발견하고자 하였다. 작품의 형식에 따라 약간의 차이는 있으나 천리를 깨닫는 과정과 그 과정에서 얻은 진리를 비교적 직설적으로 설파하고 있음을 알 수 있다.

契焉. 蓋朝夕俯仰其間. 有足玩以樂之. 而無俟乎圖書之陳於前矣. 然則是亭之作. 而先生之名之也. 惟無意於取義. 而邂逅相值. 爲可喜耳. 豈區區象之云乎. …(중략)… 後有登是亭者. 觀於其法象. 苟亦曰蓋取乎則可也. 如必曰象之而後爲. 則非是亭之實也."(卷24, 「三一亭記」)

V. 김창흡(金昌翕)의 산수관과 문학 세계

1. 산수관

김창흡은 김창협과 더불어 산수 유람의 취미와 산수 품평에 많은 관심을 표명하였다. 산수 유람의 기록문에 서문 또는 발문을 지어 주는 것은 당대 문화 풍토 상으로 보나 김창흡 형제의 명망으로 보나 당연한 일이었겠으나 이를 마다하지 않고 여러 편의 서·발을 남긴 것은 이들 스스로도 산수에 대한 지대한 관심을 갖고 있었음을 증명한다.

매화를 보는 방식은 여러 가지가 있다. 천기가 밖으로 드러나는 것을 완상하여 가지마다 태극이라 여기면서 즐기는 자는 주돈이나 소옹 등의 제현(諸賢)이 이들이다. 그 외로운 표상과 차가운 운치를 취하여 지기(知己)로 의탁하면서 즐기는 자는 임포(林逋)의 무리가 이들이다. 매화의 참다운 색태를 감상하고 깨끗한 향기를 거두어서 시의 흥취를 펴도록 돋구며 즐기는 자는 사인묵객이 이들이다. 어여쁜 궁인들을 가까이 두고서 풍류를 이기지 못해 금 장막을 걷고 술을 익혀 먹으면서 즐기는 자들은 공자 왕손이 이들이다. 눈 속에도 봄이 온 것 같다고 여기고 잎도 없이 꽃이 핀 것을 기이하고 생각하는 자들은 범부들의 속견이 이것이다.188)

　　매화를 통해 자연 경물을 감상하는 방식을 다섯 단계로 나누어 설명하였다. 여기에 전제가 되는 사항은 자연 경물을 자아와 유기적인 상관관계를 갖고 있는 대상으로 인식하고 있다는 점이다. 즉 매화를 피상적으로 보는 것이 아니라 무언가의 의미를 던져주는 상관물로 바라보고 있다. 그렇다 보니 이 다섯 가지 방식은 표면상으로는 열거의 형식을 띠고 있으나 내용면에서는 단계적 순서로 제시되고 있다.

　　김창흡은 이 중 첫 단계인 주돈이와 소옹의 방식대로 자연 경물을 인식해야 함을 강조하였다. 사물을 천기의 구현물로 파악하여 이것을 통해 다시 조화로운 천지의 이치로서의 태극을 느껴야 한다고 주장하였다. 그런 의미에서 볼 때, 임포의 무리는 대상에 감상적으로 접근하여 자신의 감정을 의탁하려 하였기 때문에 제현의 무리에 들 수 없는 것이다. 그런가 하면 사인 묵객들은 대상에 대한 직접적인 완상보다는 시를 통해 간접적으로 흥취를 얻으려 했기에 임포의 무리보다 아래에 놓인 것이다. 공자 왕손과 범부는 그 내재된 이치를 파악하지 못한 채 매화를

---

188) "看梅花有許多般 有玩其天機呈露 箇箇太極而樂 者 周邵諸賢是也 有取夫孤標冷韻 託爲知己而樂者 林逋輩是也 有賞眞色挹淸芬 助發詩興而樂者 詞人墨客是也 有親近 國艶 不耐風流 褰金帳酌羔酒而樂者 公子王孫是也 有以雪中能春 無葉有花爲可異者 凡夫俗見是也"(권 36,「漫錄」庚子)

통해 단순한 풍류만을 느끼는 수준에 머물거나 혹은 피상적인 감상 차원에 머물었기 때문에 바람직한 감상 태도로 여기지 않은 것이다. 따라서 산수 경물을 통해 천기를 완상하여 태극의 이치를 깨달아야 한다고 주장하였다.

김창흡은 태사공의 예를 들어 이를 보다 구체화시켰다.

> 오직 태사공만이 유람을 잘한 것으로써 세상에 특별히 소문이 나 있다. 세상에 유람을 좋아하는 자제들 또한 자못 사모하여 그를 본받고자 하였다. 그러나 유독 그 29세에 유람한 것만 아는가? 오직 그 10세에 이미 고문을 외운 것은 듣지 못했는가? 저 기이하고 위대한 재주와 탁월한 식견으로써 진실로 하늘이 그를 따르게 하였다. 그러니 널려 있는 것을 찾고 곁을 깎아내고도 오히려 십여 년의 축적을 기다리고 축적한 것이 만난 바에 옮겨질 수 있은 연후에 일어나 유람을 하였다. 한번 보아 천하의 변화를 다하고 그 가슴 속의 기이함을 토로하였다. 결국 일가를 이루어 말이 전해짐이 끝이 없었다.[189]

무조건 천하를 유람하는 것은 의미가 없다고 본 것이다. 천하의 변화를 다 파악하고 가슴 속에 생겨나는 바를 토로하는 것을 유람의 궁극적인 목적으로 여긴 것이다. 그렇게 하기 위해서는 유람 이전에 우선 고문을 익숙하게 학습하여 기이하고 위대한 재주와 탁월한 식견을 쌓을 것

---

[189] "惟太史公 以善遊特聞於世 世之喜遊子弟 亦頗欲慕而效之 然獨知其二十而遊焉乎 而獨不聞其十歲而則已誦古文乎 以彼奇偉之才 卓犖之識 固天縱之 而然且搜羅旁刓 猶待夫十年之積 積而有可運於所適者 然後起而後遊 一覽而盡天下之變 吐其胸中之奇 卒成一家言 傳之無窮"(습유 권 23,「溟岳錄後序」)

을 제안하였다. 그 후에 축적한 바를 운용할 만한 적당한 때를 기다려야
함을 덧붙였다.

　　시는 모〔方〕에 가깝고, 문은 원에 가깝다. 격식을 정한 후에 감정을
　　기다려 비속함을 막고, 생각을 정밀히 한 뒤에 말을 내어 평이함을 막고,
　　학문을 쌓은 후에 조잡함을 닦아 누추함을 막고, 기미에 닿은 후에야
　　구절을 이루어 집착함을 막을 수 있다. 재주와 정이 넉넉하지 않고 경관
　　과 사물을 적게 배합하였다면 웅장하고 기이하고 드넓은 경관에만 매달
　　렸을 뿐이고 담박하고 넉넉한 운치에는 소략하게 된다.190)

　위 인용문에서는 시구를 짓기 위해 갖춰야 하는 덕목을 제시하고 있
다. 그것은 격식을 정하는 것〔定格〕, 생각을 정밀하게 하는 것〔精思〕,
학문을 쌓는 것〔積學〕, 기미에 닿는 것〔觸機〕이다. 이것이 갖춰졌을 때,
비로서 감정이 온축되는 것을 기다려〔俟感〕 말을 내고〔出辭〕 조잡함을
가다듬어〔修藻〕 구절을 이룰〔成句〕 수 있다고 하였다. 이 과정이 순차
적으로 이루어지지 않으면 웅장하고 기이하고 드넓은 경관을 접하고도
담박하며 넉넉한 운치를 얻을 수 없다고 하였다.
　다음은 조카인 사경 김시보에게 보낸 편지글이다.

　　진실되게 그려내는 것은 그 신정(神情)을 얻음을 귀하게 여기니 다만
　　형골(形骨)을 드러내는 데 그친다면 곧 그 사람이 아니다. 시를 짓는

---

190) "詩近方 文近圓 定格而後俟感以禦卑 精思而後出辭以禦易 積學而後修藻以禦陋 觸機
　　而後成句以禦鑿 才情未裕 景事寡劑 騖於雄奇莽蒼之觀 而略於澹蕩優柔之致"(습유
　　권 29, 「만록」, 論詩)

것 또한 그러하다. 그 형체를 본뜨다가 정신을 잃어버린다면 그 현황을 소략하게 하고 그 정신을 뛰어나게 함을 얻는 것만 같지 못하다.191)

그는 시작법을 그림을 그리는 일에 빗대어 설명하고 있다. 그림을 그릴 때도 단순히 사물의 모양〔형골〕만 갖추는 것은 낮은 단계이고, 사물의 본성〔신정〕을 파악하여 그것을 표현할 수 있어야 좋은 그림이라고 하였다. 마찬가지로 좋은 시도 역시 단순히 사물의 모양만을 보여주는 것이 아니라 시인의 자유로운 기운을 드러낼 수 있어야 좋은 시라고 생각하였다. 형골과 신정 중에서 굳이 우위를 따지자면 신정을 우위에 두었으나 가장 뛰어난 것은 형골과 신정이 함께 빼어난 것이라 생각하였다.

두보의 시는 형과 신이 함께 묘한 것이다. 이백의 시는 다만 신이 행한 것이다. 두보는 만상을 에워싸 형형색색이 형에 달아난 것이 없는 까닭에 그 경구를 지적해도 또한 이루 다 헤아릴 수 없다. 이백 시의 묘한 곳은 광경이 영롱한 데 있는 것이 많지만 진실로 경구를 뽑을 만한 것이 거의 없다. 잠삼·고적·왕유·맹호연이 물태를 잘 묘사한 자로서 이백에게 비교한다면 이백이 진실로 한 층 높다. 그러나 형신이 모두 묘한 데에 있어서는 끝내 두보에게 부끄러운 것이 모두 같다. 두보는 나이 들어 스스로 큰 학문과 재식이 있었으니 시학으로서만 그를 주목해서는 안된다. 능히 제갈공명의 지기(知己)가 되고 심지어 이윤·여상과

---

191) "寫眞貴得其神情 只以形骨而已 則便非其人 作詩亦然 與其摸形而遺神 不若略其玄黃 而得其神駿也"(권 19, 「答士敬別紙子」)

견줄 수 있으니 정자·주자 이전에 이러한 학식이 있는 사람은 없었다. 저 동명 정두경 같은 무리들은 다만 고인의 시구를 들추어내 취하고[擢取] 엮어서 시를 지었으니 어찌 그것이 시이겠는가? 어찌 그것이 시이겠는가?192)

　　그는 중국의 시를 논하면서 중국 시인을 두보, 이백, 그리고 잠삼·고적·왕유·맹호연 등 세 부류로 구분하면서 시작에 있어서 가장 낮은 단계로 잠삼·고적·왕유·맹호연 등을 들었다. 그들은 물태를 핍진하게 잘 묘사하고는 있지만, 자유로운 정신을 잘 표현한 데에 있어서는 이백이 그들보다 뛰어나다고 하였다. 그러나 이백의 시는 신이 우선 행하였기 때문에 두보에 비하면 한 단계 더 낮게 평가될 수밖에 없다. 따라서 형과 신을 함께 잘 표현한 두보의 시를 가장 높게 두었다.

　　그러나 무엇보다도 김창흡이 배격한 것은 바로 의고주의였다. 그는 정두경의 무리들이 옛 시인의 시를 들춰내 시구를 엮는다고 하였고, 이어서 그것은 시가 될 수 없다고 강력하게 폄하하였다. 그 이유는 의고주의에 입각하여 시를 지어서는 형골을 핍진하게 하는 단계에도 미치지 못하기 때문이다. 형골을 핍진하게 그려내지도 못하는 상태로는 그 속에 내재된 신정을 담아낼 수 없다고 판단했기 때문이다.

　　김창흡은 시어에 대해서도 다음과 같이 의견을 피력하였다.

---

192) "子美之詩 形神俱妙者也 李白只神行者也 所以子美牢籠萬象 形形色色 無所逃形 故擢其警句 亦不可勝數 李白詩妙處 多在光景玲瓏 實無警句可撮取者 以岑, 高, 王, 孟善寫物態者 較諸李白 則李白固高一層矣 然形神俱妙 終愧子美則均焉 杜老自有渠學問才識 非可以詩學目之也 能爲孔明知己 至比於伊呂 程朱以前 未有此識 如東溟輩 只擢取古人詩句 綴緝爲詩 奚其詩 奚其詩"(권 19, 「答士敬別紙子」)

한유가 일컫는 진부한 말이란 여컨대 육조의 사람들이 고사를 인용하고 앞 사람들의 언어를 답습한 것을 들 수 있겠는데, 문정·진양갑·역책·망금과 같은 부류가 이것이다. 한유는 애써 어렵게 없애고자 힘썼으니 대개 자기 방식대로 표출해 내고자 한 것이다. 그는 비록 맹자·장자·반고·사마천의 문장일 지라도 한 마디 말도 답습하지 아니 하였으나 팔대의 쇠퇴함을 야기시킨 바가 바로 여기에 있다. 모곤(茅坤)의 무리들은 진부한 말이 무엇인지를 알지 못하고 평상시의 속어로 지어야 한다고 이해하였다. 만약 이와 같이 한다면 한유가 힘쓴 바는 끝내 규호(虯戶)·선계(銑溪)의 부류로 귀착될 것이니 어찌 그릇되지 않는가. 한유의 문장 가운데는 실로 평상어가 많은데, "불행히도 '두 눈'이 사물을 볼 수 없어 촌보라도 능히 스스로 이를 수 없다"라 한 것 같은 경우는 어찌 일찍이 글자를 바꿀 뜻이 있었겠는가. 만약 엄주(왕세정 : 역자 주)의 무리로 하여금 이것을 짓게 한다면 '두 눈'이라고 말하지 않고 반드시 '금비(金箆)'를 썼을 것이고 '촌보'라고 말하지 않고 반드시 '분지(賁趾)'를 사용하였을 것이다. 이것이 바로 진부한 말을 제거해야 하는 까닭이다. 193)

김창흡은 한유가 맹자·장자·반고·사마천 등의 대가가 남긴 훌륭

---

193) "退之所謂陳言 如六朝人之引用古事與踵襲前人 言語 如問鼎晉陽甲易簀亡琴之類是已 退之之戞戞務去 蓋欲必自己出 雖孟, 莊, 班, 馬之文 未嘗勦襲一語 所謂起八代之衰者 正爾在此 茅坤輩不知陳言之爲何 解作平常俗語 若是則退之之所務 終歸於虯戶銑溪之類 豈不誤哉 退之文中 實多平常語 如曰不幸兩目不見物 寸步不能自致 曷嘗有換字之意乎 若使弇州輩當此 則不言兩目而必用金箆 不言寸步而必用賁趾 此正陳言之可去者也"(권 36, 「만록」)

한 말이라 하더라도 그 말을 따라하는 것은 '진부한 말'이라 여겨 답습하지 않으려고 했음을 밝혔다. 아울러 이것 때문에 당송의 팔대가 이후에 시문이 쇠퇴하였다고 지적하였다. 훌륭한 말을 억지로 사용하지 않으려고 애를 썼던 시작 태도 때문에 모곤은 이를 곡해하여 속어로 시를 지어야 한다고 주장했다고 설명하였다. 모곤은 명대의 문장가로『당송팔가문선』을 엮은 이로 알려져 있다. 그러나 그렇다고 하여 한유가 억지로 글을 어렵게 만드는 '규호·선계' 등의 문체를 선호한 것은 아니다. 규호·선계란, 남이 알기 어려운 괴이한 문자만 골라서 쓰는 글을 말한다. 당나라 서언백(徐彦伯)이 '봉각(鳳閣)'을 '원각(鵷閣)'으로, '용문(龍門)'을 '규호(虯戶)'로, '금곡(金谷)'을 '선계(銑溪)'로, '옥산(玉山)'을 '귤악(璚岳)'으로 썼는데, 진사들이 이를 본받아 애용하며 '삽체(澁體)'라고 했다는 고사에서 유래되었다. 김창흡은 한유가 평상어를 즐겨 사용하였음을 예로 들어 왕세정과 같은 무리들이라면 오히려 어렵고도 진부한 말로 고쳤을 것이라고 비판하였다. 즉 어휘의 선택에 있어서 다른 사람의 괴벽한 문자를 차용해 뽐내려고 했던 태도를 가장 경계하였다. 이것은 오히려 진부함을 낳기 때문이다.

한편, 김창흡은 「하산집서」에서 자신의 천기론적인 시관과 조선 시의 문제점에 대하여 이야기하였다.

시가 도가 됨은 법이 없어서도 안 되지만 법에 구속되어서도 안 된다. 일찍이 주자께서 시에 대하여 논한 글이 있다. 그 풍아(風雅)와 정변(正變)을 구별하는 문제에 대해 매우 단호한 입장을 보였지만, 어떤 사람의 질문에 답하는 데에서는 "'관관저구(關關雎鳩)'가 어느 곳으로부터 나왔는가?"라고 하였다. 통쾌하도다, 이 말이여! 오랜 세월 동안 굳어진 견해를 깰만하고 성병(聲病)에 집착하는 자들에게 활구(活句)가 될 만하다. 무릇 시란 무엇인가? 성령(性靈)에 근원을 두고 물상을 빌어다가 채색하여 수식하여 말로 나온 것이 섞여 문이 되고 궁상(宮商)의 소리가 갈마들어 율조가 된다.194)

그는 시를 지음에 있어서 법이 없어서도 안 되지만 법에 구속되어도 안 된다고 하였다. 비록 주자도 풍아와 정변을 구분하였지만, 『시경』의 "관관저구"의 구절을 들어 개인의 성정의 발현을 긍정적으로 보았음을 지적하였다. 그래서 시란 "성령에 뿌리를 두고 물상을 빌려 표현하는" 것이라 하여 훌륭한 시가 되기 위해서는 어휘를 초월하고 시인이 직관적으로 대상을 포착하여 이를 구체화해야 한다고 주장하였다.

시에 있어서 불변의 법칙을 부정하고 외적 세계의 변화에 능동적으로 반응하면서 시체(詩體)도 변화해야 한다고 하였다. 시 짓는 법에서 글자나 안배하고 형식에 구애받은 시를 낮게 평가하였다. 그리하여 반드시 현실 세계의 형상을 똑같이 모사할 필요가 없이 시인의 상상에 의해서는 눈 속의 파초를 그리는 것도 가능하고, 대상에 몰입하게 되면 겨자씨 속에 수미산이 있다는 표현도 가능하다고 하였다.195)

---

194) "詩之爲道 不可無法 不可爲法所拘也 不佞嘗聞朱子之論詩矣 其於風雅正變之別 非不截然 至答或人之問 則曰關關雎鳩 出自何處 快哉斯言 可以破千古膠固之見 而足爲聲病家活句矣 夫詩何爲者也 原於性靈 假於物象 青黃之錯爲文 宮商之旋爲律." (권 23, 「하산집서」)

195) "不可爲典要 惟變所適 神無方而易無體 詩亦如之 故象有所轉 雪中芭蕉可也 境有所奪 芥裏須彌可也 是豈可以安排拘滯爲哉." (권 23, 「하신집서」)

우리 동방의 시는 연원이 얕고 다시금 헌장이 논할 만한 것이 없는데도 유독 그 기휘에만 자세하고 답습하는 데에만 익숙하여 실로 300년의 고질적인 폐단이 되었다. 그래도 선조 이전은 공과 졸의 차이는 있었지만 각각 자기의 참 모습을 드러내었는데, 뒤에는 점점 모두 우아함에 나아가 다듬고 분칠하는 것이 날로 승하여 기휘는 점점 많아지고 인하여 답습만 더욱 익숙하게 되었으니 옛날처럼 법을 만드는 것이 아니라 끝내 법에 얽매이게 되었다. 그러므로 명물에는 반드시 휘부에 의거하고 사사에는 꼭 내력이 있어야만 되었으니, 점점 줄어드는 틀 속에서 감히 옆으로 한 발짝도 내딛지 못하고 드디어는 진기와 활용을 묶어 행해지지 않게 하였으니, 어찌 다시 중류를 끊고 나루와 뗏목을 초월하여 강가로 올라가는 것이 있었겠는가? 종합하여 논한다면 백가가 일격이었다. 즉 한 사람의 작품에 부합하여 의경과 사물이 판에 박혔고 정감과 의치도 뒤섞여 버려 또 천편일률이 되었으니 전혀 구별되지 않았다. 아! 공자는 '시로써 살필 수 있다'고 하셨는데 어찌 이처럼 되려 하는가? 나는 우리 나라의 시가 그 법에 얽매이는 것이 병통이 됨이 이와 같다고 여겼다.

그는 이와 같이 개성적인 시관으로 조선의 시를 살피면서, 조선의 시는 "백가가 일격"이라고 비판하였다. 그 이유는 "연원이 얕아 논할 만한 헌장이 없는데다 유독 기휘만 자세하고 답습하는 데만 익숙한" 사실을 들었다. 시어의 조탁과 율격에만 신경을 쓰는 폐해를 지적하고 있다. 당대까지의 시를 선조 이전과 이후로 나누어 살피고 있다. 선조 이전의 시는 그나마 공과 졸의 차이가 있더라도 자기의 참 모습을 드러내었으나, 그 이후 그들의 시를 답습하여 시의 개성적인 모습이 사라졌다고 이야기하였다.196) 그리고 조선시가 천편일률적으로 된 원인으로 시인들이 하나같이 시를 쓰는 법에 구속되었기 때문이라고 하였다. 그는 당풍이나 송풍 등 기존의 시작법에 따라 짓기 보다는 자신만의 시짓기를 주장하였다.

그러다가 만년에 하산 최효건(崔孝騫)의 시를 읽어 보니 그는 진실로 능히 기휘하는 바를 벗어나서 답습에 안주하지 않은 사람이었다. 그 체격을 살펴보니 당풍도 아니고 송풍도 아니어서 그가 사승받은 바가 없음을 알게 되었다. 聲調가 상쾌하고 기운이 활달하여 갑자기 찬 물을 등에 끼얹는 듯하고 빠른 번개가 눈을 부시게 하는 듯 하여 사람으로 하여금 간담을 뒤흔들고 정신을 빼앗았다. 그 시를 천천히 궁구하니 여러 경관이 자세하고 온갖 물태가 드러나서 놀랍기도 하고 기쁘기도 하여 나도 모르게 실컷 웃으며 손바닥을 친 지 오래되었다. 그동안 이러한 시가 없었으니 비록 그것을 일러 백 년만에 새로운 격식을 창조하였다고 할지라도 옳을 것이다.197)

---

196) "我東爲詩淵源旣淺 無復憲章之可論 而獨其詳於忌諱 狃於仍襲 實爲三百年痼弊 然而宣廟以前 雖有巧拙 猶爲各呈其眞態 以後漸就都雅 則磨礱粉澤之日勝 而忌諱愈詳 仍襲愈熟 非古之爲法而終爲法拘也 故命物之 必依彙部 使事之 要有來歷 蹙蹙圈套之中不敢傍走一步 遂使眞機活用 括而不行 豈復有截斷中流 超津筏而上者乎 蓋合而論之 百家一格 卽夫一 人之作 而境事雷同 情致混倂 又是千篇一律 無可揀別矣 噫 詩可以觀 豈欲其如是哉. 余於靑丘之詩 所病其拘於法者如此"(권 23, 「하산집서」)

197) 김창흡, 『삼연집』 권 23, 「하산집서」, "晚得何山詩而讀之 是眞能脫略忌諱而不安於仍襲者也 看其體格 不唐不宋 可知無所師承 而聲調爽亮 氣機橫活 往往突如其來 造險出奇 忽如冷水之澆背 迅雷之燁眼 殆令人膽掉神奪 及其徐繹而種種諸境之該 百態具呈 可愕可喜 不覺解頤而撫掌久矣 無此詩 雖謂之百年創格可也 公姓崔 名孝騫 何山其號也 蓋嘗決科盛際而官不大達 晚亦慍于輩小 佗傺居多 獨其曠懷 沖襟 雖有朝虀暮鹽之時 而夷然以窮爲戲 至於忠愛之悃 拳拳於希泰願豐者 殆子美之每飯不忘 凡此皆於詩上見之 其亦可慕也哉 竊怪夫一時所追遊 槩多哲匠名流 而未聞有藉吹噓而假

결국 김창흡은 답습하지 않은 하산의 시의 장점을 통해 전통적으로 인정된 시법에 대하여 회의하고 창조적인 작시를 격려하였다. 즉 시대마다, 개인이 처한 상황마다 개인의 감정은 다를 수 있고 그에 따라 물상을 인식하는 방식도 다를 수 있다는 것을 전제한 상태에서 각자 자신의 상황과 관점에 따라 물상을 표현해야 된다고 역설하였다.

요컨대 그는 우리나라의 시단의 개인의 개별적인 상황이나 감정을 중시하지 않아 생기는 폐단을 '백가가 일격이고 천편일율'이라 비판하고, 격조나 성율 등의 법에 구속받아서는 안 됨을 강조하여 의고주의를 부정하였다. 그리고 각자의 성령에 바탕을 둔 개성적인 시를 지을 것을 주장하였다.

또 그는 「관복시서」에서 지난 30년간 자신의 시창작에 대한 경험을 반성하였다.

나는 물정에 어두워 온갖 일에 해득한 바가 없었지만 유독 시도에 있어서는 30년 동안 마음을 썼다. 처음에는 격조를 높이 세우고, 옛법을 취하는 것으로 준칙을 삼아 우리나라 사람들의 열등하고 비속한 풍습을 바로잡으려고 힘을 기울였다. 그것으로 스스로의 표준으로 삼고 남을 인도하면서 "한의 고시와 당의 율시는 위로 구름과 하늘에 닿을 듯이

羽毛者 甚矣 賞音之難也 文亦駿利 頗有莊, 馬奇氣 而顧不肯刻意繩削 以故少完篇 要爲不可棄也 公旣骯髒 不曾買價於世矣 遺棄之委諸塵篋 無異夜光之韞櫝 古劍之埋 獄 閟鬱半百年 其曾孫致城哲卿 一朝抱棄而訪余于雪山深處 輒命以丹鉛焉 余則欣然 應之 豈亦有聲氣之感 不可以前後限 而邂逅顯晦 又 莫不有數而然歟 哲卿再來 告以 印役將訖 要有一語弁卷 余又不辭而爲之 非敢曰不朽公也 將以播告于今世操觚者曰 詩如何山 方是自爲詩者也

까마득히 높다"고 하였다. 입론은 그러했으나, 스스로 시를 지어보니 한결같이 남의 그림자나 뒤쫓고 메아리나 치는 격이었으니, 내가 지은 한나라 풍의 고시는 진정한 한의 고시가 아니었고, 내가 지은 당나라 풍의 율시는 진정한 당의 율시가 아니었다. 내 방식대로 지은 한의 고시였고 당의 율시였다. 여기에 실망하여 그만두고 물러났다. 어려움으로 인해 싫증을 내고 다시는 성병을 究竟의 법으로 여기지 않게 되었다.198)

자신이 30년 동안 시작에 힘쓰면서 우리나라 시의 열등하고 풍습을 바로 잡기 위해 "격조를 높이 세우고 옛법을 취하는 방법"을 썼다고 하였다. 옛법을 취하는 방법으로 제시한 것이 바로 '한의 고시'와 '당의 율시'를 본받아 배우는 것이었다. 그러나 아무리 핍진하게 한의 고시와 당의 율시에 다가가도 그것은 "남의 그림자나 뒤쫓는 격"인 모방작일 뿐일임을 깨달았음을 밝히고 있다. 그리하여 옛법을 모방하는 것을 멈추게 되었다고 고백하였다.

이상에서 김창흡은 개성적인 시관으로 천편일률적인 조선의 시를 비판하였으며, 좋은 시란 단순히 사물의 모양만을 잘 표현하는 것이 아니라 시인의 자유로운 기운을 잘 드러낼 수 있어야 좋은 시라고 생각하였다.

---

198) 김창흡, 『삼연집』 권 23, 「관복시서」, "余之迂疎 百無所解 獨於詩道 三十年用心矣 其始以立格必高取法必古爲準 務以矯東人卑靡之習 其自標致與夫爲人嚮導 輒曰漢古唐律 崔崔乎上薄雲霄 抗論則然 而及其自運 一皆是尋逐影響而 爲者 所謂漢者非眞漢唐者非眞唐 而乃自己之漢與唐也 於是廢然而返 因難生厭 不復以聲病爲究竟法矣"

2. 문학 세계

1) 절속의 의지 표현

김창협은 기사환국 이전에 사환기를 거쳤던 것과 대조적으로, 김창흡은 관직 생활을 한 바가 없다. 연보에 따르면 1685년(숙종 11) 그의 나의 33세에 장악원 주부가 되었으나 나아가지 않았다는 기록이 처음으로 보일 뿐이다. 철원의 삼부연, 양평의 벽계, 인제의 설악산 영시암, 화천의 화음동을 거점으로 하여 궁벽한 삶을 살았다.

다음 시는 삼부연에 복거하기 시작하며 지은 시이다.

닭과 개 있는 마을 폭포 동쪽에
흰 띠로 집을 지어 높은 곳에 부쳤네.
천가지 바위는 가을에서 겨울로 가는 때에 빛을 발하고
한가지 작은 길은 운무 속으로 굽어 도네.
옥을 깎은 듯 연화봉은 빼어나고
거문고를 뜯는 듯 귀곡수는 휘돌아 통한다.
이 가운데에서 약초 씻고 바람 맞으니
선인(仙人)이 사는 집이라 해서 갈옹에게 양보해야 하는 것은 아니네.

雞犬人煙瀑布東　　白茅爲屋據穹崇
千巖映發秋冬際　　一逕盤紆雲霧中
削玉蓮花峰秀出　　彈琴鬼谷水回通
此中洗藥兼風珮　　未必儦居讓葛翁

(김창흡, 『삼연집』권 1, 「三淵新構」)

　1·2구에서는 새로 지은 집의 위치를 설명하였다. 닭과 개가 있고, 인가에서 밥짓는 연기 나는 평범한 마을과 인접하여 집을 지었다고 하였다. '흰 띠(白茅)'와 '높은 곳(穹崇)'이라는 표현을 통해 집의 모습이 소박하면서도, 집을 지은 뜻이 높음을 나타냈다. 이어 3구 ~ 6구에서는 이 집의 '신선의 사는 집(儦居)'으로서의 풍모를 대구를 통해 보여주고 있다. 3구에서 '가을에서 겨울로 가는 때'라는 표현을 통해 집을 완성한 계절을 나타냈다. 동시에 시에서 바위를 비추는 빛을 청량한 이미지로 형상화하였다. 4구에서 집으로 가는 오솔길이 운무 속으로 굽어 도는 모습 또한 선경의 모습을 표현한 것이다. 이어서 5·6구에서는 산봉우리의 모습을 깎아놓은 옥에, 물소리를 거문고 타는 소리에 비유함으로써 수려한 경관을 지녔음을 자랑하였다. 자신이 그 속에서 선인(仙人)처럼 약초 씻고 바람을 맞고 있으니 굳이 갈옹에게 이 선거를 양보할 필요는 없다고 하였다.
　이 시를 지은 시기는 1679년으로, 그 때 김창흡의 나이는 27세였다. 김창흡의 아버지 김수항은 갑인예송 때문에 1975년 영암으로 유배를 갔다가 1678년 9월에 유배가 완화되어 철원으로 이배되었다. 김창흡은 부친이 철원으로 오게 된 인연으로 그 해 겨울에 철원 보개산의 대승암에서 머물게 되었고, 이듬해인 1679년 7월에 철원 용화촌 삼부연에 복거하기로 하여 '삼연(三淵)'이라는 호를 붙이게 되었다.

이 시에서는 삼부연에 지은 자신의 집을 선인이 사는 집에 비유함으로써 집을 완성한 뒤의 흥분을 표현하였다. 그러나 비록 시골이기는 하나 마을과 인접한 곳에 복거지를 정한 것을 볼 때 굳은 절속의 의지를 표명하지는 않았음을 알 수 있다. 높은 곳에 집을 마련하였다고 하지만 고절한 의지를 구체화시키기 보다는 선경(仙境)의 이미지를 부각시키는 데에 초점이 맞춰 있음을 또한 알 수 있다. 즉, 아직까지는 일시적인 가문의 부침에 의해 복거를 선택하게 되었을 뿐이요, 은거를 결심하지 않은 상태임을 알 수 있다. 따라서 이 때 접한 삼부연 주변의 산수는 선경으로서 의미를 지닌다.

이듬해 1680년에 경신환국을 맞아 김수항에게 영의정이 제수되자 김창흡도 같이 삼부연을 떠나 서울에 머물게 되는데, 이 때도 삼부연의 풍광을 그리워 하여 삼부연을 본뜬 연못을 파 두고 산에 들어와 있는 것과 같은 감흥을 느끼고자 하였다.[199] 이러한 발상은 와유(臥遊)의 행위와 같은 맥락으로 파악된다. 따라서 이 시기는 세상과 절연하고자 하는 의지를 구체적·적극적으로 표명하지 않은 시기라 하겠다.

그러다가 1689년을 계기로 김창흡의 출처관은 변화를 겪게 된다.

---

199) "못을 파 삼부연을 본뜨고 / 그 위에 난초와 국화를 써 뿌렸네. / 산을 나왔다 다시금 산에 들어서니 / 아름다운 경치가 항상 눈 앞에 있네.(鑿池擬三淵 / 其上滋蘭菊 / 出山復入山 / 佳景常在目)"(습유 권 1, 「鑿池」)

기사환국으로 인해 부친 김수항은 물론 노론의 종장인 송시열도 사사되었으며, 연이어 이해 12월에 조성기 또한 죽음을 맞게 되었기 때문이다. 1694년 갑술옥사 이후에 부친의 관작이 회복된 뒤에도 출사하지 않고 더욱 더 깊은 곳으로 들어가 세상과 절연하려는 의지를 표명한다.

다음의 인용하는 시는 1694년 벽계에서 지은 시이다.

세로는 넓어 아득한데
아! 나의 신세는 궁벽하도다.
푸른 물결 밟아보지 못한 채
몸은 바위 굴에 부쳤네.
산이 깊어도 봄이 또 왔는데
울긋불긋하게 온 골짜기가 물들였네.
달리듯 빠르니 너에게 속았구나!
홀로 있으니 누구를 향해 기뻐하리오.
가을이 오면 한가지로 어울림을 좋아하여
여러 방초가 눈서리에 숨으리.
영화가 어찌 꿈이 아니리오.
반짝임도 고요히 사라지리라.
푸른 소나무는 홀로 높이 있어
밤 바람에 오히려 처절하구나.

悠悠世路廣　　嗟我勢窮絶
滄波未能蹈　　寄顔在巖穴

山深春亦至 　　　 紅綠萬壑續

駸駸見爾欺 　　　 踽踽向誰悅

秋來喜調同 　　　 衆芳隱霜雪

榮華豈非夢 　　　 瀾漫會寂滅

蒼松獨偃蹇 　　　 夜風尙凄切

(김창흡, 『삼연집』 권 5, 「山居感懷」)

　김창흡은 1693년 가을에 양근(楊根, 지금의 경기도 양평군)의 벽계 (蘗溪, 지금의 경기도 양평군 서종면 노문리. '檗溪'로 표기하기도 함)로 이사하였다. 벽계는 경관이 아름다운 데다 수시로 경기도 송추에 계신 모친을 찾아볼 수 있는 적당한 거리였으며, 선영인 석실과도 40여 리 지척이었기 때문에 자주 와서 머문 바 있다.[200]

　1~4구에서는 궁벽한 곳에서 지내는 자신의 처지에 대한 아쉬움을 드러냈다. 1·2구에서 세상으로 나아가는 길과 자신의 신세를 대조하여 자신의 신세가 궁벽한 처지에 놓여있음을 보여준다. 3·4구에서는 큰 세상에 나아가보지 못한 채 산 속에 은거하는 처지에 대한 아쉬움이 드러나 있다. 5~8구에서는 산 속에서 접하는 산수에 대한 아름다움과 그 아름다움을 같이 할 사람이 없음에 대한 아쉬움이 드러난다. 산이 깊어도 봄은 찾아오게 마련인데, 또 어느 결에 가을이 찾아와 온 산을 물들였다. 7구에서는 이렇듯 빠르게 변하는 세월을 의인화해 표현하여 계절에 따라 변화하는 산수의 아름다움을 오래도록 감상하고자 하는

---

200) 이 벽계를 배경으로 쓴 작품에는 「檗溪雜詠」·「檗溪漫詠」·「檗溪四時詞」·「檗溪 賦雪 用盤溪韻」·「檗溪曉吟」·「檗溪春帖」 등이 있다.

심정을 드러냈다. 그러나 8구에서 지적한 바와 같이 홀로 있기 때문에 산수의 변화가 주는 즐거움을 함께 할 사람이 없음을 아쉬워하였다. 이는 9·10구에서 가을이 되어 눈서리를 피하여 함께 숨는 여러 방초[芳]와는 대조적인 모습이다.

11·12구에 이르러 시상은 전환된다. 영화는 일시적인 것이며, 빛남 역시 언젠가는 사라지는 것이라 하였다. 봄에 핀 꽃들이 가을이 되어 울긋불긋 물을 들여 보는 이를 즐겁게 하였어도 겨울이 되면 시들어 없어지게 마련이다. 13구에 등장하는 푸른 소나무만이 홀로 살아서 겨울 밤 바람에 떨며 처절하게 소리를 낸다고 하였다. 세상의 영달은 모두 꿈과 같이 일시적인 것이라 역설하였다.

다음 시는 1711년에 벽계에 머물며 쓴 시이다.

온 세상의 승과 속은 달려가 의지하기를 다투는데
방장산과 봉래산은 우뚝함을 서로 미루네.
표범은 엎드렸다가 해가 오래되면 안개를 만나 변하고
용은 잠겼다가 효(爻)가 움직이면 하늘을 향해 날아가네.
이름 높은 것이 어찌 이름 없는 것의 묘함과 같겠는가?
내가 귀해진 것은 처음에 나를 아는 자가 드물었기 때문이라네.
처음에 산과 함께 자취를 감출 것을 다짐하였는데
산은 지금 드러났으니 어디로 돌아갈까?

十方僧俗競趨依　　方丈蓬萊讓卓巍
豹伏年深逢霧變　　龍潛爻動嚮天飛

名高何似無名妙　　我貴初因知我稀

始與山盟同晦迹　　山今顯矣欲何歸

(김창흡, 『삼연집』 권 10, 「春興雜詠」 其 12.)

　　1·2구에서는 승(僧)이나 속세에 있는 사람이나 모두 산수로 달려와 의지하려는 모습을 방장산과 봉래산이 서로 높음을 양보하는 모습과 비교하였다. 3구에서 말한 표범이 변하는 것〔豹變〕은 표범이 자라며 털빛이 윤택하게 변하는 모습을 가리키는 것으로, 사람의 처지가 나아지는 것을 의미한다. 4구에서 말한 용이 날아가는 것〔龍飛〕 또한 『주역』건괘에 "龍在天上 利見大人" 출전을 둔 것으로, 역시 환로 등이 좋아지는 것을 의미한다. 이 두 가지 용사 모두 기사환국 이후에 이들 가문의 출사길이 평탄함을 의미한다. 그러나 이름을 높이 날리는 것은 이름이 없는 것보다 묘하지 않으며(5구) 자신이 귀해진 것은 자신을 아는 자가 드물었기 때문이라(6구)하여 애초에 산과 함께 자취를 감추고자 하였던 것이다.(7구)

　　정치적 상황이 계속 평탄해지자 자신이 은거지로 삼았던 벽계가 세상에 드러나게 되었다. 그렇기 때문에 다시금 숨어들 갈 만한 더 궁벽한 곳을 찾고자 한 것이다. 정치적 입지가 좋아졌다고 해도 자신은 출사하지 않으려는 의지를 드러냈다. 실제로 연보에 따르면 김창흡은 이 해(1711년) 설악산에 갈역정사를 완성하고 우거하였다. 이를 통해 볼 때 세상에 드러나지 않는 더 궁벽한 곳을 찾아 들어가고자 한 절속의 의지를 표현한 것으로 볼 수 있다.

　　다음 인용한 시는 설악산 영시암에서 거처하면서 지은 장편 연작시

「갈역잡영」 중 한 수이다.

> 술단지와 찻사발은 탁상을 둘러 늘어놓고
> 행동거지는 뜻에 따르니 곧 천진(天眞)이로다.
> 바람에 사립문은 종일토록 서로 말하는 것 같아
> 속세의 풍류 모르는 사람 대하는 것보다 낫네.

酒甕茶甌繞榻陳　　起居隨意即天眞
風扉盡日如相語　　勝接塵中不韻人
(김창흡, 『삼연집』 권 14, 「葛驛雜詠」 其 9.)

인용한 시에서 1구에서는 술단지와 찻사발이 탁상 위에 아무렇게나 널려 있는 모습을 통해 주변의 시선을 의식하지 않고 있음을 보여준다. 이어 2구에서는 술단지와 찻사발을 늘어놓는 행위는 뜻에 따른 것이므로 곧 그것이 천진(天眞), 즉 하늘이 부여한 본성에 따른 것이라고 하였다. 3구에서 사립문이 바람에 흔들리는 소리를 사람의 말소리에 비유하여 사립문 소리 이외에는 다른 아무 소리도 들리지 않는 적막한 상태를 보여주고 있다. 아울러 종일토록 사립문을 통해 들어오고 나가는 사람이 없었음을 의미한다. 그래서 바람에 흔들려 소리를 내는 사립문은 적막하고 궁벽한 삶을 부각시키는 역할을 하고 있다. 4구에서 사립문 소리가 오히려 풍류를 모르는 사람이 이야기하는 것보다 낫다고 하였다. 이 언술의 이면에는 자신은 속세를 떠난 삶을 살며 그 속에서 풍류를 누리고 있다는 의미가 자리잡고 있다. 즉 앞 구에서 지칭한 바대로 적막하고 궁벽한 삶이지만 그 속에서 풍류를 누리고 살겠다는 의지를 표명한 것이다.

결국 2구에서 '행동거지는 뜻에 따르니 곧 천진'이라고 했던 것은 비단 술단지와 찻사발을 탁상 위에 늘어놓는 행위만을 지칭하는 것이 아니라, 속세와 단절된 상태에서 풍류를 누리는 삶을 지향하는 것을 의미한다.

이상에서 살펴본 바와 같이 김창흡은 초기에 은거를 결심하기 전에는 절속의 의지를 적극적으로 표명하지 않았으나 1694년 기사환국을 계기로 하여 세상과 단절하려는 의지를 굳히게 되고, 이러한 의지는 산속에서 거처하며 지은 시를 통해 구현되었다.

2) 은자의 전형 제시

다음 시는 1684년에 춘천 일대를 유람하면서 지은 시이다.

이 동쪽은 신령하고 맑은 동산이라
아름다운 것이 바둑판처럼 널려 있네.
내 행적은 그 반도 못 미쳤는데
발을 들여놓자 주림도 잊게 하네.
경운산(慶雲山)에서 아침에 머리 감고
화음동(華陰洞)에서 저녁에 옷을 털었네.

산은 높고 물은 얼마나 맑은지

해가 지자 구름은 점점 달아나네.

맑은 물이 소양강으로 내려와

이 신령한 터로 흘러 도네.

남은 목소리가 내 지팡이에도 느껴져

머리 내어 밝은 빛을 마주하네.

아득하여 옛일을 묻고 싶지만

길이 황폐하여 어부와 나무꾼도 드물고

서리 내린 산기슭에 오직 낙엽뿐이니

어느 곳에 여린 고사리 캐던 일을 물어볼까.

維東靈淑囿	佳者列如碁
我行未其半	投足俾忘饑
慶雲朝濯髮	華陰暮振衣
山高澗何潺	日落雲彌馳
淸源下昭陽	宛轉此靈基
餘響感余策	延首溯淸暉
莽莽欲詢古	道荒漁樵稀
霜崖惟落葉	何處問柔薇

(김창흡, 『삼연집』 권 2, 「五歲童子遺基」)

위 시는 제목에서 보이는 바와 같이 화음동에 남아 있던 김시습의
옛터에 방문하여 지은 시이다.

1-4구에서는 김시습의 옛터에 방문하게 되면서 느끼는 흥분을 표현하였다. 5구의 경운산은 강원도 춘천의 오봉산의 옛 이름으로 이자현이 은거했던 문수원(지금의 청평사)이 있던 산이다. 6구의 화음동은 전술한 바와 같이 백부 김수증의 은거지를 말한다. 따라서 5·6구에 나오는 지명은 모두 은자의 거처를 말하며 그 속에서 머리를 감고 옷을 털었다는 것은 속의 먼지를 털고 은자의 세상으로 들어 가겠다는 마음가짐을 표현한 것이다. 9-12구에서는 신령하고 밝은 기운을 따라 김시습의 은거지로 따라 들어가는 과정을 보여준다. 그러나 정작 김시습의 옛터에 도착하자 사방의 길이 황폐해져있어 김시습이 은거했던 곳의 자세한 유래를 알아볼 방법이 없음을 말하였다. 김시습을 백이숙제에 빗대어 세상의 불합리를 떨치고 세상을 등진 은자에 빗대었다.

　　김시습을 은자의 표상으로 이미지화하는 행위는 곧이어 김수증에게까지 미친다. 즉, 가까이는 김시습을 추앙하며, 멀리는 주자의 행적을 본받으려고 했던 김수증을 김창흡은 또다른 은자의 표상으로 삼게 된다.

　　　　곡운은 어디에 있는가?
　　　　길은 사방 산 속에 있는데
　　　　사방의 산은 백 천이 되고
　　　　수목은 총총히 우거졌으니
　　　　일월이 비록 빛이 있어도
　　　　비추는 것이 어느 곳을 따라 임할 것인가?
　　　　거대한 골짝은 각각 하나의 구역

사람과 짐승이 서로 통하질 못하네.

오는 사람은 돌아가기를 원치 않았으니

백부께서 홀로 사시길 좋아하네.

맑은 몸은 바위굴에서 살며

매번 소금기 없는 물고기를 드시나니

누가 알겠는가? 천하의 즐거움이

사람들이 좇는 곳에 있지 않음을

谷雲在何所	作路四山中
四山百千成	樹木紛叢叢
日月雖有光	照臨安所從
巨谷各一區	人獸莫相通
來者返不顧	伯父好獨居
淸身處巖穴	每食無鹽魚
孰知天下樂	不在人所趍

(김창흡, 『삼연집』 습유 권 1, 「谷雲」)

김창흡은 자신이 스스로 은거를 실현하는 동시에 계속해서 은자의 전형적인 상을 마련하고 본받으려 하였다.

(가)

반수암201)의 쓸쓸한 꽃

---

201) 반수암은 곡운이 자신을 따르던 풍악승 홍눌에게 권유하여 곡운의 승경처에 짓게 한 암자이다. 『곡운집』 권 4, 「화음동지」 참조.

달 뜬 창가에 종소리 울린 뒤 몇 가지 기울었네.

뿌리에 티끌 얽혀있는 것 말끔히 벗어던지니

한층 기이한 향기 그루터기에도 드러나 있지 않네.

　　화음동 매화가 물었다.

伴睡菴中寂寂花　　月牖鐘後數枝斜

蕭然逈脫根塵累　　一段奇香不著樝

　右華陰梅問

(김창흡, 『삼연집』권 4, 「伏次伯父梅花問答詩韻」其 3)

(나)

그대는 빈 숲의 냉담한 혼

설산이 몇 천 겹인데 선원문을 닫아두었네.

풍류는 마침내 인연 닿은 곳을 좇으니

향기는 선생의 수회 있는 마을에 가득하네.

　　석실 매화가 답하다.

徒爾空林冷淡魂　　雪山千疊閉禪園

風流竟屬隨緣地　　香滿先生壽會村

　　右石室梅答

(김창흡, 『삼연집』권 4, 「伏次伯父梅花問答詩韻」其 4)

　　이 시는 김창흡이 백부인 김수증의 칠순을 맞아 석실에 갔을 때 지은 시이다. (가) 시에서도 화음매의 고매한 모습이 형상화되어 있다. '근진

(根塵)'은 불교 용어이다. 눈·귀·코·혀·몸·의(意)를 '근(根)'이라 하고, 그에 따른 색·소리·향·맛·촉각·법(法)은 '진(塵)'에 해당한다. 근(根)이 취하는 것을 이르러 진(塵)이라고 한다. 즉, 이것은 여러 감각기관을 통해 취해지는 즉물적인 가치관을 형상화한 것이다. 따라서 자신의 향기조차 드러내지 않겠다고 함으로써 자신의 고절함을 극대화 시켰다. 곡운의 매화는 속세의 티끌을 묻히지 않고자 이곳을 떠나려 하지 않는다. 이는 물론 곡운에 거처하는 백부의 높은 인격을 의인한 것이다.

(나)시는 이에 대한 석실 매화의 답이다. 석실의 매화는 곡운 매화의 높은 뜻은 알지만 풍류는 지경이 아니라 인연을 따라 생기는 것임을 강조하고, 석실로 한번 찾아줄 것을 말하는데, 수회는 석실에서 있었던 칠순연을 가리킨다. 이 작품은 『곡운집』 권 1에 실려있는 「석실분매의 꽃봉오리가 정녕 아름다워 병으로 누워 있다가 새벽에 일어나 우연히 퇴계의 "매화문답시"를 떠올리고는 그 체를 본떠 장난삼아 짓다(石室盆梅 蓓蕾正姸 病臥曉起 偶記退溪梅花問答詩 遂效其體戲賦)」를 차운한 것이다.

이 시는 1693년에 지어진 시이다. 당시는 1689년의 경신환국 이후에 남인이 다시 정계에 들어서 정권을 잡고 있을 때이다. 김수증은 실제로 환국이 거듭될 때마다, 세상에 나가 벼슬을 하기도 하였다. 이 시에는 자신이 세상에 행장(行藏)을 반복했던 것에 대한 자기회의와 변론이 드러나 있다. 즉 자신이 다시 정계에 나아갔을 때, 그 동안의 은일이 '가은(假隱)'이었는가에 대한 자기 반성과 불안의 표현으로 자문자답의 형식의 시를 남긴 것이다. 은일에 대한 자문의 결과 이처럼 세상에 나아가고 들어가는 것을 때에 따라서 이루어지는 것으로 파악했다. 본디 자질이 고매한 상태이기 때문에 행장(行藏)을 반복하였어도 이것은 '가은'의 모습이 아니다.

이 시에서도 김수증의 시와 비슷한 시상 전개가 이루어진다. 풍류는 인연이 닿는 곳마다 이르는 것이라고 했는데, 이는 은거의 행위가 굳이 깊은 산골에 들어가야만 이루어지는 것은 아니라는 것을 의미한다.

김창흡은 김수증과의 교류를 통해 은거에 대한 생각을 구체화시켰다.

> 쓸쓸하여 외로이 백운동에 기거하니
> 동은 노인 길이 머물며 구름 속에 누워 말하네.
> 온갖 길에 나머지 길이 끊어져
> 한 간 집에 맑게 돌아오니 이 몸 귀하구나
> 성긴 울타리로 호랑이 자취 많은 것을 알고
> 텅 빈 집에 소나무 소리 소란스럽네.
> 문득 원안을 보니 오히려 평온하지 않고
> 마침내 문득 문을 향해 부르네.

> 蕭條孤寄白雲村　　峒老長留臥雲言
> 白盡千崖餘逕斷　　清歸一室此身尊
> 疎藩虎迹知多少　　虛院松聲任寂喧
> 便見袁安猶不穩　　終煩洛尹暫呼門
> (김창흡, 『삼연집』권 6, 「嵐臺侍坐伯父 值大雪新霽 話及錦湖峒隱二

事而疊疊焉 退邃演繹其旨 各賦七言律以呈)」其 2.)

위 시의 제목은 「청람대에서 백부(김수증)를 모시고 앉았는데 마침 큰 눈이 내리다 개었다. 이야기가 금호(錦湖, 임형수)[202]와 동은(峒隱, 이의건)[203] 두 분의 일에 미치자 끊이지 않고 계속되었다. 물러나 마침내 그 뜻을 풀어 각기 7언 율시를 지어 바치다.」이다. 김창흡은 두 편의 율시를 지어 김수증에게 바쳤다. 김수증은 2편의 절구로 화답하였다.[204] 첫 번째 시는 임형수에 대한 시이고, 위의 시가 그 두 번째 시이다. 당시 김창흡은 백운산에서 은거를 하고 있었다. 이의건은 이 지방에서 은거한 것으로 유명한 인물이므로 이를 시에 끌어들였다.

'동노(峒老)'는 동은(峒隱) 이의건을 가리킨다. 이의건은 조선 중기의 학자로, 여러 번 벼슬이 내려졌으나 어버이의 상을 당한 뒤로는 모두 사직하였다고 한다. 그는 당대의 명유들과 교유하며 시로 이름이 높았을 뿐만 아니라 글씨에도 능했다고 한다. 한편, 그는 영평(永平) 백운산(白雲山)에 집을 짓고 박순(朴淳, 1523~1589)과 더불어 왕래하며

---

202) 임형수(林亨秀, 1504~1547). 조선 전기의 문신. 본관은 평택(平澤). 자는 사수(士遂). 호는 금호(錦湖). 나주출생. 어려서부터 총명하고 성격이 강직하였다. 1535년 문과에 병과로 급제한 후 부제학까지 승진하였으나 1545년 을사사화가 일어나 제주목사로 쫓겨났다가 파면되었다. 양재역(良才驛) 벽서사건이 일어나 사사되었다. 생전에 호당(湖堂)에서 함께 공부하였던 이황(李滉)·김인후(金麟厚) 등과 친교를 맺고 학문과 덕행을 닦았다. 문장에도 뛰어나 많은 사람들의 칭송을 받았다. 나주의 송재서원(松齋書院)에 제향되었다. 저서는『금호유고』가 있다.
203) 李義健(1533~1621). 본관은 전주, 자는 의중(宜中), 호는 동은(峒隱).
204) 김수증,『곡운집』권 2, p. 174,「入城」其 4. "온통 구름 낀 산에 동은(峒隱) 노인의 발자취 / 맑은 이야기 아득히 생각하며 고즈넉한 마을에 누웠네. / 그저 아무런 계획 없이 공연히 머리 돌리니 / 세모에 화음동에는 눈이 문을 막았겠지.(一半雲山峒老跡 / 緬懷淸話臥孤村 / 居然失計空回首 / 歲暮華陰雪擁門)"

유유자적하였다고 한다. 그 후에 김수증의 할아버지인 김상헌이 일찍이 그에게 상(床) 아래에서 절을 하면서 "이 선생(李先生)의 염담·청고(恬淡淸高)야말로 오늘날의 곽임종(郭林宗)205)이다."라고 칭찬하였다고 한다.206)

3) 관조적 세계의 표출

다음에 인용한 시는 김창업의 「東郊雜詠 平生」이라는 시에 차운한 시이다.207)

> 삼연이 진실로 시를 좋아하는 것은 아니지만
> 작은 집의 창가에서 시로써 즐기네.
> 曹·劉와 李·杜는 모두 『시경』 뒤의 시인인데,
> 늘그막에 이르러 생각이 『격양집』의 기이함을 추구하네.

> 不是三淵苦愛詩　　丸窩甕牖以詩嬉

205) 후한 때의 고사(高士)인 곽태(郭太)를 가리키며, 임종(林宗)은 그의 자(字)이다. 고전에 해박하여 제자가 수천 명이었고 명성이 자자했으나, 벼슬에 뜻을 두지 않고 고결한 일생을 보냈다. 『후한서』 98. 고사전(高士傳)
206) 『현종개수실록』 현종 13년 12월 03일.
207) "平生懶甚不成詩 近日時吟聊自嬉 人間信有可笑事 學士看來亦稱奇"(김창업, 『老稼齋集』 卷 3)

曹劉李杜皆刪後　　　到老思追擊壤奇

(김창흡, 『삼연집』 卷10, 「百淵雜詠. 和東郊諸絶」 其 12)

이 시의 1구는 소옹의 「수미음」의 첫 구 '堯夫非是愛吟詩'를 연상케한다. 轉句에 있는 '曹'는 중국 위나라 시인 조식(曹植)을, '劉'는 조식과함께 활동을 했던 건안칠자 중 한 사람인 유정(劉楨)을 가리킨다. 李杜는 성당시인 이백과 두보를 지칭한다. 이들이 공자가 『시경』을 산삭한뒤에 태어난 인물이라는 말은 이들의 시가 공자가 『시경』에서 제시한시의 모범적인 틀을 잘 지키고 있다는 것을 의미한다. 그런데 1구에서'늘그막에 이르러 (이들의 시보다는) 『격양집』의 기이함'을 더 추구하게된다고 하였다. 그 이유는 다음에 인용하는 시에서 단초를 얻을 수 있다.

시학을 연구한 지 어느덧 사십 년
'바람, 꽃, 눈, 달'에 끝내 망연해졌네.
남아의 사업은 이 같은데 머물러야 하니
예악병형(禮樂兵刑)의 온갖 이치가 온전해지네.

詩學研窮四十年　　　風花雪月竟茫然
男兒事業如斯止　　　禮樂兵刑萬理全

(김창흡, 『삼연집』 卷14, 「葛驛雜詠」 其 36.)

시학을 연구한 지 40년이 지난 어느 날, 소옹의 '풍화설월을 읊겠다'

는 구절을 읽고 나서 그동안의 자신의 시 창작 활동과 시학 연구에 반성과 허무를 느낀 나머지 망연해졌다고 하였다. 전술한 바와 같이 '風花雪月'이란 단순히 자연 경물에 그치는 것이 아니다. 자연 경물을 통해 자연의 이치를 파악하게 하는 하나의 매개체를 의미한다.208) 따라서 '풍화설월'과 같이 자연계에 존재하는 물상을 읊어야 예악(禮樂)과 병형(兵刑) 등에 내재된 의미를 파악할 수 있다고 보았다. 소옹의 『격양집』은 이를 실천에 옮겼으므로, 점점 나이가 들수록 소옹의 시와 그 속에 담긴 사상에 깊이 감화한 것이다. 그래서 김수증이 만년에 소옹의 자취를 좇아 곡운구곡에서 은거하며 시를 지었던 것과 같이 김수증의 자취를 닮고자 했던 김창흡 역시 소옹의 은거생활을 몸소 좇았던 것이다.

시작 활동에 있어서는 구체적으로 소옹의 시체를 모방하기 보다는 다수의 연작시를 주로 짓고 소재를 다양화하는 등의 방식을 사용하여 간접적으로 소옹의 시 정신을 따랐다고 평가받고 있다.209) 이와 같은 시작 형태를 보이기 시작한 것은 노년에 이르러서였다.

김창흡은 「관복시서」에서 자신의 시작 방법이 노년에 달라졌음을 고백한 바 있다.

나는 물정에 어두워 온갖 일에 해득한 바가 없었지만 유독 시도에

---

208) "己亥 三月 初六日. 晴. 風氣稍厲. 花有向衰意. 與兩僧逍遙巖上而還. 邵子曰. 雪月風花未品題. 非只謂雪月風花也. 如暑寒晝夜. 雨風露雷. 性情形體. 飛走草木. 凡可以看作四片者. 自古未經人剖析. 至邵子而闡發. 程子 謂之把作大事是也." (卷33, 「日錄」)

209) 김남기, "「수미음」의 수용과 잠영류 연작시의 창작 양상," 『한국문화』 29, 서울대 한국문화연구소, 2002, pp. 76-84.

있어서는 30년 동안 마음을 썼다. 처음에는 격조를 높이 세우고, 옛법을 취하는 것으로 준칙을 삼아 우리나라 사람들의 열등하고 비속한 풍습을 바로잡으려고 힘을 기울였다. 그것으로 스스로의 표준으로 삼고 남을 인도하면서 "한의 고시와 당의 율시는 위로 구름과 하늘에 닿을 듯이 까마득히 높다"고 하였다. 입론은 그러했으나, 스스로 시를 지어보니 한결같이 남의 그림자나 뒤좇고 메아리나 치는 격이었으니, 내가 지은 한나라 풍의 고시는 진정한 한의 고시가 아니었고, 내가 지은 당나라 풍의 율시는 진정한 당의 율시가 아니었다. 내 방식대로 지은 한의 고시였고 당의 율시였다. 여기에 실망하여 그만두고 물러났다. 어려움으로 인해 싫증을 내고 다시는 성병으로써 究竟의 법[궁극처]으로 여기지 않게 되었다.210)

이전에는 다양한 시체를 실험하고 의고적인 경향을 보이다가 그 폐단을 깨닫고 방법을 다시 고쳤음을 말하였다. 나중에 깨달은 방법을 펼친 작품이 바로 「벽계잡영」, 「갈역잡영」 등이다. 이 시들은 장편의 연작시이며, 연작시를 통해 눈에 보이는 사물을 집요하게 포착하여 시의 소재로 사용하였다. 궁벽한 곳에서 은자의 삶을 살며 눈에 보이는 사물이 모두 시가 되었다.

다음은 벽계에서 은거하던 때에 지은 시이다.

---

210) 余之迂疎 百無所解 獨於詩道 三十年用心矣 其始以立格必高取法必古爲準 務以矯東人卑靡之習 其自標致與夫爲人嚮導 輒曰漢古唐律 崒崒乎上薄雲霄 抗論則然 而及其自運 一皆是尋逐影響而 爲者 所謂漢者非眞漢 唐者非眞唐 而乃自己之漢與唐也 於是廢然而返 因難生厭 不復以聲病爲究竟法矣)(권 23, 「관복시서」)

사물은 여러 가지 품성이 나뉘어 있지만

이치는 한 가지 근원에 나아가 보이네.

문득 깨달았네, 제각기 다 옳음을

진실로 하나하나 완전함을 이루었도다.

나비는 부추꽃에 기대어 춤을 추고

지렁이는 비름 뿌리 곁에 서려 있네.

연못에 개구리 시끄러운 것 싫어하지 마시게

흐리거나 맑거나 제가 절로 즐거운 것이니

物分彙品在	理就一源看
便覺頭頭是	眞成箇箇完
蝶依菁葉舞	蚓傍莧根蟠
莫厭池蛙鬧	陰晴爾自懽

(김창흡, 『삼연집』 권 12, 「葞溪雜詠」 其 13.)

나비는 꽃 주변을 맴돌며 날아다니는 것이 제 본성이며, 지렁이는 나무 뿌리의 습한 기운에 기대어 서려 있는 것이 제 본성인 것이다. 또, 연못에 있는 개구리도 지치지 않고 계속 시끄럽게 소리를 내는 것이 바로 자기의 天性인 것이다. 이렇게 천성에 따라 행하는 것이 자연의 '이치[理]'이며, 그리 하였을 때 '저절로 즐거울 수[自懽]' 있다는 것을 말하고 있다. 자연을 벗하여 그저 그 아름다움을 감상하는 데에 그치는 것이 아니라 그 속에 있는 물체들의 본성을 탐구하는 것이다. 관조를 통해 '천기(天機)'를 깨닫는다.

Ⅵ. 김원행(金元行)의 산수관과 문학 세계

1. 산수관

　김원행(金元行, 1702~1772)은 김창협, 김창흡 형제에서 도암 이재(李縡, 1680-1746)로 이어지는 노론 낙론계를 대표하는 학자이다. 그는 1702년(숙종 28) 김창집의 손자로 태어났다. 학문은 김창협과 종조인 김창흡, 그리고 이재에게서 배웠다. 장동 김문의 여느 자제들처럼 16세부터 18세까지 문장 공부에 주력하였고, 과거에도 응시하여 합격하였다. 그러나 1722년(경종 2), 그가 19세 되던 해 신임환국이 발생하였다. 이 사건으로 인해 종조부 김창집(金昌集)과 친부 김제겸이 사사되고, 친형 김성행이 옥사하였다. 그리고 그는 충청도 금산에 적거하였다. 이 때 어머니의 배소(配所)에 따라가 있으면서 "『맹자(孟子)』, 『심경』, 이이의 『율곡집』이나 송시열의 『우암집』 등의 저서를 탐독하였다"고 한다. 그 이후 1725년(영조 1), 조부와 아버지가 신원(伸寃)되

었으나 과거를 포기하고 고향에서 학문에만 열중하는 삶을 살았다.211)

그의 글에서는 도학자적인 문학관을 살펴볼 수 있다.

나는 16, 7세 때부터 이미 고인의 문장 짓는 것을 좋아하였다. 그러
나 재주와 역량이 부족하여 저술을 많이 하지는 못했고, 저술한 것도
만족스럽지 못해 남김없이 다 버렸다. 하루는 홍군 양지(洪君養之 : 홍
재(洪梓, 1707~1781))212)가 말하기를 "굳이 그럴 거 뭐 있겠습니까.
다 버리기엔 아깝다는 것이 한 가지이고, 남겨두어 그간의 변화를 보는
것이 또 한 가지 이유가 되겠습니다." 하기에, 일단 상자에서 단구(丹邱
: 지금의 충북 단양)에서 수창한 시를 몇 편 찾고, 또 오래된 종이뭉치에
서 한두 편을 찾았는데, 시(詩) 몇 편, 문(文) 몇 편 정도여서 우선 기록
해서 볼거리로 삼는다.

무릇 문장은 작은 기예일 뿐이라서 놔둬도 보탬이 될 것 없고 버려도
모자랄 바 없으니, 도를 아는 자는 달가워하지 않는다. 그러나 예전에
소명윤(蘇明允 : 소순(蘇洵))은 일찍이 소싯적의 문장이 만족스럽지
않아 다 가져다 불사르고는 꿈쩍도 않고 단정히 앉아 글을 읽은 지 6,
7년 만에 드디어 그 문장으로 당대에 크게 명성을 떨쳐 지금까지 소씨의
글이 천하에 유포되어 있으니, 그 입지(立志)의 원대함과 노력의 결출

---

211) 김원행의 가계에 대해서는 오항녕, "석실서원의 미호 김원행과 그의 사상", 『북한강
유역의 유학사상』, 한림대 아시아문화연구소, 1998.과 이경구, "김원행의 실심 강
조와 석실서원에서의 교육활동", 『진단학보』88, 진단학회, 1999. 등을 참고하였
다.

212) 홍재(洪梓, 1707~1781)로, 본관은 남양(南陽)이고, 자가 양지이다. 대사간, 대
사헌을 역임하였으며, 1769년(영조45) 동지 부사(冬至副使)로 청나라에 다녀왔
다. 문필에 능하여 북청(北靑)의 〈이지란신도비(李之蘭神道碑)〉와 경주(慶州)의
〈삼강묘비(三綱廟碑)〉를 남겼다. 미호의 처남이다.

함이 호걸스런 선비라 이를 만하다.213)

김원행은 36세 때 자신의 시문을 엮으며 쓴 자서(自序)에서 자신이
시 짓는 재주가 부족하여 다작하지 못했음을 밝히고 있다. 그리고 지은
작품도 만족스럽지 않아 모두 버려 남아 있는 작품이 없다고 하였다.
이는 겸양의 표현일 수도 있으나 젊은 시절 집안의 불행으로 인해, 문학
작품으로 소일하는 것에 대해 큰 의미를 두지 않았음을 알 수 있다.

인용한 문장에서 확인할 수 있듯이, 그는 문장을 짓는 일을 '작은 기예
〔小技〕'에 불과하다고 하였다. '놔둬도 보탬이 될 것 없고, 버려도 모자
랄 바가 없다'는 표현은 문장에 대한 김원행의 기본적인 입장을 대변한
다. 즉 시를 짓는 것이 수양에 보탬이 되지도 않을 뿐만 아니라 시가
없다고 해서 잘못되는 것도 아니어서 도를 탐구하는 자는 시 짓는 것에
마음을 두지 말아야 한다는 지적이다. 일찍이 소동파의 아버지 소순이
문장에 만족을 하지 못하여 기존에 자신이 지었던 글 수백 편을 불사르
고 성현의 글을 읽는 것에 집중한 끝에 비로소 천하에 이름을 알릴 수
있는 글을 지었다는 고사를 인용하였다.

소순의 일화를 보면 문장을 짓는 일 자체를 무의미한 것으로 보지는

---

213) "余自十六七歲 已喜爲古人文章 然材力下 不能多所述 述亦不自滿已而盡棄之無遺者
一曰洪君養之言何必然 盡棄可惜一也 留之以觀始終之變 又一也 且從其篋 得丹邱酬
唱幾篇 又得一二於故紙中 詩止幾篇 文止幾篇 且錄而觀焉 夫文章小技耳 存之無所補
去之無所闕 知道者不屑也 然昔蘇明允嘗不滿於少時之文 盡擧而焚之 兀然端坐讀書
六七年 遂以其文大振於一世 至今蘇氏之文 行於天下 其立志遠大 用力偉然 亦可謂豪
傑之士矣 …… "(김원행,『미호집』권 13,「詩文初稿序」) Ⅵ장에서 인용한 문집은
별도의 언급이 없을 때 김원행의『미호집』을 지칭하며 권수와 제목만 표기하기로
한다.

않았음을 알 수 있다. 소순의 경우에도 학문적으로 성숙하지 못할 당시 지었던 문장들은 만족스럽지 못한 것이었는데, 그 단점은 정밀한 독서의 과정을 거친 뒤에 극복되었으며, 이로써 천하에 명성을 얻게 되었다고 하였다. 여기에는 ① 문장은 내면적인 학문 수양을 통해 깊어질 수 있다는 점과 ② 소순의 문장은 ①의 과정을 거쳤으므로 높이 평가될 수 있다는 점이 전제되어 있다. 즉 문장을 다듬는 일 자체를 부정한 것이라기보다는 학문적 수양이 선행한 뒤에 문장을 짓는 것이 의미가 있다는 것을 피력한 것이다.

김원행은 단양을 지나다가 친구들을 우연히 만나 지은 「단구수창록」에서 시 짓는 즐거움에 대하여 이야기하고 있다. 김원행은 이 날의 단구 유람을 옛날 주자와 그의 친우들인 장남헌 등이 남악을 유람하던 때에 빗대고 있다. 주자와 친구들의 유람을 표현한 시는 그 자리의 흥과 형상에 의탁하고, 서로 시를 짓고 노래하는 모양을 형상화하였다.

옛날에 주자(朱子)는 장남헌(張南軒) 등 제현(諸賢)과 남악(南嶽)을 유람하면서 수창시(酬唱詩)를 남긴 것이 4, 5일 동안 1백여 편에 이를 정도로 많았다. 그 당시 선생의 도학(道學)의 성대함이 이미 어느 정도였겠는가. 경물에 시상(詩想)을 가탁하여 시로 표현한 것에 인(仁)과 지(智)의 지취(旨趣)가 물씬 풍겨나고 아양(峨洋)의 우호까지 이뤄낸 것이 마치 궁(宮)과 상(商)이 선명하게 제 소리를 내고 훈(壎)과 지(篪)가 서로 어우러진 것 같았을 것이니, 즐겁다고 이를 만할 것이다. 그런데도 오히려 스스로 지나치게 빠져들었다고 여겨 규계(規戒)하고 면려하기를 마치 천 길 골짜기 위에서 벌벌 떨며 떨어질까 두려워한 것처럼 한 것은 어째서인가? 군자는 도(道)에 있어 잠시도 떠날 수 없어 어딜 가든 덕을 진취시킬 것을 잊지 않는 법이니, 아마도 이런 이유에서 일 것이다.214)

일찌기 주자는 38세이던 1167년 8월에 장사(長沙)에 가서 남헌(南軒) 장식(張栻)을 만나고는 11월에 함께 남악(南嶽), 곧 형산(衡山)을 유람하면서 140여 수의 시를 지었다. 이렇게 수창한 시를 모아놓은 것이 『남악창수집(南嶽唱酬集)』이다. 성현이 남긴 이 시의 경지가 지극히 조화롭고 훌륭한데도 불구하고 주자는 스스로가 문예라는 지엽적인 것에 빠져들어 잠시라도 도를 떠나게 될 것을 경계하였음을 이야기하였다. 실제로 주자는 "처음에 내가 택지(擇之)와 경부(敬夫)를 모시고 남산(南山)을 유람하여 깊고 그윽한 승경들을 함께 시로 읊은 것이 4, 5일 동안 모두 140여 수에 이르렀다. 그러다 이윽고 '이것도 지나치게 빠져들었다고 하기에 충분하다'215)고 자책하였다고 한다.

우리가 단구를 유람한 것도 한때의 특별한 만남이건만 시를 지은 것은 소소하게 수십 편 정도에 그쳤으니, 매우 적다고 할 수 있다. 그러나 풍광 좋은 산수에 드나들고 어룡(魚龍)을 희롱하면서 마음껏 소리치고 어울려 다니는 유쾌함을 누리기도 하고 얼큰하게 취한 상태에서 시를

---

214) "昔朱子與張南軒諸賢 遊於南嶽 唱酬之多 四五日 至百餘篇 當是時 先生道學之盛 已何如哉 而其託於興象 形於歌詠 洋洋乎發仁智之趣 而達羲洋之好 若宮商相宣 塤篪相和 則可謂樂矣 然而猶自以爲荒也 爲之交規互勉 凜凜若垂千仞之塹而懼其墜焉 何也 君子之於道 其不可須臾離 而無往而忘其進德 蓋如是歟夫."(권 13,「題丹丘酬唱錄」)
215) 주자,『朱子大全』권 75,「東歸亂稿序」

읊고 붓을 휘두른 것이 모두가 기걸차고 호탕한 기상에서 나오기만 하고 시인의 온후한 기풍과 장중한 문사로 붕우끼리 관선(觀善)하는 유익함이 없으니, 너무도 지나치게 빠져든 것이다. 시는 몇 편 안 되지만 도(道)에서 너무 멀리 떠나 있지 않은가. 옛사람들이 수백 리 밖에서 찾아가 종유한 것이 어찌 정말로 이것 때문이기만 하겠는가. 내가 이에 양지(養之)를 저버린 것이 많도다.

그렇긴 하지만 가을이 된 뒤로 일이 없으니, 그대가 구담(龜潭) 가로 나를 찾아준다면 장차 그대와 周敦頤의 「태극도설(太極圖說)」을 가지고 그 당시 남악에서 수창한 시들을 공부해 본다면 그 또한 즐거울 것이다.216)

김원행이 「태극도설」을 이야기한 것은 주자와 장식의 일화에서 비롯한다. 남악에서 장식과 헤어질 때 주자는 장식의 "초연히 태극을 이해하고 나니 눈앞에 온전한 소가 없구나(超然會太極 眼底無全牛)"라는 시를 받고 "비로소 태극의 깊은 뜻을 알게 되니, 미묘하여 명명하여 논하기 어렵구나.(始知太極蘊 要眇難名論)"라는 답시를 건네 주었다고 한 것을 말한 것이다. 김원행은 비록 유학자이지만, 산수 사이를 출입하면서 그곳에서 생기는 흥취를 표현하는 일을 긍정하고 있다. 비록 선비로서 절제해야 하나 산수에서 호연지기를 발산하는 것은 선이라고 하였다.

---

216) "吾輩丹丘之遊 亦一時奇逢 而其爲詩乃寥寥數十篇而止 亦可謂甚少矣 然其出入煙霞 凌厲魚龍 自放於叫呼追逐之快 而酣吟醉墨 壹發其恢奇豪宕之氣 無詩人溫厚之風莊重之辭 以爲朋友觀善之益 則甚矣其荒也 詩雖少而其離於道 不亦久乎 夫故人之命駕 從遊於數百里外 豈固爲是而已乎 余於是負養之多矣 雖然 秋來無事 子爲我過龜潭之上 將與子携周子太極之圖 以理當日南嶽遺韻 其亦可以樂矣." (권 13, 「題丹丘酬唱錄」)

「先伯祖夢窩集後序」에서 시에 있어서는 화평하고 진솔하고 담박함(平和眞澹)을 중시했고, 문에 있어서는 명확하고 탁 트이고 드높고 고결함〔明暢峻潔〕을 중시했다.217)

또, 김원행은 선조 때의 문학가인 읍취헌 박은(朴誾, 1479~1504)의 묘표를 지었는데, 이곳에서 시에 대한 김원행의 생각을 살필 수 있다.

맹자(孟子)가 이르기를, "그 시(詩)를 외고 그 글을 읽으면서도 그 사람을 알지 못해서야 되겠는가. 이런 까닭에 그 당세의 행적을 논하는 것이다." 하였다. 나는 일찍이 읍취헌(挹翠軒)의 시를 읽고 늘 그 정신이 쇄락(灑落)하고 그 기격(氣格)이 호방하여 대부분 외물에 구속되지 않음을 사랑하였다. 시속(時俗)에 상심하여 감분(感憤)하고 답답한 나머지 왕왕 강개한 어조로 부르는 비가(悲歌)의 분위기가 느껴지는 데 이르러서는, 그 사람됨이 빼어나고 세속의 굴레에서 벗어난, 비범한 선비였으리라 생각하였다. 그런데 그 벗인 용재(容齋) 이공(李公)이 지은 묘지명을 보니, 또 그 학문의 해박함과 행실의 고매함에 대해 성대히 칭찬하였다. 내가 이에 읍취헌이 세상에 매우 드문 인물이었음을 더욱 알게 되었다. 그런데 안타깝게도 좋지 못한 시대를 만나 혼란한 세상에서 용납되지 못해 횡액을 당해 죽고 말았으니, 어찌 슬픈 일이 아니겠는가..218)

---

217) "故其爲詩也 一於平和眞澹而已 其爲章奏也 一於明暢峻潔而已"(권 13, 「先伯祖夢窩集後序」)

218) "孟子曰 誦其詩讀其書 不知其人可乎 是以論其世也 余嘗讀翠軒詩 常愛其神情灑落 氣格縱逸 類不爲物縛 至其傷時悶俗 感憤無聊 往往有悲歌豪筑之音 意其爲奇偉倜儻 非常之士 而觀其友容齋李公所爲誌文 又盛稱其學博行高 余於是益知爲不世人物 而

그는 시와 글을 읽으면 그 사람의 진면목을 파악할 수 있음을 전제로 하여 조선 중기의 대표적인 문학가인 읍취헌 박은의 문학을 논평하였다. 쇄락한 정신과 기격의 호방함을 높이 평가하였다. 또, 상심함을 토로하는 시에서도 세속의 굴레를 벗어난 비범한 선비라 평가하고 있다. 맹자 「萬章」 下의 구절을 직접 인용하며, 맹자가 앞선 시대 성현의 글을 읽으며 성현과 종유하듯이 자신도 박은의 글을 읽으며 그의 학문적 해박함과 고매한 행실을 높이 평가하여 그와 벗하고자 함을 이야기하고 있다.

연보에 의하면 1736년 그의 나이 35세 되던 해 금강산 유람을 떠난다. 다음 시는 금강산 유람에 앞서 소회를 적은 것이다.

당초 증소 종숙부 및 홍장과 그 조카 양지와 함께 풍악산을 유람하기로 약속하였는데, 출발에 앞서 모두 일이 있어 떠나지 못하였다. 그리하여 나 혼자 출발하고 사람들은 모두 9일에 청담에서 모이기로 약속하였다. 나는 이날 백운대에 올랐는데 허전한 그리움에 마음을 가눌 수 없어 마침내 글로 나타낸다.

백운대 위에서 중양절을 보내며
서풍에 홀로 서서 중향성 바라보네
고개 돌려 찾노니 청담이 어드매뇨

獨惜其遭時不祥 身不容於昏亂之世 橫罹奇禍以死 豈不悲哉" (권18, 墓表, 「挹翠軒 朴公墓表」)

딱해라. 오늘 함께 술잔 들지 못함이여

白雲臺上送重陽　　獨倚西風望衆香
回首淸潭何處是　　可憐今日不同觴

(김원행, 『미호집』권1, 「始約檜巢從叔父及洪丈其從子養之同爲楓嶽
之遊 臨發 皆有事不果 余獨發 諸人皆約以九日會淸潭 余以是日登白雲臺
悵然相思 情不能已 遂見于辭」)

증소(檜巢)는 김원행의 종숙부로, 김신겸(金信謙, 1693~1738)
을 가리킨다. 자는 존보(尊甫), 호는 증소, 시호는 문경(文敬)이다. 김
창업(金昌業)의 아들로 숙부인 김창흡(金昌翕)에게 사사(師事)하였
다. 1721년(경종1) 진사시에 합격했으나, 백부인 영의정 김창집(金昌
集)이 노론 사대신의 한 사람으로 신임사화(辛壬士禍)에 거제도로 유
배될 때 연루되어 함께 유배되었다. 1725년(영조1)에 풀려나 내시교
관(內侍教官)에 임명되었으나 취임하지 않고 강원도 영월의 산중에 들
어가 산수를 즐기면서 후진 교육에 힘썼다. 홍장은 홍용조(洪龍祚,
1686~1741)이다. 본관은 남양(南陽), 자는 희서(羲瑞), 호는 금백
(金伯)으로, 홍봉조의 아우다. 김원행은 홍봉조, 홍용조와 홍귀조의 아
들 홍재와 친분이 있어 이들과 나눈 글이 여러 편『미호집』에 실려 있다.
양지는 홍재(洪梓, 1707~1781)로, 홍용조의 아우 홍귀조(洪龜祚)의
아들이자 김원행의 처남이기도 하다.

처음에 김원행은 김신겸, 홍용조, 홍재와 함께 금강산을 유람할 계획
이었으나 모두들 일이 있어 김원행 홀로 금강산 유람을 결행하였다.

이 시는 출발일에 홀로 백운대에 올라 함께 하지 못하는 아쉬움과 흥을 표현한 것이다.

　이상에서 본 것과 같이 김원행은 사물을 만났을 때 생기는 흥취에 자신의 감정을 싣는 등 작가의 개성을 잘 표현하는 시에 좋은 평가를 하였다. 또 진솔하고 담박한 표현을 중시하는 시관을 가지고 있음을 알 수 있었다.

2. 문학 세계

1) 산림으로서의 삶 지향

　15세기 말부터 16세기 중엽까지 계속 된 4대 사화는 사림의 엄청난 희생을 초래하였다. 이로 인해 사림들은 벼슬을 버리고 향리로 돌아가 은둔하게 되었다. 그러나 1623년에 일어난 인조반정은 중앙 정치계에서 몰락했던 산림들의 정치적 영향력을 높여주었다. 반정 세력은 반정의 정당성을 홍보하고 혼란스런 민심과 사회의 기강을 바로 잡기 위해 향리에서 큰 영향력을 가졌던 산림들의 협조가 필요했다. 그리하여 사림들의 중망을 얻고 있는 재야의 산림들을 적극적으로 초빙하였다.

　이 시기 산림들은 성리학적인 소양뿐만 아니라 그 실천논리로서의 예학에 대한 능력도 뛰어났다. 김원행도 김창흡의 경우와 마찬가지로 관직에 나아가지 않고 노론계 산림으로서의 삶을 평생 유지하였다. 석실서원에서 강학에 열중하였으며 이곳을 기점으로 하여 노론 낙론계의 구심점 역할을 수행하며 영향력을 펼쳤다.

> 흰 구름은 한가로이 저 홀로 떠다니고
> 푸른 산엔 푸르름이 다할 날 없구나
> 독서를 끝내고 턱 고이고 앉았노니
> 이런 나 알 사람 얼마나 되리오

> 閒雲自悠揚　　　青山靑未了
> 讀罷支頤坐　　　此樂知者少
> (김원행, 『미호집』 권 1, 「雲山書屋」.)

인용한 시는 산림으로서의 한적한 자신의 삶을 읊었다. 멀리 한가롭게 떠다니는 구름이 포착되고(1구) 그 아래 계속 푸른 빛을 더해가는 산이 제시된다(2구). 시선은 이어 그림같은 풍경을 뒤로 하고 서실에 앉아 책을 읽는 사람, 곧 자신에게로 이어진다(3구). 한가로운 구름과 청산, 그리고 독서는 산림으로서의 한가로운 삶을 형상화하는 소재들이다.

다음 시는 오원(吳瑗, 1700~1740)의 종암 별업에서 지은 시이다.

「영협(영평)으로 들어가기에 앞서 여러 벗들과 오형 백옥(오원)의 종암 별업에 모여 함께 읊다 임자년(1732, 영조8)」

깎아지른 벼랑 위에 용마루 솟았으니
사시사철 푸른 이내 누대를 감싸누나
이끼 낀 바위마다 고색이 창연하고
흐르는 시냇물 맑고도 그윽해라
더구나 좌중을 가득 메운 벗님네들
모두가 하나같이 출중한 명사라오
문장으로 말하면 황모와 이모라
당찬 기개 참으로 짝할 이 드물고
고상한 담론은 천고에 드높으며
걸출한 시구는 수창할 제 나온다오
호탕하게 강호를 누비고 다니리니
서울은 이내 몸 노닐 곳 아니라네
그대들 하나같이 어떤 분들이기에
나를 위해 닷새나 머물러 주시는가
연꽃 핀 지당에는 비 올 바람 불어오고
단풍나무 숲에는 가을바람 소슬하네
목청 돋워 노래하며 벽라를 바라보니
흰 구름 뭉게뭉게 걷힐 기미 안 보이네
이렇게 좋은 만남 어디에 또 있을까
세상사 막막하여 아득하고 아득해라
있는 힘껏 노력하여 정학을 숭상하고
이곳의 산림을 잊지들 마시게나

危棟跨絶壑　　嵐翠常在樓
蒼蘚石色古　　澗水復淸幽
朋來況滿座　　卓犖俱勝流
文章黃與李　　奇氣眞罕儔
高談抗千古　　傑句間唱酬
浩蕩江海跡　　京洛非我遊
諸君亦何者　　五日爲遲留
荷塘送雨氣　　楓林颯高秋
高歌望薜蘿　　白雲浩難收
良會復何處　　世事莽悠悠
努力崇正學　　毋忘此林邱

(김원행, 『미호집』 권 1, 「將入永峽 與諸友會吳兄伯玉(瑗)鐘巖別業 共賦 (壬子)」)

　　오원은 현종의 딸인 명안공주(明安公主)의 아들로, 이재(李縡)의 처 조카로 그의 문하에서 수학하였다. 오원은 1723년(경종 3) 사마시에 합격하고, 1728년(영조 4) 정시문과에 장원하여 문명(文名)이 높았 다. 사서(司書)로 있을 때 영조에게 학문과 덕을 닦는 요령을 진언하여 가납되었고, 직언을 잘 하기로 이름이 났다. 1729년 정언으로 있으면 서 탕평책을 적극 반대하다가 한때 삭직되었다. 1732년 동지사(冬至 使)의 서장관(書狀官)으로 청나라에 다녀왔고, 이어 교리·검토관·이조 좌랑·응교 등을 차례로 역임하였다.

이 시는 김원행이 1732년 지은 시로, 김원행은 영평으로 가기 앞서 오원의 종암 별업에서 여러 벗들과 함께 모여 지은 시라고 설명했다. 그러나 오원이 1732년 동지사의 서장관으로 청나라에 갔다 왔다는 약력으로 미루어 청나라로 떠나기 전에 여러 벗들과 함께 종암 별업을 방문하여 그의 여행을 격려하는 내용으로 보인다.

1~4구에서는 종암 별업의 고요하고 옛스러운 풍경을 읊고 5~12구까지는 이날 모인 벗들에 대하여 이야기하고 있다. 평소 오원과 친한 친구들이 모인 것으로 보이고, 김원행이 좋은 시의 본으로 황정견과 이백의 시를 높이고 있음을 엿볼 수 있다. 연꽃 핀 못의 비올 기미와 거두기 어려울 만큼 큰 구름은 상서로움을 나타내는 상징으로 쓰였다. 그러면서도 연행을 갔다가 돌아오는 것에 대한 두려움을 표현하였다. 그리하여 학문에 힘썼던 일과 은거지에 모였던 일을 잊지 말 것을 이야기하여 사대부로서의 지켜야 할 생활을 다짐하면서 시를 마치고 있다.

> 한 해가 저무는데 아무런 낙도 없어
> 절방에서 서책이나 끼고서 앉았다오
> 때때로 한 번씩 나 홀로 나와서는
> 시리도록 푸른 샘에 이내 모습 비춰보네

歲暮意無樂	携書僧子宅
時時獨自來	照此寒泉碧

(김원행, 『미호집』 권 1, 「步寺後泉 應天寺」)

웅천사는 청주 용자산에 있는 절이다. 웅천사에는 절곡종장 시관이
있었는데, 김원행과는 절친한 사이였던 것으로 보인다.[219] 이 절 뒤의
샘에 가서 홀로 자신을 비추어 반성하는 모습을 보이고 있다. 절곡종장
과 주고 받은 편지글을 살펴보면, 선한 기운을 기르는 것에 대하여 관심
을 가졌다.[220]

(가)

나는 어부의 즐거움을 아노니

사립은 강기슭에 서 있구나

금어(禽魚)는 성정에 따라라 행동하고

구름과 달은 창랑에 늙는구나

술을 부르니 시골 술맛이 달고

생선을 끓이니 골짜기에 풀 향기롭네

어찌하여 부귀가의

예기치 못한 화를 입음과 같겠는가?

我識漁家樂　　柴門住岸傍

禽魚慣情性　　雲月老滄浪

喚酒村酤美　　烹鮮潤芷香

何如萬錢客　　覆餗禍難量

---

219) 절곡종장에게 준 세 편의 편지글이 있으며 절곡종장이 죽었을 때, 김원행은 「宗中
祭節谷宗丈文」(『미호집』 권20)을 지어 그의 죽음을 애도하였다.
220) "無暴其氣 善養浩氣此二者 前日看作兩件事 近日始覺其不然 養浩氣 是無暴其氣 盖
蹶趍常人之暴氣 不能集義 卽學者之暴氣 養氣與無暴其氣 猶養而無害之義." (권3, 「
답절곡종장」)

(이황, 『退溪集』 續集 卷 1, 「寄題四樂亭」)

(나)
해 뜨는 창강에 자색 이내 펴오르고
어부는 한가로이 낚싯배 띄웠구나
배 스쳐 지나며, 얼마나 잡았소
미소 띠며 염낭에서 엽전 꺼내 준다오

日出滄江生紫煙　　漁翁閒泛釣魚船
交船爲問魚多少　　笑取囊中自與錢
(김원행, 『미호집』 권 1, 「雪巖買魚」)

　　(가) 시는 퇴계 이황의 시이고 (나)는 설암에서 물고기를 사며 지은
김원행의 시이다. (가)와 (나)는 모두 어부사 계열의 시로 은자의 삶을
보여주고 있다는 점에서 공통점을 갖는다. 그러나 (가) 시가 조선 중기
'어부'에 대한 사대부의 인식을 나타낸다면, (나)는 후대의 변화한 '어부'
에 대한 인식을 나타낸다.

　　두 시 모두에서 공간적 배경은 강가이다. 강이라는 공간은 물고기를
잡아 어죽을 끓여 먹는 즐거운 행위의 공간이고, 그 공간은 연비어약의
활기를 느끼고 성정을 도야하는 훌륭한 장소이다(禽魚慣情性). 또 환로
의 위험이 없는 평화롭고 풍요로운 공간이다. (가)에서는 강이란 공간
에 성정을 도야하는 의미를 바로 대입했다면, (나)에서는 물고기 잡이
와 물고기 팔기 등 생업의 공간으로 표현하였다. 기구에서 해가 뜨는

새벽을 모습을 시각적으로 제시하고 생업을 하는 어부의 모습을 보여주고 있다. 또 전구에서 어부와 시적 화자가 대화하는 모습을 보여주어 사대부 자신이 어부가 된 것이 아니라, 어촌에서 생활하는 사람임을 보여준다. 결구에서 어부와 시적 화자가 고기를 돈을 주고 사고 파는 장면을 보여줌으로써 앞 시대의 어부가 계열과는 다른 시가 이루어졌다.

이처럼 김원행은 시속에서 산림으로서 독서하는 학자의 모습과 친우들과 석별의 정을 나누는 모습, 조선 후기의 스님과의 교류 등 은거의 생활을 표현하였다. 그리고 전 시기의 어부가와 다른 생활인으로서의 어부가를 형상화한 점을 특기할 만하다.

2) 선현에 대한 흠모

김원행은 자주 동료들과 함께 선대의 학자였던 우암이나 농암, 삼연의 은거지를 찾았다. 그는 그곳을 찾아서 단순히 자연경관을 구경하는 데 그치지 않고 부단히 마음을 닦고 성품을 기르는 자세를 가졌다. 그리고 그 곳을 통해 선비로서 지녀야 할 올바른 삶의 가치를 확인하였다. 김원행이 식영암을 들렀을 때 쓴 시이다.

깊숙한 데 자리 잡은 이곳 승경 사랑노니
낙락장송 땅에 가득 그늘을 드리웠네
현에서 울리는 흥취 아련함 자아내고
책속에 깃든 마음 미소가 절로 나네
저 멀리 숲을 뚫고 푸른 시내 흘러가고
깊숙한 골짜기서 흰 구름 피어나네
훗날 이곳에 이웃하고 싶은 마음에
막대 짚고 다시금 나직이 읊조리네

愛此幽居勝	長松滿地陰
悠然絃上趣	莞爾卷中心
碧澗穿林遠	白雲出洞深
他時結隣意	拄杖更微吟

(김원행, 『미호집』 권1, 「息影庵 次宋叔季寅 堯協 韻」)

　이 시는 송요협의 시에 차운한 시다. 송요협(宋堯協, 1706~1743)은 동춘당(同春堂) 송준길(宋浚吉)의 증손으로 식영암은 그의 암자이다. 식영암은 담양에 있는 식영정을 일컫는 말로 보인다. 식영정 주변은 무등산에서 흘러내린 맑은 시냇물이 담양 들녘으로 가는 동안에 서하정, 환벽당, 취가정 등 많은 정자와 우리나라의 대표적인 원림이라 일컬어지는 소쇄원이 포진해 있는 곳이다. 식영정은 임석천, 서하당 김성원, 임진왜란 때의 의병장 고경명(1533~1592), 송강 정철(1536~1593)이 교유하면서 학문과 풍류를 즐기던 곳이라 하여 일명 ′사선정

(四仙亭)'이라고도 한다. 김원행은 이 곳을 통해 선비의 절의와 교유에 대하여 생각하는 계기를 마련한다.

김원행은 영평 백운산의 백운사에 들러 자신의 할아버지〔농암〕와 삼연 김창협의 일을 회상한다.

오래된 사찰에 승려는 예닐곱이오
거침없는 시냇물은 동서로 흐른다오
그늘 짙은 일천 나무 숙연함 자아내고
까마득한 묏부리들 일렬로 늘어섰네
늘그막의 남은 생애 느껍기 그지없고
두 분 선조 계시던 날 아득하기 짝이 없네
금석지감 함께 앉아 얘기 나눌 이 없건만
능구마다 저녁 매미 울음만 높아
절이 영평(永平) 백운산(白雲山)에 있는데, 우리 조고(김창협)께서 예전에 삼연(三淵) 선생과 함께 기거하셨다.

古寺僧六七   荒溪水東西
陰陰千木肅   漠漠衆峰齊
遲暮餘生感   蒼茫二祖棲
無人話今昔   岸岸晚蟬啼
寺在永平白雲山 我祖考與三淵先生嘗同棲云
(김원행, 『미호집』권 1, 「白雲寺」)

백운사(白雲寺)는 현재 경기도 포천시 이동면 도평리 백운산에 있는 사찰로, 예전에는 영평현(永平縣)에 속해 있었다. 신라 말에 도선국사(道詵國師)가 창건하였다고 전해오며 현재는 흥룡사(興龍寺)로 불려진다. 백운사에는 옛날 삼연과 농암이 있을 때와 변함이 없이 승려 6-7명이 있을 정도로 조용한 사찰이다. 그러나 절 앞의 시내는 그와 대조적으로 거칠게 흐른다. 강물이 시간을 상징한다고 보았을 때, 빠르게 변화하는 세속의 변화를 보여준다고 볼 수 있다. 2구에서는 울창한 나무와 가지런한 봉우리를 통해 선조인 농암과 삼연의 높은 인품을 드러내고 있다. 그러나 농암과 삼연에 대해 이야기하는 사람들은 없지만, 지금이나 변함없이 울어 주는 것은 언덕에 있는 매미이다. 김원행은 백운사를 통해 자연의 변화 없음과 세상 인심의 무심함과 대조적으로 표현하고 있는 것이다.

김원행은 문도들과 더불어 여러 차례 유람을 단행한다. 24세(1725)에 과거 응시를 단념한 이후 충청도 일 일대를 다녀온 바 있고, 35세(1736)에는 금강산을, 43세(1744)에는 경상도와 충청남도를, 46세(1746)에는 관동 지방을, 51세(1752)에는 해서 지방을 유람하였다.

높다란 누대 위로 밝은 달 떠오르니
달빛이 하도 밝아 잠 못 들게 하누나
너른 들판 저 너머로 하늘은 펼쳐지고
이릉의 앞쪽으로 강물은 출렁이네
목로의 시판은 아직까지 남아 있고
화양(華陽)의 편액 또한 우뚝이 걸려 있건만

천지간에 한 동이 술 마련하여 두고서
선현들과 함께 앉아 마셔보지 못하누나

明月高樓出	淸光不可眠
天長平野外	江動二陵前
牧老詩猶在	華陽字獨懸
乾坤一樽酒	吾不共先賢

(김원행, 『미호집』권 1, 「淸心樓(樓有牧老詩板 尤翁扁額)」)

여주에 있는 청심루에 올라 쓴 시이다. 청심루는 경기도 여주 객관 북쪽에 있던 누각으로 김원행은 잠들지 못하고 목은 이색과 우암 송시열을 상기한다. 여주 객관 앞으로 흐르는 남한강은 여주에 있는 세종(世宗)의 능인 영릉(英陵)과 효종(孝宗)의 능인 영릉(寧陵)을 생각하게 한다. 이색은 조선왕조의 개창 세력과의 불화로 여주 등지로 유배를 왔었고, 1396년 여주 신륵사(神勒寺)에 가는 도중에 죽었다. 이색은 원나라에서의 유학과 이제현을 통하여 이 시기 선진적인 외래사상인 주자 성리학을 수용했고, 이를 바탕으로 고려 말기의 사회 혼란에 대처하면서 정치사상을 전개했던 인물이다. 그는 원의 주자학을 받아들였으므로 그 영향을 강하게 받게 되었다. 이(理)·기(氣)·태극(太極)과 같은 주자학의 핵심 개념을 사용하여 만물의 생성과 변화를 설명했고, 주자학의 수양론인 성학론(聖學論)을 전개했다. 또 송시열은 '이학의 적전'이며 '북벌 의리의 상징'적인 인물이다. 김원행은 이들과 함께 도를 이야기하지 못하는 아쉬움을 토로하였다.

김원행은 화양동 파곡을 배경으로 여러 편의 시를 지었다. 화양동은 일찍이 농암이 잠깐 들렸던 곳으로 이곳에서 상서 이기진을 만나 회포를 푼다.

어른께선 어디서 오시는 길이신지
산중에서 만나뵈니 몹시도 놀라워라
나는야 정처없이 산수유람 한창인데
태수 역시 퍽이나 여유로워 보이시네
흐르는 물가에서 바위에 걸터앉고
먼 산을 바라보며 소나무에 기대기도
자욱한 운무 속에 구곡은 아득해라
발 닿는 곳곳마다 돌아갈 줄 모르누나

杖屨來何自   相驚萬嶂間
吾遊方浩蕩   太守亦淸閒
坐石臨流水   倚松望遠山
雲霞迷九曲   隨處不知還

(김원행, 『미호집』 권 1, 「華陽洞 逢李尙書(箕鎭)喜甚 敬次農巖祖考
巴谷韻」)

이 시는 화양동에서 상서 이기진을 만나 반가운 마음에 김창협의 「파곡」시에 차운하여 지는 것이다. 이기진(李箕鎭, 1687~1755)의 본관은 덕수(德水), 자는 군범(君範), 호는 목곡(牧谷), 시호는 문헌(文憲)

이다. 조선 후기의 문신으로 권상하(權尙夏)의 문인이다. 대사간, 이조판서, 판돈녕부사 등을 역임하였으며, 동지사로 청나라에 다녀온 인물이기도 하다.

파곡은 '파곶(葩串)'이라고도 한다. 지금의 충청북도 괴산에 있는 화양동(華陽洞) 구곡(九曲) 중의 제9곡을 말하는데, 송시열(宋時烈)이 은거해 머물던 곳이다. 속리산 화양동은 송시열이 은거했던 곳이다. 1구에서는 화양동에 갔다가 예정에 없던 상서 이기진을 만난 사실이 기록되어 있다. 그리고 매우 기쁜 마음에 조부인 김창협의 '파곡' 운을 차운하여 시를 썼다. 농암이 쓴 원시는 다음과 같다.

스승의 산수 유람 뒤를 따라서
일만 수목 사이를 거쳐 지날 제
저물녘 구름 풀려 하늘이 맑고
긴긴 날 산새 소리 한가롭구나
연꽃 핀 물가에서 갓끈을 씻고
계수나무 자란 산 노래 부르니
스승 모신 관동의 초연한 흥취
무에서 바람 쐬고 돌아온 듯해

杖屨追幽踐	經行萬木間
晚晴雲駁解	遲日鳥聲閒
纓濯蓮花水	歌吟桂樹山
悠然童冠興	似自舞雩還

(김창협, 『농암집』 권 3, 「陪尤翁游葩谷」)

　　농암의 원시는 우암 송시열을 모시고 우암 송시열의 거처인 충청도 화양동의 한 계곡을 유람하며 쓴 시이다. 농암은 1688년 4월 중순에 화양동으로 스승 송시열을 찾아가 권상하, 송주석 등과 함께 『주자대전 차의』를 교감하였다. 이 당시 15일과 16일 이틀 동안 주변 산수를 유람하며 시를 지었는데 이 때 지은 작품이다. 이 시에서 파곡의 맑고 한가로운 정취를 잘 나타내고 있다.

　　김원행의 시도 농암의 원시의 분위기를 이어 받아 맑고 한가로운 정취를 잘 표현하고 있다. 운하를 통해 구곡의 아름다움을 더하고 있다. 넓은 바위에 앉아 물을 바라보고, 소나무에 기대어 먼 산을 바라보는 행위는 『논어』「옹야」편에 나오는 "知者樂水, 仁者樂山"의 경지로 보인다.

　　이상에서 보는 바와 같이 김원행은 농암이나 삼연이 거쳤던 지역을 다시 한번 거치면서 그곳의 경물을 감상하고, 그것에 의미를 부여하고 있다. 이를 통해 장동 김문 속에서의 자신의 위치를 확인하고 마음가짐을 되새기고 있다.

> 오래된 비문 읽고 눈물로 수건 적시니
> 당시의 높은 자취 다시 누가 짝하리오
> 두어 이랑 유허에 봄풀은 무성한데
> 산중에 누우셨던 곳 구름만 떠 있네

一讀荒碑一濕巾　　當年高躅更誰羣

遺墟數畒春蕪遍　　惟有山中臥處雲

(김원행, 『미호집』 권 1, 「中臺寺 敬次淸陰祖考壁上韻」)

　김원행은 청음 김상헌의 석실서원 근처의 중대사에 들른다. 소주에 따르면 김원행이 방문했을 당시에 김상헌의 유허가 실제로 절 동쪽 기슭 바깥에 있고, 비석은 절 남쪽 바위 위에 있었다고 한다. 이 시는 김상헌의 원시, 「서쪽 시냇가에 있는 초당에서 우연히 읊다」을 보고 차운한 시이다. 장동 김문의 상징적인 조상인 김상헌의 자취를 흠모하는 마음을 다고 있다. 다음 인용하는 시는 김상헌의 원시다.

　석실 선생 머리 위에 일각건을 쓰고서는

　나이 늙어 원숭이와 학 더불어 어울리네

　가을바람 지는 낙엽 행적조차 없거니와

　중대사에 홀로 올라 구름 속에 드러눕네.

　　– 집 가까운 곳에 중대사(中臺寺)라는 절이 있다.

石室先生一角巾　　暮年猿鶴與爲羣

秋風落葉無行跡　　獨上中臺臥白雲

(김상헌, 『淸陰卷』 권 3, 「西磵草堂偶吟」)

　김상헌의 원시에는 바람 같이 살고 싶은 김상헌의 뜻이 잘 드러나 있다면, 선조의 유허는 실제로 절의 동쪽 산기슭 밖에 있었고 비석은 절의 남쪽 바위에 있었다. 청음의 시의 계절은 가을로 세월의 무상함을 보인다면, 김원행의 시의 계절은 봄으로 스러진 청음의 자취를 다시 보수하는 뜻이 담겨 있다. 이 시를 통해 김상헌의 뜻을 찾아 잇고자 하는 의지를 담고 있다.

(가)
아스라한 산빛은 하늘 위로 우뚝한데
옛 사당엔 꽃잎 날고 푸른 물결 돌아드네
쓸쓸히 무우단에 올라 서 있다가
봄바람 한 아름 옷에 담아 돌아왔네
　'수(秀)'는 다른 본(本)에 '악(嶽)'으로 되어 있다.

嵒嶢秀色倚天開　　古廟花飛碧水廻
怊悵舞雩壇上立　　春風猶得滿衣來
(김원행, 『미호집』권 1, 「道峰 敬次尤庵先生韻(丙寅)」)

(나)
하늘을 이고 땅 위에 우뚝 선 대장부여
이 마음 일찍이 성인과 다를 바 없건만
어이하여 빛나는 보배 스스로 버리고
찌꺼기나 주워서 길모퉁이로 달리는가

立地頂天大丈夫　　此心曾不聖人殊

如何自棄光明寶[221] 掇拾塵糠走路隅

(김원행, 『미호집』권 1, 「示院中諸君」)

(가)는 1746년에 도봉산을 읊은 시이다. 송시열의 시에 차운한 것이다. 도봉산의 빼어난 기상을 이야기함으로써 자신의 의지를 드러내었다. 무후단의 고사는 다음과 같다. 공자께서 증점에게 뜻을 묻자 증점은 "늦봄에 봄옷이 다 만들어지면 그것을 입고 여러 사람들과 함께 기수(沂水)에 목욕하고 무우단(舞雩壇)에 바람 쐬고 한 곡조 읊고서 돌아오겠다."고 답하였다.[222] 즉 자연을 벗삼아 정서를 함양하고 시문을 읊어 마음을 밝히는 공부를 하고 싶다고 했다는 데서 연유하는데 산수가 뛰어나 풍월하기에 좋다는 뜻이다. (나)에서는 참다운 본성을 보존하는 것의 중요성을 노래하고 있다. 조그마한 이익 때문에 선비의 도리를 저버리는 세태를 비판하고 있는 것이다.

김원행은 청음이나 우암, 삼연, 농암 등 서인의 명사들의 자취를 찾아 다니면서 그들의 뜻을 잇고자 했다. 비록 산수와 경물을 읊고 있으나 경물 자체를 읊기보다는 그 속에 숨어 있는 의미를 찾아 이야기하고 있다.

---

221) 광명보장(光明寶藏) : 불성(佛性)과 불법(佛法)이 존재하는 곳, 곧 하늘로부터 부여받은 참다운 본성의 세계를 말한다.
222) 『論語』「先進」

3) 도학적 주제 전달

김원행은 자연물을 읊음으로써 도학적 주제를 전달하고 있다. 다음
시는 상선암에 있는 경천벽을 읊은 시이다.

상선암 경천벽 질푸르게 솟아 있어
우뚝한 그 기세 하늘을 찌르누나
참담해라 거령은 언제 산을 쪼갰는가
축축한 푸른 절벽 태고부터 있었다오
푸르른 등라 덩굴 어찌 감히 오르리오
한 줌의 흙도 없이 깎아지른 철벽이로다
늠름한 푸른 장송 몇 천 척이런가
구름 속 꼭대기에 고고하게 홀로 섰네
황학이 배회하고 원숭이도 시름하니
날개옷 선녀들만 날아와 모인다오
이따금 빈 하늘에 균천광악223) 들려오니
온 숲이 들썩이고 범과 표범 춤을 추네
창공이여 창공이여 기울 날 있으리니
경천벽 네가 있어 영원토록 떠받치리
오호라 어이하면 너 같은 이 만나볼까

---

223) 균천광악(鈞天廣樂) : 천상(天上)의 음악

하늘 향해 고개 드니 눈물이 쏟아지네

仙巖之壁蒼然起　　氣勢突兀凌天宇
巨靈慘憺何年擘　　淋漓積翠自太古
青藤碧蘿不敢上　　崢嶸削鐵無寸土
蒼松落落幾千尺　　孤雲絶頂凜獨苦
黃鶴低徊猿猱愁　　羽衣仙子來相聚
空中往往聞天樂　　千林振兮虎豹舞
蒼穹蒼穹有時傾　　千秋此壁汝應拄
嗚呼安得似汝人　　仰首雲霄淚如雨 (권 1,「擎天壁(在上仙巖)」)

인용한 시는 충청도 일대를 유람하다 상선암에 이르러 지은 시이다.
상선암(上仙巖)은 단양팔경의 하나로, 단양 남쪽의 소백산맥에서 내
려오는 남한강을 따라 약 12km 지점에 있다. 선조(宣祖) 때 수암(遂
庵) 권상하(權尙夏)가 상선암이라 명명하였다.

1구~4구는 태고부터 있는 모습이 마치 신화시대에 거령이라는 물의
신이 쪼개 놓은 것 같다고 하여 상선암에 있는 경천벽의 유래를 말하고
있다. 거령(巨靈)은 황하(黃河)의 신(神)으로, 화산(華山)을 손으로
쳐서 쪼개어 황하의 흐름을 틔웠다 한다. 장형(張衡)의「서경부(西京
賦)」에 "거령이 힘차게 손바닥으로 높이 떠받들고 발바닥으로 멀리 차
하수를 흐르게 하였다.(巨靈贔屭高掌遠蹠以流河曲)"라고 하였는데, 경
천벽의 유래를 이른 것이다.

5구~8구에서는 경천벽의 늠름한 모습에 대해 묘사하고 있다. 경천

벽의 우뚝한 모습이 이백의 「촉도난」의 한 구절을 환기시키자 곧이어 9구~12구에서 '황학'과 '원숭이'를 등장시켰다. 이백의 「촉도난」에 "황학이 날고자 했으나 오히려 지나기 힘들고 / 원숭이는 넘고자 했으나 더위잡고 가는 것 근심하네.(黃鶴之飛尙不得過 / 猿猱欲度愁攀援)"는 구절을 끌어와 황학이나 원숭이조차 넘지 못할 정도로 경천벽이 높고 험준함을 형용하였다.

경천벽은 13구 ~ 16구에 이르자 다시금 그 우뚝한 풍모를 닮은 사람을 기다리는 마음으로 전환된다. 우뚝한 풍모를 지닌 사람을 기다린다는 마음은 곧 자신이 그러한 사람이 되고 싶다는 뜻을 내포하게 된다. 산수 경물 그 자체에서 진리를 얻었다기 보다는 산수가 비유의 대상으로 전환되어 강한 주제의식을 표출하고 있음을 알 수 있다.

상선암에 대해서는 한수재도 다음과 같이 읊었다.

막다른 곳에 이르러
구름을 헤쳐가자 길은 더 험해
천고의 신비로움 더듬어 보고
십분의 기이함을 다시 얻었네
학은 떠나 찾아도 자취가 없고
신선놀이 지난 지 얼마이런고
확실히 이는 나의 천석이거니
초가집을 얽어서 백년 살고파

行到地窮處   披雲路轉危

還探千古祕	更得十分奇
鶴去尋無迹	仙遊問幾時
居然我泉石	茅棟百年期

(권상하, 『국역 한수재집』, 권 1, 「題上仙巖」)

권상하는 상선암을 찾아가는 과정을 다음과 같이 자세히 이야기하고
있다.

을축년 여름에 나는 백응(伯凝)과 함께 단양(丹陽)의 경치좋은 산수
를 가려 선암(仙巖)의 상류에까지 올라갔다. 독락성(獨樂城) 아래에 이
르러 나무꾼을 찾아간 뒤에 이른바 차일암(遮日巖)이란 곳을 찾았는데,
유심하고 기이하여 참으로 신선 세계였다. 그 수석의 절경은 중선암과
하선암 두 곳에 비해 몇 갑절 정도만이 아니었는데, 퇴옹(退翁 이황(李
滉))의 기(記)와 창석(蒼石 이준(李埈))의 지(誌)에 무슨 이유로 빠졌
는지 모르겠다. 예로부터 유람하는 사람의 발길이 미치지 못했다가 이
제 갑자기 사람을 만나 우리들이 찾게 되었으니 이는 세상에 드러나고
묻히는 운수가 그 사이에 있어서가 아니겠는가.224)

권상하는 자연을 사랑하는 마음으로 차일암을 찾아 나셨다가 마치
호로병 속 같은 곳을 발견하게 된다. 그러나 선대의 선비들은 이야기하

---

224) "乙丑夏 余與伯凝 選勝丹丘山水 窮仙巖上流 至獨樂城下 訪諸樵叟 得所謂遮日巖者
幽深奇異 眞壺裏乾坤也 其水石之佳絕 比兩仙巖不啻倍蓰 不知退翁之記蒼石之誌 何
故漏此耶 從古遊人足迹未到 而今忽邂逅 爲吾輩所得 莫是顯晦之數 存乎其間耶 余年
來久廢啽哦." (권상하, 『국역 한수재집』, 권 1, 「題上仙巖」)

지 않았으나, 참으로 기이한 모양을 하고 있어 좋은 경치가 될 것이라 이야기하고 있다. 권상하는 상선암을 만난 기쁨을 구체적으로 드러내고 있으며, 궁극적으로는 자연 속에서 은거하여 살고 싶은 천석고황의 마음을 나타내었다. 그에 비해 김원행은 상선암의 경천벽에서 자신이 닮고 싶은 인물의 성격을 발견하고 그러한 인물이 되고 싶은 마음을 이야기한 점이 다르다고 할 수 있다.

도대체 귀뚜리는 무슨 사연 있기에
하염없이 구슬프게 울어대고 있을까
어느덧 가을이라 맑은 서리 내리고
천지 자연 흐름 속 고요한 밤이로세
우주는 거대하고 강호는 광활하니
시서는 미미하고 예악도 하찮을 뿐
천고의 품은 뜻 시들해져 버리니
호남아가 못 될까 내심 저어되네

蟋蟀亦何事　　哀音無歇時
清霜忽秋序　　靜夜自天機
宇宙江湖大　　詩書禮樂微
蕭條千古志　　恐負好男兒
(김원행, 『미호집』 권 1, 「徹夜聞蟋蟀聲」)

이 시에서 김원행은 가을 밤 귀뚜라미의 울음소리를 듣고 문득 천기를 깨닫는다. 이 시와 같이 귀뚜라미를 읊은 시로 시경 당풍(唐風) 실솔 3장 8구가 있다. 이 시경의 시를 풍(風)이라 하는데, 풍이라 이름 함은 임금의 교화로써 말함이며 그 말은 또한 충분히 사람을 감동시킬 수 있는 것이다. 이는 만물이 바람의 움직임으로 인하여 소리를 내며, 그 소리는 또한 충분히 만물을 감동시키는 것과 같은 것이다. 이리하여 각국의 제후들은 이것들(시)을 채집하여 천자에게 바치고, 천자는 그것을 받아 음악을 만드는 악관(樂官)들에게 주는데, 그것으로서 풍속과 숭상함의 아름답고 나쁨을 살펴 정치의 득실(得失)을 아는 것이다. 그리고 가을이 되어 귀뚜라미가 우는 현상은 변함없는 자연의 이치를 상징하고, 시서예악은 인간의 문화를 상징하는 말로, 시서예악으로 대표되는 인간의 문화와 우주·강호를 대조해 보았을 때 인간 문화의 왜소함을 다시 한번 깨닫게 된다.

다음 시는 학포에서 노닐며 지은 시이다.

푸른 바다 흰 모래 아득히 이어졌는데
학 떠나고 누대 빈 지 몇백 년이런가
원수의 성명을 어디 가서 물어볼꼬
취한 채 달빛 벗해 국선 이름 불러보네

湖青沙白渺相緣　　鶴去臺空幾百年
元帥姓名無問處　　醉携明月喚羣仙
(김원행, 『미호집』권 1, 「遊鶴浦 登所謂元帥臺者 元帥不傳其姓名
其人不可知 然今不知爲幾百餘年 而能使元帥之稱不泯於海山空曠之間

意其勳業風流必奇偉非常人 而今寂寥乃如此矣 男兒百年功名寧足把翫
耶 遂慨然賦之 用洪丈韻」)

　　이 시의 제목은 「학포를 유람하다가 원수대라는 곳에 올랐는데, 원수
는 그 성명이 전해지지 않아 누구인지 알 수 없다. 그러나 지금 몇백여
년이 지났는지는 모르지만 원수라는 칭호가 광활한 산천에 사라지지
않게 하고 있으니, 아마도 그는 공업과 풍류가 틀림없이 걸출하고 위대
하여 범상한 사람이 아닐 것이다. 그런데 지금은 적막하기가 이와 같으
니, 남아가 평생토록 공명에 매달리는 것이 다 부질없는 일이다. 마침내
개연히 시를 읊는다. 홍장(홍용조(洪龍祚))의 운을 쓰다」이다.

　　학포에서 노닐며, 원수대에 올랐던 경험을 쓴 시이다. 원수대(元帥
臺)는 지금의 강원도 통천(通川) 지역인 학포(鶴浦)의 해안에 위치한
명승지로 알려져 있다. '원수대'라는 장소의 이름은 남아 있지만, 그 자
세한 내용은 잊혀진 사실을 보여주고 있다. 승구에 나온 '학'은 「황학루」
의 시상과 '학포'라는 지명을 연결하여 시상을 연결하였다. 이어서 결구
에 나온 국선(國仙)은 신라 시대 네 명의 국선인 영랑(永郞), 술랑(述
郞), 남석랑(南石郞), 안상랑(安詳郞)을 가리킨다. 금강산 일대와 고성
삼일포(三日浦) 등에 그들이 노닐던 자취가 있다 한다. 이를 통해 자연
의 연속성에 비해 인간 사회에서 이룬 공업의 초라함을 상대적으로 보
여주고 있다.

　　앞강에 밤새도록 빗줄기 퍼붓더니
　　울타리 가 나무 아래 배를 옮겨 버렸네

시내 동쪽 전답을 둘러보고 싶지만
수심이 깊어져서 건널 수가 없구나

前江一夜雨　　　移舟籬際樹
欲巡溪東田　　　水深不得渡
(김원행, 『미호집』 권 1, 「雨中」)

어촌 마을에서 일어나는 현상을 재미있게 표현하고 있다. 밤새 많은 비가 내려 집 앞에 묶어 놓았던 배가 자고 일어나니 저 강 건너 울타리에 옮겨진 현상 말이다. 그래서 배를 다시 찾아 놓으려고 하지만, 이미 강 물이 깊어 배에 갈 수 없는 모습을 그렸다.

이상과 같이 김원행은 일상에서 접하는 귀뚜라미의 울음소리, 밤새 내리는 비, 여행에서 만나는 경물 등을 보면서 자연의 무한함과 인간 제도의 유한함을 비교하는 등 도학적 주제를 이야기하고 있다.

VII. 나오며

17~18세기 노론계 문인의 산수문학의 첫 번째 특징은 문학 작품 속에서 은일을 지향했다는 데에 있다. 은일은 예부터 자기와 뜻이 맞지 않는 세상에서 자신의 의지를 표현하는 하나의 방식으로 존재해 왔다. 조선 전기에도 수많은 선비들이 출사가 여의치 않을 때 은거를 택하였으며 그 속에서 산수 자연을 제재로 한 문학 작품을 창작해 왔다. 그러나 17~18세기 노론계 문인들은 전대와는 다른 방식으로 문학 작품에 은일을 형상화하였다.

노론계 문인인 김수증, 김창협, 김창흡, 김원행은 모두 은일을 지향하였다. 김수증의 경우는 은일 이전에 외직을 떠돌며 산수에서 친밀감을 느껴 출처를 반복하다가 기사환국을 기점으로 하여 가화(家禍)를 피해 은일을 택하였다. 김수증의 은일 행위는 당쟁의 화로 아버지를 여읜 김창협과 김창흡에게 중요한 영향을 미친다. 김창협은 기사환국 (1689년) 이후에 관직에서 물러 나왔으며, 특히 김창흡은 벽계·삼부연·영시암 등 궁벽한 곳을 찾아다니며 은거를 지속하고자 하였다. 김원행은 후사가 없이 요절한 김창협의 아들 김숭겸의 후사로 출계하였는데, 이것 때문에 생부인 김제겸이 사사된 신축옥사(1721년)의 화를 피할 수 있었다. 이후로 김제겸이 복관된 뒤에도 김원행은 과거 응시를 단념하고 석실서원에 강학을 일삼으며 은거를 택하여 산림으로서 일생을 마감하였다.

이들의 은일의 가장 큰 특징은 은일을 지속하는 데에 자신의 의지가 가장 중요한 요인으로 작용했다는 점이다. 물론, 이들이 은일을 택하게 된 계기는 기사환국, 신축옥사 등의 외부적인 요인에서 기인하였다. 그러나 외부적인 요인이 완화된 이후에도 이들은 다시 정계로 복귀하지 않는 모습을 보이는 것으로 보아 은일을 지속하게 된 데에는 자기 자신의 확고한 의지가 뒷받침이 되었음을 알 수 있다.

둘째로, 은일의 성격은 전형적인 유학자의 처세관을 유지하고 있다는 점이다. 무릇 선비란 때에 맞게 출처를 택하여야 한다고 굳게 믿고 있었으며, 정치에서 물러나와 있을 때에도 현실 정치에 대해 끊임없이 관심을 보이고 참여하려 하였다. 그 중에서도 김창협과 김원행의 경우, 은거해 있으면서도 석실서원과 미호를 중심으로 하여 강학의 공간을 경영하였다. 이것은 선비로서 출사하게 될 때를 대비하여 계속해서 강학에 힘을 써야 한다는 생각을 실천한 것이라 하겠다. 그 속에서 여러 제자를 길러 내며 문인·재사들과 교유하며 지냈기 때문에 은일을 하고 있으면서도 산림에 있으며 정치적으로 큰 영향력을 행사할 수 있었던 것이다.

세 번째로, 은일이 한 가문에 속한 인물들 사이에서 집단적으로, 그리고 대를 이어 지속적으로 행해졌다는 것이다. 이들은 서로 간에 동류의식을 느끼며 서로를 격려하여 은일을 지속하였다. 후대에 은일을 행하는 사람은 전대에 은일을 행했던 선조의 자취를 따라 그 고결한 의지를 기렸다.

은일의 행위는 산수문학 창작에 중요한 영향을 미쳤다. 이들은 남들보다 자주 자연 경물을 완상할 기회가 잦았으며 구체적인 경험을 시로 재현하게 되었다.

김수증은 곡운구곡 경영을 통해 은일을 실천하였다. 김수증의 은일은 산수시 뿐만 아니라 「유지당기」, 「화음동지」, 「무명와기사」 등의 다수의 산수기, 산수유기를 통해 그 실체를 확인할 수 있었다. 김수증의 은일은 다시 두 조카 김창협·김창흡에게 영향을 미쳤다. 따라서 김수증의 은일은 자기 자신의 산수문학을 창작하는 토대가 되었을 뿐만 아니라 김창협·김창흡에게 은자의 전형으로서 역할을 수행하기도 하였다.

김창협은 농암에서의 생활을 산수시를 통해 형상화하였으며 김수증을 비롯하여 이의건, 김시습 등의 은자의 삶을 지향하였다. 김창흡은 은일에 대한 의지가 더욱 강하였다. 특히 만년에는 양평의 벽계가 너무 세속과 가깝다 여겨 김시습이 머물던 설악산 영시암이나, 김수증이 머물었던 곡운구곡으로 거처를 옮기기도 하였다. 김창흡의 만년에 지은 시에서 절속의 의지를 표출하였다. 김원행은 절속의 의지보다는 강촌의 삶을 담박하게 표현하였다.

이들 산수문학의 두 번째 특징은 산수 경물을 통해 도학적인 진리를 탐구하는 과정을 드러내고자 했다는 점이다. 전대의 강호가도 문학에서도 이른바 '인물우흥(因物遇興)'은 산수를 읊는 주된 방식으로 사용되었다. 한적한 자연에서 풍광을 감상하는 가운데 '역군은(亦君恩)'을 떠올리는 것이 그 예이다.

그러나 이들 17~18세기 노론계 문인이 터득한 진리와 전대의 강호가도 문학에서 터득한 진리는 성격이 다르다. 전대의 문학에서는 충·효 등의 윤리적 덕목을 의미하여 효용성을 추구했다면, 이들 조선 후기 노론계 문인들이 작품에서 추구하고자 했던 진리는 소옹의 상수학적 질서나 주자의 입도차제를 의미한다고 하겠다. 즉 소옹의 상수학적 질서를 토대로 천지의 순행과 산천초목의 변화를 이해하려고 하였으며 나아가 정치적 부침에 따른 자신들의 처지 변화를 이해하고자 하였다. 또 주자가 무이구곡에서 강학을 하며 이치를 궁구했던 것을 본받으려 하였다.

김수증의 경우, 주변 경물에 실상과 흡사한 이름을 붙이는 과정을 통해 그 산수에 내재된 이치를 파악하려고 하였다. 한편, 주자의 행적을 모방하여 정사 경영을 통해 도를 실현하는 과정을 실현하고자 하였다. 김창협도 산수에 대한 구체적인 실상을 그리는 과정에서 산수를 품평하며 그 속에서 유학적인 가치를 찾고자 하였다. 김창흡의 경우, 사물에 대한 관조를 통해 깨달음으로 나아가고자 했던 과정을 시로 표현하였다. 김원행은 산수를 그대로 도체의 구현물로 바라보기 보다는 그 속에서 도학적인 진리를 전달하는 도구로써 인식하였다.

시의 대부분은 은일한 삶의 일상을 담았다. 일상적인 언어를 시어로 사용하거나 소재의 확장은 자연스럽게 주변에 대한 인식하게끔 하였다.

주변 경물에 대한 탐구는 그 속에 내재한 자연의 이치나 도덕적 주제를 찾는 데에 귀착되었다. 주변 경물에 관심을 갖고 지형지물에 이름을 붙이고 자신의 은거지 또는 유람한 지역에 관심을 보이기 시작하여 탈중심주의적인 모습을 드러내기도 하였다.

17~18세기 노론계 문인은 산수 문학을 통해 시 형태의 변화를 꾀했다. 김창흡의 경우 젊은 시절 일반적인 근체시의 형식에서 벗어나 다양한 시체를 실험했음은 이를 증명한다. 다양한 시체로 개성적인 시를 쓰고자 했던 김창흡은 김수증이 만년에 추구했던 것과 같이 장편의 연작시를 짓는 방식으로 시형의 변화를 꾀하였다. 생활 속에서 나온 연작시는 자연스럽게 소재의 확장을 가져오게 되어 주변의 모습을 보다 구체적으로 형상화하게 되었다. 김창협의 경우도 시를 짓는 당시의 구체적인 정황을 시 제목에 노출시킴으로써 의고적인 경향을 없애고자 하였다. 김원행은 오히려 동일한 공간 연속적인 시간 속에서도 연작시나 장형화된 시 제목을 사용하지 않고 독립적인 작품을 여러 편 지어 각 작품마다 의상을 달리하였다.

17~18세기 노론계 문인의 산수문학이 지니는 문학사적 의의의 그 첫 번째는 유학자적 은자의 전형을 마련한 것이다. 출처에 대한 생각을 적극적으로 개진하며 실천하였으며, 은일지사의 이상적인 모습을 문학을 통해 구체적으로 제시하고자 하였다.

우리 나라의 경우, 사인(士人) 계층은 유학에 학문적·문화적 기반을 두고 있다. 또 고려 후기에 중국에서 들어온 성리학은 조선 중기로 접어들며 중국보다 더 깊은 학문적 성과를 거두었다고 평가된다. 그만큼 유학은 이론적인 발전뿐만 아니라 우리 나라 사람들의 실생활에도 깊이 자리잡게 되었다. 은일을 택했던 사람들도 이러한 문화적 토양에 기반을 두었기 때문에, 의(義)에 위배되는 부조리한 현실을 그저 외면할 수는 없었을 것이다. 그래서 문학 작품에서 은일을 지향하면서도 현실에 대한 냉철한 비판을 더할 수 있었다. 따라서 이러한 현실 세계에 대한 관심 표출은 유학자적 은일로 설명해야 할 것이다.

자연경물에 대한 아름다움을 맹목적으로 전달하기 보다는 그 속에 내재된 자연의 이치를 깨닫고 이를 통해 세계를 인식하고자 하였다. 이것은 전대의 강호가도가 자연의 아름다움을 말하고 관념적인 충(忠)·절(節)을 추상화하여 나타냈던 것과는 차이점을 드러낸다.

두 번째는 실경에 대한 구체적인 묘사를 통해 산수문학의 발흥을 꾀했다는 점이다. 사용된 시어와 제재의 폭이 넓어진 것은 관심의 폭이 일상에까지 확장됨을 의미한다. 표현 방식에 있어서 묘사가 사실성을 지니는 것은 그만큼 경물을 대하는 입장의 변화를 의미한다. 기존의 시인들은 자연을 묘사하는 데에 있어서 관념적이고 사변적인 논리를 추구하였다. 그러나 그의 시에서는 눈앞에 펼쳐진 대상을 있는 그대로 핍진하게 그려내어 그 속에서 진리를 파악하고자 하였다. 이것은 후대의 김창흡과 이병연에 의해 펼쳐진 진경시 운동과 관련을 맺고 있다.

겸재 정선으로 대표되는 18세기 진경(眞景) 화단(畵壇) 사람들과 외적으로는 지리·문화적으로 공동의 기반 위에서 성장·교유하였으며, 내적으로는 이들의 예술정신과 동질성을 지니면서 시와 서화에 많은 교류가 있었다. 이들이 공유했던 예술정신은 '대상에 대한 새로운 인식'으로 요약할 수 있는데, 그것은 그들의 시와 그림에 나타나는 핍진성을 통해서 알 수 있다.225)

세 번째는 이들의 문학관이 전대의 재도적 문학관과 후대의 개성적인 문학관을 이어주는 역할을 하고 있다는 점이다. 문학에 있어서 성정의 발현을 중시한 김창협과 종경정신을 표방한 김원행은 재도적인 문학관에 가깝다. 이에 비해 실경의 표현을 중시한 김수증과 개성의 구현을 내세운 김창흡은 개성적인 문학과에 가깝다고 할 수 있다.

이 책은 17~18세기 장동 김문의 문인들의 산수관과 산수문학의 특성을 살피는 데에 목적을 두었다. 이를 수행하기 위해 은일을 통해 산수경물을 접할 기회가 많았던 인물들 중 당대에 영향력을 발휘했던 인물을 연구 대상으로 설정하였다. 그동안 17 · 18세기 문학사 연구가 김창협 · 김창흡 형제에 치중하였던 것에 문제를 제기하고 이들과 영향관계에 놓인 인물로 그들의 백부 김수증과 손자 김원행을 아울러 연구 대상으로 설정하였다.

조선 후기 사상계 속에서 17세기는 매우 특별한 위치를 점하고 있다. 임진왜란과 병자호란 이후 전후 극복 과정에서 당파들은 각기 다른 사상적 대안을 모색하고자 했고, 이 과정에서 불가피한 충돌이 발생하였다. 이러한 사상적 대립은 인조반정 이후 정권을 담당하던 서인 당파 안에서도 존재하였다. 서인은 한당과 산당으로, 노론과 소론으로 분

---

225) 이숭수, 앞의 책, pp. 492-3.

열·대립하는 양상을 보였다.

노론은 17·18세기에 조선의 정국을 주도하였다. 막강한 정치력의 저변에는 예론(禮論)과 의리론(義理論)이라는 사상적 토대가 마련되어 있었다. 학문적인 영향력을 바탕으로 하여 노론계 문인들은 문화 전반을 주도하였다. 장동 김문은 노론 낙론계의 핵심 가문으로 정치적인 영향력을 발휘하였다. 청나라를 인식하는 데에 있어서 17세기 초반에 보이던 반청의식이 팽배하였으나, 점차 청과의 교류가 잦아지고 경화사족으로 군림하면서 자연스럽게 청의 문물을 접할 기회가 늘었다. 이를 계기로 하여 도통 의식을 강조하던 호론 계열보다 사상적인 유연성을 보이기 시작하였다.

김수증은 곡운구곡의 은거를 실행하며 산수를 보다 실천적으로 인식하려 하였다. 산수를 단순히 유람의 대상으로 여기지 않고 명명(命名)의 과정을 통해 인식의 틀로 가져오려고 하였다. 그는 작품을 통해 산촌에서의 소박한 삶을 여러 편의 장편 연작시로 형상화 하였다. 또 주로 노년에 지은 작품들이 많으므로 삶에 대한 자탄을 노정하였는데, 이들 작품은 김상헌에 대한 회고와 자제들에게 권면하는 주제로 전환되었다. 또 산수를 통해 주자학적 이상향을 추구하려는 작품이 뚜렷한 한 경향으로 파악할 수 있다.

김창협은 산수에 대한 글을 여러 편 남겼다. 기문과 편지글에 산수를 성정 도야의 수단으로 인식했다. 따라서 명성에 현혹되어 산수의 겉모습만 감상하는 것이 아니라 그 속에 내재된 자연의 이치를 파악해야 한다고 하였다. 산수 문학은 주로 기사환국 이후 농암에 은거하면서 창작되었다. 자신의 은거를 지속하겠다는 의지를 은자의 삶에 대한 예찬으로 표현하였다. 또 산수 품평을 통해 산수의 우열을 가려 그 속에서 유학적인 가치를 찾고자 하였다. 이를 통해 산수 경물 속에서 천기를 발견하고자 하였다.

김창흡은 산수를 관물적 태도로 감상하려고 하였다. 특히 김창흡은 철원 삼부연이나 설악산 등지에서 은거를 실행하였다. 문학 작품에서는 이와 같이 궁벽한 곳으로 은거지를 옮겨가며 은일을 지속하고자 했던 의지가 시에 표출되었다. 한편 백부인 김수증, 김시습 등의 인물을 은자의 전형으로 설정하여 이들의 행적을 따르고자 하였다. 한편, 은거의 일상에서 부딪치는 소재들을 시에 적극적으로 개입시키고 사물에 대한 관조를 통해 깨달음을 얻고자 하였다.

김원행은 김창협, 김창흡 형제에서 이재(李縡)로 이어지는 노론 낙론계를 대표하는 학자이다. 그는 1702년(숙종 28) 김창집의 손자로 태어났으나 "신임환국"을 겪으면서 과거를 포기하고 고향에서 학문에 집중하였다. 김원행은 비록 유학자이지만, 산수 사이를 출입하면서 그곳에서 생기는 흥취를 표현하는 일을 긍정하고 있다. 또 시에서 음률보다는 기격의 분출을 중시하였다. 그리고 김원행은 시 속에서 "산림으로서의 삶 지향", "선현에 대한 흠모", "도학적 주제"를 전달하는 등의 주제로 정리하였다. 산수와 경물을 읊고 있으나 경물 자체를 읊기 보다는 그 속에 숨어 있는 의미를 찾아 이야기하고 있다.

이들 산수문학은 1) 출처에 대한 적극적인 표명을 통해 유학자적 은자의 전형을 마련하여 문학 작품으로 구체화한 점, 2) 실경에 대한 핍진한 묘사를 통해 산수 문학의 발흥을 꾀한 점, 3) 산수 자연을 도학적인 질서 체계로 인식했다는 점에서 그 문학사적 의의를 찾을 수 있다.

참고문헌

1. 자료

권상하.『국역 한수재집』. 민족문화추진회. 1991.

김수증.『谷雲集』. 한국문집총간 125. 민족문화추진회.

김수항,『文谷集』. 한국문집총간 133. 민족문화추진회.

김시습.『국역 매월당집』. 세종대왕기념사업회, 1980

김시습.『梅月堂集』. 한국문집총간 13. 민족문화추진회.

김원행.『渼湖集』. 한국문집총간 220. 민족문화추진회.

김원행.『국역 미호집』. 민족문화추진회.

김창협.『국역 농암집』. 민족문화추진회. 2002-2005.

김창협.『農巖集』. 한국문집총간 161·162. 민족문화추진회.

김창흡.『三淵集』. 한국문집총간 165·166·167. 민족문화추진회.

박세당.『西溪集』. 한국문집총간 134. 민족문화추진회.

소 옹.『擊壤集』

송시열. 민족문화추진회 역,『국역 송자대전』.

윤 증,『明齋先生遺稿』. 한국문집총간 135·136. 민족문화추진회.

이 이.『국역 율곡전서』. 한국정신문화연구원, 1984-1996.

『조선왕조실록』 CD Rom.

2. 단행본

강명관. 조선시대 문학 예술의 생성 공간. 소명출판, 1999.

고연희. 조선후기 산수기행예술 연구. 일지사, 2001.

고영진. 조선시대 사상사를 어떻게 볼 것인가. 풀빛, 1999.

김병국. 고전시가의 미학탐구. 도서출판 월인, 2000.

김석하. 한국문학의 낙원사상 연구. 일신사, 1973.

김여주. 한국한문학과 유교문화. 아세아문화사, 1991.

김학수. 끝내 세상에 고개를 숙이지 않는다. 심우반, 2005.

문복희. 한국 신선시의 이해. 형설출판사, 2005.

박성순. 18세기 조선지식인의 문화의식. 한양대학교 출판부, 2002.

배우성. 조선후기 국토관과 천하관의 변화. 일지사, 1998.

손오규. 산수문학연구. 제주대학교 출판부, 2000.

_____. 산수미학탐구. 제주대학교 출판부, 2006.

심경호 외 5. 북한강 유역의 유학 사상. 한림대학교 아시아문화연구소, 1998.

심경호. 김시습평전. 돌베개. 2004.

안대회. 18세기 한국한시사 연구. 소명출판사. 1999.

안휘준. 우리 옛지도와 그 아름다움. 효형출판. 1999.

유봉학. 조선후기 학계와 지식인. 신구문화사. 1998.

_____. 연암 일파 북학사상 연구. 일지사, 1995.

육군사관학교 육군박물관 편. 강원도 화천군·춘천시 군사유적 지표조사 보고서, 2001.

윤호진. 漢詩와 四季의 花木. 교학사, 1997.

이민홍. 조선중기 시가의 이념과 미의식. 성균관대학교 출판부, 1993.

이상익. 기호성리학연구. 한울, 1998.

이승수. 삼연김창흡연구. 영가문화사, 1998.

이혜순 외. 조선중기의 유산기 문학. 집문당, 1997.

이효숙. 조선후기 구곡의 재현과 장소성, 역락, 2023.

정 민. 18세기 지식인의 발견. 휴머니스트, 2007.

정옥자. 조선후기 문화운동사. 일조각, 1988.

_____. 조선후기 조선중화사상연구. 일조각, 1998.

정항교. 증보 율곡 선생의 시문학. 이화문화출판사, 1992.

조성산. 조선후기 낙론계 학풍의 형성과 전개. 지식산업사, 2007.

진영미. 농암 김창협 시론 연구. 보고사, 1999.

진필상. 심경호 역. 한문문체론. 이회, 1995.

전형대 외 3인 공저. 한국고전시학사. 홍성사, 1979.

최완수 외. 진경시대 1 · 2. 돌베개, 1998.

최완수. 겸재 정선 진경산수화. 범우사, 1993.

한국사상사연구회 저. 조선유학의 개념들. 예문서원, 2002.

_____. 조선유학의 학파들. 예문서원, 1996.

한림대학교 박물관. 춘천군의 역사와 문화유적. 춘천시, 1994.

한림대학교 박물관 · 강원도 · 춘천시 편. 춘천의 역사와 문화유적, 1997.

김학지. 中國園林美學. 江蘇文藝出版社, 1990.

董天工 編. 武夷山志. 文海出版社. 印行本.

馬華 · 陳正宏. 姜炅範 · 千賢耕 譯. 중국은사문화. 동문선, 1997.

이나미 리츠코. 김석희 역. 중국의 은자들:불멸의 저항정신이 만들어 내는 중국사의 풍경.
        한길사, 2002.

3. 논문

강명관, "16세기 말 17세기 초 의고문파의 수용과 진한고문파의 성립,"『한국한문학연구』
        18, 1995.

강민경, "조선중기유선문학연구," 한양대학교 박사학위논문, 2004.

강신중, "농암 김창협의 한시 연구," 영남대학교 석사학위논문, 1994.

강영한, "동양의 순환적 사유와 그 배경,"『동양사회사상』제 4집. 동양사회사상학회, 2001.

_____, "북송이학자들의 시론 소고,"『성심여대논문집』14, 성심여자대학교, 1983.

강정서, "구곡가계 시가에 나타난 공간이미지와 지향의식," 경북대학교 석사학위논문,
        1994.

강정화, "16세기 유일문학연구," 경상대학교 박사학위논문, 2006.

강혜선, "김창협 고문연구," 서울대학교 석사학위논문. 1990.

고연희, "17C말 18C초 白岳詞壇의 명청문학 수용양상,"『동방학』1, 한서대학교 동양고전
        연구소, 1996.

_____, 조선후기 산수기행 문학과 기유도의 비교연구 : 농연그룹과 정선을 중심으로,
        이화여자대학교 박사학위논문, 2000.

權五榮, "19세기 기호유림의 사상 경향,"『東洋學』36집, 檀國大學校 東洋學研究所, 2004.

권정은, "'고산구곡시화병'에 드러난 이상향의 재현 양상," 『관악어문논집』 28, 서울대학교 국어국문학과, 2003.

琴章泰, "退溪・南冥・栗谷과 선비意識의 세 유형," 『退溪學報』 105, 退溪學硏究院, 2000

김갑천, "인조조의 정치적 '적실' 지향성에 관한 연구," 서울대학교 박사학위논문, 1998.

김남기, "「수미음」의 수용과 잡영류 연작시의 창작 양상," 『한국문화』 29, 서울대학교 한국문화연구소, 2002.

_____, "삼연 김창흡의 시문학연구," 서울대학교 박사학위논문, 2001.

金東敦, 韓・中 산수시 비교 연구 : 현실과 산수와의 관계 유형을 중심으로, 한국교원대학교 석사학위논문, 1998.

金東洙, "論語隱者與楊朱 ; 告子的 道家性格," 『중국문제연구』 15, 釜山大學校中國問題硏究所, 1988.

김문기, "구곡가계 시가의 계보와 전개양상," 『국어교육연구』 23, 경북대학교 국어교육연구회, 1991.

김병국, "「무이도가」와 「고산구곡가」의 품격 연구," 『어문연구』 31권, 한국어문교육연구회, 2003 봄.

김선기, "소화시평 이율곡 문단의 내용 변정," 『어문연구』 43권, 어문연구학회, 2003.

_____, "우암 송시열이 고산구곡가에 보인 향의," 『송자학논총』 3집, 충남대학교 송자학연구재단 송자연구소, 1996.

金善玉, "謙齋 鄭敾의 眞景山水畵 硏究 : 謙齋가 朝鮮後期 畵檀에 미친 影響을 중심으로," 성균관대학교 석사학위논문, 1991.

김성기, "17세기 한시사의 구도," 『한국한시연구』 14, 한국한시학회, 2006.

김성룡, "송시열 산문의 권위적 성격에 대한 연구," 『韓國漢文學硏究』 21집, 한국한문학회, 1998.

金勝心, "중국 시가에 나타난 隱逸의 類型," 『中國文化硏究』 제3집, 中國文化硏究學會, 2003.

김영진, "김창협의 문학비평론," 『동악한문학논집』, 4, 동악한문학논집, 1988.

김용헌, "조선시대의 도학적 은사 문화," 『한국학논집』 39집, 한양대 한국학연구소, 2005.

김정석, "17세기 은일가사 연구," 고려대학교 박사학위논문, 2002.

김주한, "퇴계의 주자시 이해," 『영남어문학』 10집, 영남어문학회, 1983.

김준석, "조선후기 기호사림의 주자인식," 『백제연구』 18, 충남대 백제연구소, 1987.

김창완, "16세기 사림의 강호시가 연구," 고려대학교 박사학위논문, 1997.

김창완, "중국 은일문화의 유형고," 『중국문학』 34, 한국중국어문학회, 2000.

김혜숙, "栗谷 詩의 道 吟詠 방식과 心狀・美感," 『고전문학연구』 24집, 한국고전문학회,

2003.

_____, "한국한시론에 있어서 천기에 대한 고찰(1)," 『한국한시연구』 2, 한국한시학회, 1994.

_____, "한국한시론에 있어서 천기에 대한 고찰(2)," 『한국한시연구』3, 한국한시학회, 1995.

김희정, "조선 후기 회화에 사실성 연구," 전북대학교 박사학위논문, 2002.

문석윤, "조선후기 호락논쟁의 성립사 연구," 서울대학교 박사학위논문, 1995.

미우라 쿠니오, "隱과 詩와 樂 - 邵康節이라는 삶(生)," 한국의 은사문화와 곡운구곡 국제학술대회 논문집, 2005.

민병수, "조선후기 시론연구 - 18세기를 중심으로," 『한국문화』 11, 서울대 한국문화연구소, 1991.

박명희, "삼연 김창흡의 시경론," 『한국언어문학』 제 47집, 한국언어문학회, 2001.

_____, "조선후기 시론 연구: 농암 김창협과 삼연 김창흡을 중심으로," 전남대학교 박사학위논문, 1998.

박영호, "농암 김창협 문학연구의 성과와 과제," 『동방한문학』 21, 동방한문학회, 2001.

박은정, "17~8세기 전기 농암계열 문장가들의 고문론 연구," 한양대학교 박사학위논문, 2005. 2.

박이정, "18세기 예술사 및 사상사의 흐름과 권섭의 「황강구곡가」," 『관악어문연구』27집, 서울대 국문과, 2002.

박지선, "김창업의 노가재연행일기 연구," 고려대학교 박사학위논문, 1995.

朴鶴來, "朝鮮末期 畿湖學派의 栗谷 理氣論 계승과 분화," 『栗谷思想研究』6집, 栗谷學會, 2003.

邊成圭, "隱逸개념의 형성에 관하여," 『中國文學』 제32집, 韓國中國語文學會, 1999.

성범중, "청음 김상헌의 삶과 시," 『한국한시작가연구』 9, 한국한시학회, 태학사. 1995.

성하춘, "율곡문학의 연구 : 고산구곡가와 그 영향을 중심으로," 충북대학교 석사학위논문, 1987.

송용준, "소옹의 시론과 시," 『중국문학』 32집, 한국중국어문학회, 1999.

송혁기, "김창협 문학비평의 당대적 위상," 『고전문학연구』 18, 2000.

_____. "17세기 후반- 18세기 초 허목 계열 남인 문단의 산문론," 『민족문학사연구』 27, 민족문학사학회, 2005.

沈禹英, "『武夷山志』의 朱子詩 내용 연구," 『中國文學研究』 제25집, 韓國中文學會, 2002.

안대회, "삼연 김창흡의 「갈역잡영」 연구," 『한국한시연구』 1, 한국한시학회, 1993.

안득용, "農淵 山水遊記 研究," 『東洋漢文學研究』 22집, 동양한문학회, 2006.

안영길, "농암 김창협의 문학론 연구,"『성신한문학』4집, 성신한문학회, 1993.

_____, "농암 김창협의 산문연구,"『한문학논집』14, 근역한문학회, 1996.

_____, "農岩 金昌協의 漢詩研究,"『誠信漢文學』3집, 성신한문학회, 1991.

오석환, "농암 김창협의 비지류 산문문학 연구,"『한문학논집』18, 근역한문학회, 2000.

_____, "농암 김창협의 증서류 산문문학 연구,"『한문학논집』19, 근역한문학회, 2001.

오수창, "붕당정치의 성립,"『한국사』30, 국사편찬위원회, 1998.

오용원, "김창협의 문예의식과 시론 연구,"『동악어문논집』42, 한국어문학연구학회, 2004.

_____, "농암 김창협론,"『조선후기 한시 작가론』1. 조선후기 한시 작가론 간행위원회
         편, 이회문화사, 1998.

_____, "農巖의 出處觀과 詩的 表出樣相,"『南冥學研究』17집, 경상대학교 남명학연구소,
         2004.

오춘택, "소양정의 시문과 춘천문화,"『아시아문화』1, 한림대 아시아문화연구소, 2002.

오항녕, "석실서원의 미호 김원행과 그의 사상,"『북한강 유역의 유학사상』, 한림대학교,
         1998.

우경섭, "김장생의 경학사상,"『한국학보』27, 일지사, 2001.

우응순, "17세기 고문론의 배경과 역사적 성격,"『어문논집』30, 1991.

_____, "16세기 기호사림파의 형성과 그 문학적 지향,"『한국한문학연구』31, 한국한문학
         회, 2003.

우인수, "조선 인조대 정국의 동향과 산림의 역할,"『대구사학』41, 1991.

劉日煥, "孔子의 隱遁觀에 대한 考察 :『論語』를 중심으로," 충남대학교 석사학위논문,
         1991.

유준영, "谷雲九曲圖를 중심으로 본 17세기 實景圖發展의 일례,"『정신문화』8호, 한국정신
         문화연구소, 1980.

_____, "김수증의 은둔사상과 곡운구곡, 동아세아 은자들의 미의식과 곡운구곡," 한일미
         학연구회 국제심포지엄, 1999.8.13.

유호선, "17C 후반~18C 전반 경화사족의 불교 수용과 그 시적 형상화," 고려대학교 박사학
         위논문, 2002.

윤 정, "숙종대 단종 추복의 정치사적 의미,"『한국사상사학』22집, 한국사상사학회, 2004.

윤진영, "朝鮮時代 九曲圖 研究," 韓國精神文化研究院 韓國學大學院 석사학위논문, 1997.

윤희면, "박세당의 생애와 학문,"『국사관논총』34집, 국사편찬위원회, 1992.

이 석, "수묵화에 있어서 여백의 조형성에 관한 연구," 상명대학교 석사학위논문, 2000.

이경구, "17~18세기 장동 김문 연구," 서울대 대학원 박사학위논문, 2003.

_____, "金元行의 實心 강조와 石室書院에서의 교육 활동,"『진단학보』88, 진단학회,

1999.

_____, "장동 김문의 문물수용론과 문예활동", 『한국학보』 29, 일지사, 2003.

이경수, 은둔의 전통과 청평사 한시, 한국한시연구 4집, 한국한시학회, 1996.

이근호, "16~18세기 '단종복위운동' 참여자의 복권 과정 연구," 『사학연구』 83, 2006.

이동영, "농암 김창협의 시문학연구," 성신여대 석사학위논문, 1991.

이민홍, "'무이도가' 수용을 통해 본 사림파문학의 일양상," 『한국한문학연구』 6집, 한국한 문학연구회, 1982.

_____, "사림파의 무이도가 수용에 대하여," 『도남학보』 7 · 8집, 도남학회, 1985.

이병주, "조선후기의 우암 송시열의 시문학," 『동악어문논집』 31집, 동악어문학회, 1996.

이상원, "조선후기 「고산구곡가」 수용양상과 그 의미," 『고전문학연구』 24, 한국고전문학 회, 2003.

이상익, "낙학에서 북학으로의 사상적 발전," 『철학』 46, 한국철학회, 1996.

이상주, "18세기 초 문인들의 우도론과 문예의식," 『한국한문학연구』 제 23집, 한국한문학 회, 1999.

_____, "구곡시의 전통과 화양구곡시," 『교육과학연구』 13집, 청주대 교육문제연구소, 1999.

_____, "朝鮮後期 山水評論에 대한 一考察 :華陽九曲을 중심으로," 『漢文學報』 제14집, 우리한문학회, 2006.

李勝洙, "17세기 후반 지식인의 邵雍 · 陸九淵 · 陳亮 수용 양상 연구," 『語文研究』 31, 어문 교육연구회, 2003.

_____, "17세기후반 사대부의 金時習 수용 양상과 그 의미," 『韓國漢文學研究』 제28집, 韓國漢文學會, 2001. 12.

이연숙, "17-8세기 영남지역 노론의 형성과 동향," 『실학사상연구』 23, 무악실학회, 2002.

이영휘, "우암 송시열 문학 연구 - 상량문을 중심으로," 『송자학논총』 3집, 충남대 송자학연 구재단 송자연구소, 1996.

이우성, "18세기 서울의 도시적 양상," 『향토서울』 17, 1963.

李殷昌, "韓國儒家 傳統園林의 研究 ; 儒學者의 卜居와 九曲經營을 中心으로," 『韓國傳統文 化研究』 4, 효성여자대학교 한국전통문화연구소, 1988.

李義澈, "조선전기 館閣派 文人의 隱逸과 權力의 문제," 『語文研究』 통권126호, 韓國語文敎 育研究會, 2005. 여름.

_____, "조선전기 사대부문학의 은일사상 연구," 경희대학교 박사학위논문, 2005.

이정선, "조선 후기 한시의 조선풍 연구," 한양대학교 박사학위논문, 2001.

이종상, "의암 류인석의 철학사상 연구 : 춘추의리학과 의병정신을 중심으로," 성균관대학교 박사학위논문, 2002.

이종호, "삼연 김창흡의 시론과 그 비평사적 의의,"『동양한문학연구』 11집, 동양한문학회,

_____, "삼연 김창흡의 시론에 관한 연구," 성균관대학교 박사학위논문, 1992.

이창일, "소강절의 선천역학과 상관적 사유," 한국학중앙연구원 박사학위논문, 2005.

이천승, "농암 김창협의 심성론에 대한 연구," 성균관대학교 박사학위논문, 2004.

이현일, "金時習『四遊錄』詩 硏究," 연세대학교 석사학위논문, 1999.

이효숙, "16·17세기 서인에 있어서의「김시습」인식,"『조선학보』 제206집, 2008.

_____, "곡운 김수증의 한시 연구," 강원대학교 석사학위논문, 2000.

_____, "조선 후기 문학 작품에 형상화된 '북한강',"『한겨레어문연구』 3집, 한겨레어문학회, 2006.

이희중, "조선 중기 서인계 '문장가'의 활동과 고문론의 전개,"『한국사론』 35, 서울대학교, 1996.

임유경, "18세기 천기론의 특징,『한국한문학연구』 19, 한국한문학회, 1996.

조규택, "조선 유학의 '道統' 의식과 구교도,"『역사와 경계』 61집, 부산경남사학회, 2006.

장세호, "기호학파의 도통의식,"『철학논총』 제12집, 영남철학회, 1996.

_____, "주희시 연구," 영남대학교 박사학위논문, 1996.

_____, "퇴계의 주자시 수용,"『퇴계학보』 93, 퇴계학연구원, 1997.

장원철, "조선후기 문학사상의 전개와 천기론," 한국정신문화연구원 석사학위논문. 1982.

장진아, "조선후기 문인진경산수화 연구," 서울대학교 석사학위논문, 1997.

정 민, "18세기 산수유기의 새로운 경향,"『18세기 연구』 제 4호, 한국18세기학회, 2001.

정경훈, "우암 송시열 산문의 일 연구," 성균관대학교 박사학위논문, 2006.

鄭求先, "朝鮮前期 遺逸之士의 삶에 대한 一考察,"『慶州史學』 제22집, 경주사학회, 2003.

정무룡, "17세기 후반 경화사인 간의 문학론 공방의 한 양상,"『부산한문학연구』 제 13집, 부산한문학회, 1999.

정순희, "도암 이재 시의 문예미,"『한국한문학연구』 34, 한국한문학회, 2004.

_____, "조선후기 도학자 시에 나타난 일상성의 몇 국면 : 노론 산림 도학자를 중심으로," 『한국문학이론과 비평』 8권 3호 통권 24집, 한국문학이론과 비평학회, 2004.

정시열, "농암 김창협 시론고,"『한국고전연구』 7, 한국고전연구학회, 2001.

정옥자, "대보단 창설에 관한 연구",『변태섭화갑기념논총』, 삼영사, 1989.

정우봉, "19세기 시론 연구," 고려대학교 박사학위논문, 1992.

_____, "김창협 시론의 비평적 의의,"『어문논집』 31, 안암어문학회, 1992.

정치영, "조선시대 유토피아의 양상과 그 지리적 특성,"『문화역사지리』 제17권 제1호 통권 25호, 한국문화역사지리학회, 2005.

조규희, "곡운구곡도첩의 다층적 의미," 『미술사논단』 23, 한국미술사연구소, 2006.

조남호, "김창협 학파의 양명학 비판," 『철학』 39, 한국철학회, 1993.

_____, "김창협 학파의 진경산수화," 『철학연구』 제71집, 철학연구회, 2005.

조명주, "『설교수창집』을 통해 본 청음 김상헌의 시 연구," 부산대학교 석사학위, 1998.

조성산, "조선후기 낙론계 학풍 형성과 경세론," 고려대학교 박사학위논문, 2003.

조송식, "북송 사대부의 의식세계와 출사관 및 그 예술," 한국미학회 발표. 1993.

조종업, "농암시론연구," 『한국시화연구』, 태학사, 1991

조준호, "조선 숙종 영조대 근기지역 노론학파 연구," 국민대학교 박사학위논문, 2003.

_____, "조선후기 석실서원의 위상과 학풍," 『朝鮮時代史學報』 11집, 1999.

지두환, "우암 송시열의 생애와 사상," 『韓國思想과 文化』 12집, 한국사상문화학회, 2001.

_____, "청음 김상헌의 생애와 사상," 『한국학논총』 24, 국민대학교 한국학연구소, 2001.

진영미, "농암 김창협 시론의 연구," 성균관대학교 박사학위논문, 1997.

진영희, "북송 고문가들의 도와 문에 대한 견해 소고," 『중국어문학』 15집, 영남 중국어문학
　　　　회, 1988.

차남희, "천 개념의 변화와 17세기 주자학적 실서의 균열," 『사회와 역사』 70, 한국사회사학
　　　　회, 2006.

채환종, "농암 김창협의 문학연구," 충북대학교 박사학위논문, 1994.

_____, "三淵 金昌翕의 社會詩 硏究," 『語文硏究』 27, 한국어문교육연구회, 1995.

최인황, "農巖 金昌協의 個性主義的 詩論 硏究," 『崇實語文』 15, 숭실어문학회, 1999.

최재목, "퇴계의 '산림(山林)은거'가 갖는 철학적 의미," 『양명학』 8, 한국양명학회, 2002.

최현태, "농암 김창협 시론 연구," 연세대학교 석사학위논문, 1995.

최형록, "소옹 시 연구," 『중국학』 23, 2004.

한형조, "幽貞, 혹은 유교적 은자의 길," 『退溪學報』 통권111호, 退溪學硏究院, 2002. 6

海老田 輝巳, "이퇴계의 시에 있어서 주자와 도연명의 영향," 『퇴계학논총』 5집, 한국퇴계
　　　　학연구원, 1999.

洪瑀欽, "華西 李恒老의 山水詩 試探," 『語文硏究』 32권 2호 통권122호, 韓國語文敎育硏究
　　　　會, 2004 여름.

洪學姬, "栗谷 李珥의 詩文學 硏究," 이화여자대학교 박사학위논문, 2001.

황원구, "한국에서의 유토피아의 한 시도," 『동방학지』 32, 연세대학교 국학연구원, 1982.

황의동, "우암의 성리학과 학문적 위상," 『한국사상과 문화』 42집, 한국사상문화학회, 2008.

황인건, "곡운 김수증의 산수문학 연구," 한양대학교 석사학위논문, 1998.

_____, "병란 직후 지식인의 시적 대응: 청음 김상헌의 『설교집』을 중심으로," 『한국시가
　　　　연구』 6, 한국시가학회, 2000.